WINE ODYSSEIA

와인 오디세이아

EUROPE

추천의 글

와인에 대한 해박한 지식과 열정으로 유럽의 저명 와이너리들을 찾아가 시음을 하고, 스토리를 발굴하고, 여행정보까지 꼼꼼히 수록한 탁월한 저서이다. 전문가다운 섬세하고 속 시원한 리뷰와 더불어 음식과의 페어링Pairing(궁합), 주변 레스토랑과 관광지를 안내하는 것에도 소홀함이 없다. 이 책은 오직 저자에 의해서만 씌어질 수 있는 유럽 와이너리 가이드북이다. 나도 전 세계 27개국의 와이너리 투어를 다녔지만, 특히 수차례 저자와 함께했던 와이너리 투어는 감동과 추억으로 남아 있다. 저자는 일찍이 프랑스 보르도 경영대학원에서 세계 최초로 와인 MBA를 이수하고, 경희대학교 관광대학원에서 후학들을 가르쳤던 와인 전문가로서 명성이 높다.

고재윤 _한국국제소믈리에협회(KISA) 회장, 경희대학교 관광대학원 와인소믈리에학과 고황명예교수

저자와 나는 국제적인 와인 클럽 'IWFS, Seoul Decanter'의 공동의장을 맡고 있으며, 저자의 사무실과 내가 사는 곳이 같은 동네에 있어서 종종 함께 와인을 즐긴다. 나는 저자만큼 와인에 대한 식견과 애정을 지닌 한국인을 지금껏 만난 적이 없다. 유럽 와인에 대한 정보, 지식, 경험이 고스란히 담겨 있어, 이 책을 펼치면 마치 그와 함께 와이너리 투어를 하는 기분이 든다. 이런 저자를 친구로 두고 있다는 것은 나의 자랑이며 행운이다.

스테판 블랑샤르 _샤넬 코리아 사장, IWFS, Seoul Decanter 회장

외교관으로 살아오면서 와인을 늘 가까이했다. 오랜 시간 와인과 함께하면서 분명해진 생각이 있다. 그것은 와인을 함께한 사람은 영원히 남는다는 사실이다. 저자와 나도 그런 관계다. 20여 년 전 해외 공관에 근무할 때 처음 만났던 저자는 유난스러운 와인 애호가이자 전문가였다. 지금은 거기에 깊이와 통찰이 보태졌다. 언젠가 세계의 저명 와이너리들을 여행하고 싶다는 소망을 가진 모든 이들에게 『와인 오디세이아』는 최고의 가이드다. 와인과 함께하는 인생의 기쁨을 만끽하게 해줄 것이므로.

오 준 _세이브 더 칠드런 이사장, 전 유엔 대사

WINE ODYSSEIA

와인 오디세이아

EUROPE

JJ SONG

파람북

내 인생의 와인

와인의 매혹

술을 좋아하지 않는 사람이라 해도 누구나 인생에서 한 번쯤 와인을 만난다. 다만 혼잡한 도시의 일상 속에서 만나는 무연한 얼굴들처럼 무관심 속에 그저 스쳐 지나갈 뿐이다. 그러나 누군가에게는 단 한 번의 우연한 경험이 인생의 '결정적 순간'을 만들어주기도 한다. 세계적인 와인평론가 잰시스 로빈슨Jancis Robinson 또한 그랬다. 그녀의 인생에서 가장 중요한 전기가 되었던 것은 옥스퍼드Oxford 대학에 재학 중이던 무렵 우연히 맛본 샹볼-뮈지니 레자무뢰즈Chambolle-Musigny Les Amoureuses 한 잔이었다.

대학 시절 나는 태풍 사라호 때문에 탄생한 드라이 타입의 애플와인 '파라다이스'를 좋아했다. 그 후 주로 해외에서 직장생활을 할 때부터 회사를 경영하고 있는 지금까지 나에게 와인은 언제나 좋은 친구이며, 항상 내 곁을 지키고 있다. 잔에 와인을 채울 때마다 이따금씩 내가 전생에 유럽 어느 마을에서 포도원을 일구는 농장주는 아니었을까, 내 혈관 속에 와인의 붉은 DNA가 흐르고 있지는 않을까 하는 생각이 들곤 한다. 와인과 처음 인연을 맺었던 먼 옛날 청춘의 어느 날부터 직업과 무관하게 인생의 대부분을 함께해왔으니, 내게는 와인이 가장 소중하고 애틋한 인생의 동반자라 할 만하다.
굳이 내 인생을 둘로 나누어본다면 그것은 와인과 함께할 때와 그렇지 않은 시간이다. 와인과 함께한 매 순간의 내 인생은 언제나 순수하고 행복했다. 그렇지 않은 시간은 치열한 삶의 현장이었다. 와인을 인생의 중심에 두면서 업으로 삼지 않았던 것은 와인에 대한 열정의 순수성을 지키고 싶어서였다. 그 마음은 지금도 다르지 않다. 나는 여전히 많은 비용과 시간을 들여 전 세계의 와이너리와 와인을 찾는 여정을 계속하고 있다. 물론 그 시간과 비용을 계산해본 적은 없다. 다만 그간의 체험들이 내 인생을 행복하게 하고 있다.
와인이 한 사람의 인생에 미친 절대적인 영향에 대한 이야기는 무수히 많다. 특히 '저주받은 천재 시인' 보들레르가 시집 『악의 꽃Les Fleurs du mal』이 미풍양속을 해친다는 이유로 벌금형 판결을 받아 가산을 탕진하고 생의 나락으로 떨어졌을 때, 그를 지독한 우울의 늪에서 구원해준 것은 보르도 와인 샤토 샤스 스플린Château Chasse-Spleen이었다. '슬픔이여 안녕' 정도로 해석될 이 와인의 이름은 보들레르가 헌정했다고 한다. 와인의 무엇이 사람을 매료시키는 걸까? 무엇으로도 대체될 수 없는 와인의 매혹이란 도대체 무엇일까?

문명과 자연의 연금술

"와인은 세상에서 가장 문명화된 것 중 하나이며, 동시에 가장 자연적인 것이기도 하다Wine is one of the most civilized things in the world and one of the natural things of the world."

유난히 와인을 사랑했던 어니스트 헤밍웨이Ernest Hemingway가 1932년 스페인 마드리드에서 쓴 투우 소설 『오후의 죽음Death in the Afternoon』에서 서술한 이 문장만큼 완벽한 와인의 정의를 나는 지금껏 그 어디에서도 발견한 적이 없다. 와인은 포도 자체의 생화학적인 작용에 의해 탄생한 천연 알코올음료이지만, 헤밍웨이의 비유처럼 감성이나 각자의 의식에 따라 무한히 가치가 확장되는 문화상품이기도 하다. 경제학에서 말하는 '물과 다이아몬드의 역설Water-Diamond Paradox' 이론이 적용되는 대표적인 상품이다. 그래서 와인의 트렌드도 문명의 발달과 함께 끝없이 변화·진화하고 있다. 포도 재배 농법, 품종, 양조 스타일, 레이블, 병마개와 포장 방법뿐만 아니라, 음식과의 조화 등 와인 에티켓의 변화가 대표적이다.
언제부터 인간이 와인을 발견하고 마셨는지에 대한 구체적인 자료는 없다. 그러나 야생포도가 표면에 붙은 천연효모에 의해 자연 발효된 와인을 마신 것은 확실하다. 와인은 100퍼센트 포도를 자연 발효시켜 만들기 때문에 제조 공정에 복잡한 기계 장치와 여타의 화학물질, 고도의 추출 기술 같은 인위적 개입이 적다. 그만큼 원료인 포도의 품질이 차지하는 비중이 높아 가장 자연과 가까운 술이라 할 수 있다. 알코올 도수가 낮고 풍미가 뛰어난 것이나, 신의 음료에 비유하는 것 또한 이 때문일 것이다.

포도 한 알 속의 우주

와인의 모든 비밀은 1차적으로 포도에 담겨 있다고 할 수 있다. 와인의 종류가 헤아릴 수 없이 많은 것도 와인을 만드는 데 쓰는 포도가 다양하기 때문이다. 수천 종에 달하는 포도의 품종과 포도나무가 자라는 각각의 테루아Terroir, 해마다 다른 기후와 그리고 와인을 만드는 사람들 특유의 양조 방식 등 이 모든 조건들이 만들어내는 조합의 수는 그야말로 '하늘의 별'만큼 많다.
장석주 시인은 자신의 시 「대추 한 알」에서 대추 한 알도 저절로 붉어질 리 없으며, 그 안에 태풍과 천둥과 벼락이 들어 있어 붉게 익는 것이라고 말한바 있다.

참으로 놀라운 관조와 통찰이라 할 만하다. 마찬가지로 포도 한 알에도 자연의 이력과 신비가 담기지 않을 리 없다. 작렬하듯 내리쬐는 한낮의 태양과 넝쿨 사이로 불어오는 저녁나절의 선선한 바람 그리고 간밤에 다녀간 소나기, 어디 그뿐이겠는가. 배수가 잘되는 거친 토양 깊숙한 곳에서 영양분을 빨아올리는 실낱 같은 뿌리와, 온몸으로 햇빛을 받아들여 부지런히 당분을 만들어내는 이파리까지, 열매를 맺기 위한 포도나무의 꿈틀거림은 그야말로 사투에 가깝다. 거기에 그 노고에 대한 위안처럼 부드러운 흙내음과 붉게 물든 서쪽 하늘의 황홀이 스미고 고요한 밤하늘의 달빛과 별빛도 내려앉고, 달디단 내음을 따라 곤충들과 미생물들이 다녀간다. 복잡미묘한 자연의 법칙에 따라 스미고 적시고 흔드는 이 모든 것들이 포도 한 알에 담긴다.

와인이 인생을 만날 때

빼놓은 것이 한 가지 있다. 인간의 땀과 정성스러운 손길이다. 인간에 의해 가꾸어지고 거두어진 포도가 압착 과정을 거치면서 효모(이스트)가 당분을 만나 알코올을 생성한다. 처음에는 다소 야성적인 맛을 풍기지만, 시간이 지남에 따라 맛이 깊어지고 성숙해진다. 이제부터는 포도가 아닌 포도즙이 익어가는 시간이다. 와인은 병 속에서도 숙성되고, 우리가 마실 때까지 살아있기를 멈추지 않는 생명의 술이다. 와인은 단지 알코올에만 집중하지 않는 절제의 술이기도 하며, 조화로운 음식이나 좋은 사람과의 흥미로운 대화가 곁들여질 때 더욱 진가를 발휘하는 관계와 소통의 술이기도 하며, 문화와 예술과 철학이 함축되어 있는 인생의 술이기도 하다. 이 모든 매혹과 신비가 한 잔의 와인에 담긴다. 잔을 들고 불빛에 비추어보면 예민한 사람들은 포도가 자라던 포도원의 완만한 구릉과 대지와 바람과 햇빛, 포도넝쿨에 젖어드는 저녁놀과 부드러운 흙내음 그리고 천둥

몇 개, 벼락 몇 개……. 이 모든 것들이 들려주는 이야기를 들을 수 있을 것이다. 그러니 어떤 와인이 좋은 와인이냐고 묻지 마시라. 지금 당신 손에 들려 있는 와인이 가장 좋은 와인이며, 당신의 인생이니까.

지구를 다섯 바퀴 돌고 쓴 책

출판사에 원고를 넘겨주기로 약속했던 날로부터 2년이나 늦어졌다. 회사 일과 코로나 19 사태 등 예상치 못한 사정 때문이었지만, 스스로 만족할 수 없는 내용 때문이기도 했다. 즉, 《주간조선》과 《주간경향》에 연재했던 내용을 단순히 묶어 출간하려던 처음 계획이 점차 욕심으로 바뀌어서이다. 지난 30년간 수집한 방대한 자료와 직접 촬영한 사진을 혼자만 두고 보자니 아깝기도 하였다. 이 책은 와이너리 기행문이지만, 방문지의 역사·문화·예술에 대한 부분의 설명도 곁들였다. 서구에서의 와인은 이러한 문화적 배경을 통해 발전해왔기 때문이다. 따라서 여행의 참고서도 겸하지 않을까 기대한다.

또한 서문을 쓰면서 전 세계의 와인과 와이너리를 찾아다녔던 여정이 어림잡아 20만 킬로미터를 넘었다는 것을 깨닫고 책명을 '와인 오디세이아Wine Odysseia'로 명명하였다. 감히 트로이 전쟁의 영웅 오디세우스Odysseus 왕의 10년간의 귀향모험담과 비견할 수는 없겠지만 지구 다섯 바퀴를 돌아야 하는 거리이다. 그동안 방문했던 지역과 와이너리가 워낙 방대해 이 책에서는 구대륙의 일부 와이너리로 한정하였으며, 신대륙과 독일 그리고 동유럽 등은 훗날을 기약하기로 했다.

끝으로 이 책의 출간을 가능하게 해준 소중한 분들에게 감사를 드려야겠다. 나의 첫 번째 와인 책인『와인 & 와인너리』를 출간했던 박광성 대표가 많은 도움을 주셨고, 출판을 맡아주신 파람북출판사의 정해종 대표에게 특별히 감사드린다. 그리고 나의 와이너리 방문을 주선해주신 와인 수입사, 프랑스의 소펙사

SOPEXA, 주한 이탈리아 대사관, 오스트리아의 비에비눔VieVinum 관계자 들에게 감사한다. 바쁜 시간 속에서도 따뜻하게 환영해준 와이너리 관계자들과 특히 이 책에서 지면 관계상 일일이 소개하지 못한 와이너리들에 고마움을 표하고 싶다. 네비게이션이 없던 시절 지도를 더듬어가며 길을 찾고, GPS가 끊긴 험준한 시골길에서 길을 잃고 헤매면서도 항상 함께했던 아내와 나만큼이나 와인을 사랑하고 이해해준 두 아들 찬중, 세중에게 고마움을 표한다. 언제나 변함없는 우정으로 와인과 함께 인생을 논해왔던 친구들, 부족한 나의 강의를 경청해주었던 제자들과 와인클럽 멤버들에게도 이 지면을 통해 감사드린다.

2021년 봄

효자동, 와인초당臥人草堂에서

송 점 종

일러두기

1. 이 책은 전문도서가 아닌 와이너리 기행문이다. 다만 이 책을 이해하는 데 필요한 전문용어는 찾아보기와 함께 본문에서 간단하게 설명했다.
2. 이 책은 『프랑스편』과 『유럽편』 2권으로 구성되어 있기에 『프랑스편』에서 이미 설명한 용어는 『유럽편』에서 다시 언급하지 않았다. 따라서 독자들은 『프랑스편』을 먼저 읽기를 권한다.
3. 와이너리, 지명, 인명 등 고유명사와 전문용어는 처음 언급한 곳에서 원문을 병기하였으며, 한글로 표기한 외국어 발음은 외국어 전문가의 의견과 국립국어원의 외국어 표기법을 절충하여 본토 발음에 가깝게 들리도록 표기하였다.
4. 주요 와인 생산 지역의 지도에는 본문에 언급된 방문의 순서와 일치하도록 방문지에 일일이 번호를 매겼다. 따라서 독자들은 이 번호와 본문을 대조하면서 읽을 수 있고, 향후 와이너리 여행 시에 참고지도로 활용할 수도 있을 것이다. 다만 축척은 고려하지 않고 와이너리 중심으로 제작하였다.
5. 매 페이지에 본문과 관련된 사진을 함께 게재하고 일일이 캡션을 달아 설명하였다. 따라서 사진을 통해서도 이 책을 어느 정도 이해할 수 있을 것이다.
6. 여러 차례 방문했던 특정 지역과 와이너리는 1회 방문한 것처럼 재구성하여 집필한 관계로, 방문일정이나 계절적인 면에서 모순이 있을 수 있다.
7. 이 책은 예전에 《주간조선》과 《주간경향》에 연재했던 나의 와인 칼럼을 참고하고, 지난 30년간의 와이너리 여행을 재구성하여 집필한 것이다. 따라서 일부 와이너리에 관한 내용은 최신 자료를 찾아 보완하고자 노력하였으나, 오류가 있을 수 있으니 독자의 이해를 구한다.

내 인생의 와인 _프롤로그 _4

유럽 와인의 아버지 이탈리아 _21

대자연과 만나는 이탈리아 북동부 지방 _23

사랑과 와인의 도시 베로나 23
아마로네의 대부 마지 와이너리 33
컨템포러리 아마로네 '달 포르노 로마노' 와이너리 46
소아베의 숨은 와인 명가 프라 51
바르돌리노의 와인 명가 구에리에리 리짜르디 57
트렌티노 스푸만테의 명가 페라리 와이너리 60
볼차노로 가는 가장 길었던 길 73
이탈리아 최고의 휴양지 돌로미티 78
헤밍웨이가 머물다 간 데 스테파니 와이너리 84
영화 〈더 라스트 프로세코〉의 배경 87

이탈리아 대표 와인 산지 북서부 지방 _ 95

음식과 와인의 천국 피에몬테 지방 97

바롤로와 바르바레스코의 고향 알바 102

왕의 와인 바롤로 107

입안에서의 관능적인 체험을 추구하는 파올로 스카비노 와이너리 116

바롤로 최고의 명품 와인을 만드는 포데리 알도 콘테르노 와이너리 119

여왕의 와인 바르바레스코 125

가족이 만드는 파밀리아 마로네 와이너리 133

송로버섯 이야기 136

친퀘 테레의 해안절벽에서 나온 리구리아 와인 142

'예술 경영'을 실천하는 카델 보스코 와이너리 150

이탈리아의 심장 중부 지역 _ 159

갈색의 대지, 거대한 자연 박물관 토스카나 159

'브루넬로 디 몬탈치노'의 성지 몬탈치노 162

700년 전통의 프레스코발디 와이너리 168

다국적 와인 기업 카스텔로 반피 174

한때 이탈리아의 대표 와인이었던 키안티 178

신생 키안티 클라시코 와인 메이커, 보르고 스코페토 186

탑의 마을 산지미냐뇨의 베르나차 와인 188

르네상스 문화·예술의 꽃 피렌체 193

제2의 수퍼 투스칸을 꿈꾸는 두에마니 와이너리 199

혁신과 창조정신이 이루어낸 수퍼 투스칸 와인 203

수퍼 투스칸 와인의 창시자 안티노리와 구아도 알 타소 와이너리 206

열정, 새로운 도전과 기다림의 미학이 빚어낸 사시카이아 와인 210

수퍼 투스칸의 새로운 별, 레 마키올레 와이너리 220

군대와 함께한 와인 문화 225

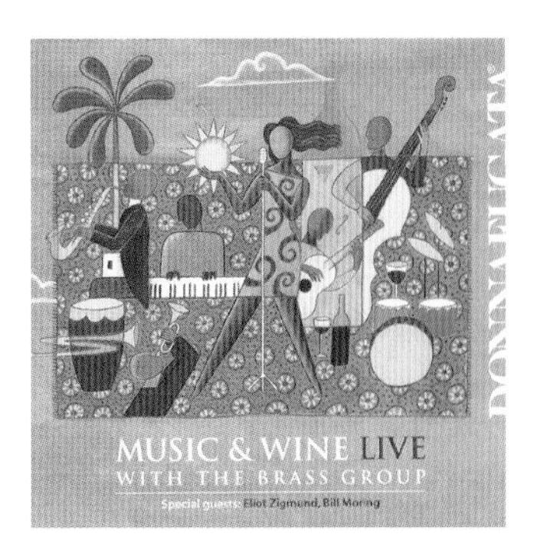

이탈리아의 녹색 정원 움브리아 _ 228

움브리아의 대표 와이너리 룽가로티 228

"와인은 대화와 접객이다."—룽가로티 가문의 모토 237

지중해에 떠 있는 다문화의 보물섬 시칠리아 _ 241

토착 문화와 지리적 특성이 반영된 시칠리아 와인 247

신전의 계곡 아그리젠토 250

네로 다볼라의 고향 아볼라 257

성골의 포도나무로 만든 베난티 와인 264

죽기 전에 마셔야 할 100대 와인 중 하나인 테레 네레 269

모파상이 머물고 싶어했던 그리스의 고도 타오르미나 274

영화 〈시네마 천국〉의 배경지 체팔로 278

플라네타 와이너리 와인의 뿌리는 500년 이상을 이어온 농업 280

자연과 예술로 빚어낸 돈나푸가타 와이너리 284

마르살라에서 우연히 탄생한 강화 스위트 와인 마르살라 294

예술과 자연의 하모니로 빚어낸 오스트리아의 와인 _301

세계자연유산 바하우 계곡 313

세계적인 와인 박물관 로이지움 317

그뤼너 벨트리너의 대표 와인 메이커 레트 와이너리 325

캄프탈의 대표 와이너리 유르취치-존호프 330

스타일리시한 마케팅 전략, 젊은 마르쿠스 후버 와이너리 333

도나우강의 비경 바하우 계곡 339

멜크 수도원에서 바로크 건축의 진수를 만나다 342

음악과 문화유산의 도시 잘츠부르크 344

비행접시를 닮은 이카루스 레스토랑 354

환상의 드라이브코스 잘츠부르크-바트 이슐-할슈타트-그라츠 364

낭만적인 와인가도 슈타이어마르크 366

소비뇽 블랑으로 유명한 테멘트 와이너리 368

프란츠 리스트의 고향, 부르겐란트 377

바이오다이나믹 와이너리 베닝거 380

세계자연유산 노이지들러호수 385

최고의 스위트 와인 메이커 치다 와이너리 392

세계적인 레스토랑 타우벤코벨 397

루스트의 대표 와이너리 파일러-아르팅거 404

음악으로 와인을 숙성시키는 마르코비치 와이너리 408

호이리게와 마이어 암 파르플라츠 와이너리 413

작지만 다양한 와인을 가진 스위스 _ 421

세계자연유산인 계단식 포도밭 라보 지역 422

알프스에서 생산되는 발레의 와인 429

자연을 극복한 일념의 와이너리, 해발 1,100미터 439

세계 제일의 와인 생산국, 스페인 _ 447

카탈루냐의 문화와 와인 449

카바의 대표 와이너리 코도르뉴 454

컨템포러리 와이너리 토레스 457

고전주의 와이너리 루베르테 464

스페인의 대표 와인 산지 리오하 467

현대인이 좋아하는 파코 가르시아 와이너리 474

마르케스 데 리스칼 와이너리 477

새롭게 떠오르는 별, 리베라 델 두에로 481

제약회사 노바르티스가 설립한 아바디아 레투에르타 와이너리 486

가족 중심의 전통 와이너리, 아로칼 와이너리 489

다음 세대를 위한 포도나무의 교훈, 디아스 바요 493

정치 · 문화 · 예술의 중심지 마드리드 499

헌신적인 사랑의 음악 〈아랑후에스 협주곡〉 506

유럽 와인의 변방, 포르투갈 _ 519

포트 와인의 고향 오포르투 520

해양 대국 포르투갈의 탄생지 530

포르투갈의 전통과 정신, 페헤이라 포트 와인 하우스 532

대량생산으로 상업화에 성공한 크로포트 하우스 534

통합 마케팅 커뮤니케이션으로 세계시장을 석권한 샌드먼 537

베이라스의 대표 와이너리, 카사 드 산타르 540

거대한 와인 박물관, 바카우오아 와이너리 544

찾아보기 560

몬탈치노 성에서 바라본 중세풍 마을 몬탈치노와 광활한 토스카나의 갈색 대지가 파도처럼 펼쳐져 있다.

Italy

이탈리아 와인 생산지방

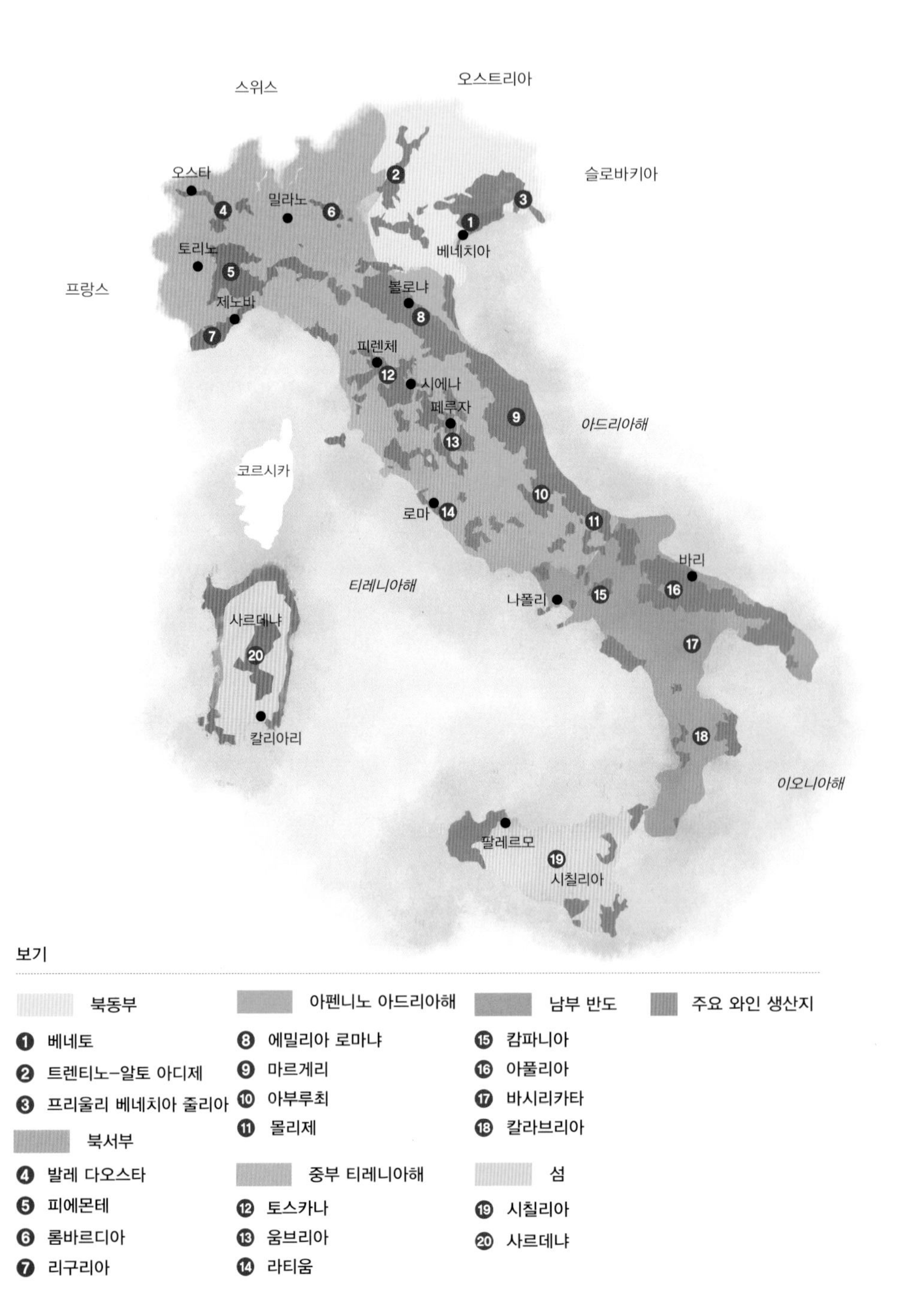
스위스
오스트리아
슬로바키아
프랑스
오스타
밀라노
토리노
제노바
베네치아
볼로냐
피렌체
시에나
페루자
로마
나폴리
바리
코르시카
사르데냐
칼리아리
팔레르모
시칠리아
아드리아해
티레니아해
이오니아해
보기
북동부
❶ 베네토
❷ 트렌티노-알토 아디제
❸ 프리울리 베네치아 줄리아
북서부
❹ 발레 다오스타
❺ 피에몬테
❻ 롬바르디아
❼ 리구리아
아펜니노 아드리아해
❽ 에밀리아 로마냐
❾ 마르게리
❿ 아부루최
⓫ 몰리제
중부 티레니아해
⓬ 토스카나
⓭ 움브리아
⓮ 라티움
남부 반도
⓯ 캄파니아
⓰ 아풀리아
⓱ 바시리카타
⓲ 칼라브리아
섬
⓳ 시칠리아
⓴ 사르데냐
주요 와인 생산지

유럽 와인의 아버지 이탈리아

세계 최초의 와인 생산지가 어디일까? 고고학자들과 역사학자들은 그곳이 이란의 자그로스Zagros 산맥의 시라즈Shiraz 지역이나 조지아의 카헤티Kakheti 지역이라고 주장한다. 그곳이 어디이든 와인은 고대 페니키아인들을 통해 지중해 연안이나 그리스로 전파되었다. 특히 그리스의 와인 문화는 로마 제국을 통해 다시 전 유럽에 전파되었다. 이러한 역사적 뿌리는 중세까지도 이탈리아의 와인과 음식 문화가 유럽에 절대적 영향력을 미치게 했다. 지금은 프랑스의 와인에 밀려 옛 명성을 잃고 있지만, 여전히 생산량이나 다양성에서 세계 1위인 와인 종주국이다. 국제와인기구OIV가 2020년 추정한 이탈리아의 와인 총 생산량은 무려 47.2MHL (1MHL=1억 리터)이다. 나는 오래전부터 지금까지 이탈리아 반도 북부에서 최남단인 시칠리아 섬까지 수많은 와이너리를 찾아 여행을 계속하고 있다. 하지만 아직도 가보지 않은 곳이 더 많은 나라가 이탈리아다. 그것은 이탈리아의 전 국토가 각각의 개성을 가지고 있는 유명한 와인 생산지이기 때문이다.

이탈리아의 와인 품질 관리 등급제도는 프랑스의 제도와 유사한데, 1963년에 본격적으로 도입·실시되었다. 프랑스의 제도인 AOC Appellation d'Origine Contrôlée에 해당되는 DOC Denominazione di Origine Controllata는 원산지, 포도 품종, 수확량, 숙성 기간 등 여러 조건을 만족하여야만 한다.

북동부 지방(The Northeast)

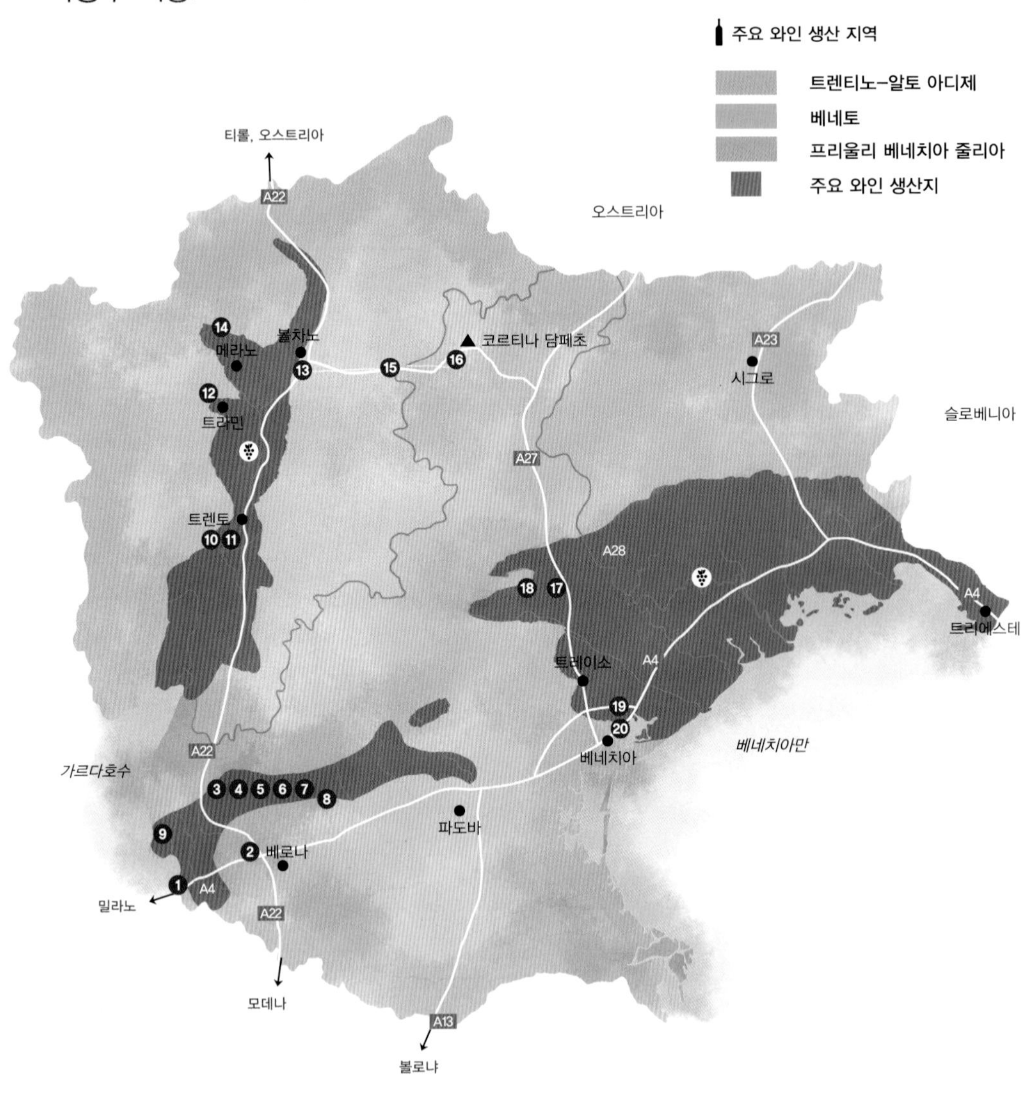

주요 방문지

1. 가르다호수
2. 베로나
3. 발폴리첼라
4. 세레고 알리기에리
5. 마지
6. 달 포르노 로마노
7. 소아베 성
8. 프라
9. 구에리에리 리짜르디
10. 트렌토
11. 페라리
12. 트라민
13. 볼차노
14. 메라노
15. 그란데 스트라다 델레 돌로미티
16. 코르티나 담페초
17. 코넬리아노
18. 발도비아데네
19. 데 스테파니
20. 베네치아

대자연과 만나는 이탈리아 북동부 지방

이탈리아의 북동부 지방은 토스카나Tuscany와 피에몬테Piemonte의 명성에 가려져 일반인들에게는 잘 알려지지 않은 와인 생산 지역이다. 그러나 아마로네Amarone, 프로세코Procecco, 소아베Soave 등 와인 애호가라면 이름만으로도 가슴이 두근거리게 만드는 와인 생산지들이 있는, 이탈리아의 역동적인 3대 와인 생산 지역 중 하나다.

서쪽에는 이탈리아 최대의 호수인 가르다Garda호수가, 북쪽에는 알프스Alps산맥이 있는 산악지대인 오스트리아의 티롤Tyrol 지방 및 슬로베니아와의 국경 지대가, 동쪽에는 아드리아Adriatic해가 있다.

특히 물의 도시 베네치아Venezia, 「로미오와 줄리엣Romeo and Juliet」의 배경인 베로나Verona, 돌로미티Dolomiti산맥에 위치한 이탈리아에서 가장 높은 산악 휴양지 코르티나 담페초Cortina d'Ampezzo 등이 이 지역에 자리하고 있다. 와인 생산지로는 트렌티노-알토 아디제Trentino-Alto Adige, 베네토Veneto, 프리울리 베네치아 줄리아Friuli Venezia Giulia 지방으로 나뉜다.

사랑과 와인의 도시 베로나

이탈리아 북동부 지방은 로마Rome나 밀라노Milan에서 자동차나 기차로 쉽게 접근할 수 있다. 나는 밀라노의 말펜사Malpensa 국제공항에 도착한 후 공항의 호텔에서 하루를 묵은 뒤 다음 날부터 베로나를 거점으로 베네토 주 서부 지역을 방문한 후, 트렌티노-알토 아디제 주, 휴양도시 코르티나 담페초, 그리고 프로세코 와인

고대 로마 시대의 극장이 있는 언덕에서 바라본 베로나 전경.
아래쪽에 로마 시대에 건설된 피에트라 다리 아래로 아디제강이 흐른다.

으로 유명한 베네토 주의 동부 지역을 거쳐 베네치아에서 끝나는 여정을 시작하였다.
밀라노에서 베로나까지는 A4번 고속도로로 약 170킬로미터를 달리면 되는 거리라 두 시간만에 도착할 수 있다. 베로나에 도착하기 직전에 가르다호수의 호반마을인 시르미오네Sirmione에 들러 아름다운 저녁노을을 만끽하였다.
가르다호수는 그 둘레가 150킬로미터에 달하는 이탈리아에서 가장 큰 호수로, 알프스산맥에서 흘러온 빙하의 퇴적물에 의해 만들어졌다. 바다 같은 가르다호수의 물은 맑고 깨끗하다. 가르다호수는 이 지역의 와인산업에도 중요한 역할을 한다. 이 호수의 동쪽에 발달해 있는 유명한 와인 생산지가 바르돌리노 클라시코Bardolino Classico이다.
밤늦게 베로나에 도착한 다음 날 아침에 도시 전체를 조망할 수 있는 고대 로마 시대의 극장Teatro Romano 뒤의 언덕으로 올라갔다. 이른 아침 도시를 휘감고 흐르는 평화로운 아디제Adige강과 안개에 젖은 도시를 덮고 있는 붉은 색채의 지붕들이 강렬하게 느껴졌다. 아침 햇살이 떠오르자 아디제강에 걸쳐 있는 카스텔베키오Castelvecchio 다리와 피에트라Pietra 다리, 베로나의 중심인 시뇨리Signori 광장, 로마네스크Romanesque 양식 건축의 걸작인 산 체노 마조레San Zeno Maggiore 교회의 분홍색 대리석과 세월을 머금은 갈색 벽돌의 색깔들이 이 중세의 고도를 더욱 낭만적으로 느껴지게 하였다.
기원전 1세기에 건설된 베로나는 고대 로마 유적과 함께 10세기 후반에 시작된 로마네스크Romanesque 양식과 고딕Gothic 양식, 14세기 후반의 르네상스Renaissance 양식이 혼재해 있는 거대한 건축 박물관이다. 도시 전체가 유네스코에 세계문화유산으로 등록되어 있다. 그러나 베로나하면 우선 서기 1세기에 건설된 로마 시대의 원형 극장인 아레나Arena와 이루어질 수 없는 사랑의 성지 줄리에타의 집Casa di

베로나를 가로지르는 아디제강의 평화로운 모습.

Giulieta이 있는 곳이다. 셰익스피어Shakespeare의 희곡 「로미오와 줄리엣」의 배경이 되었다는 이유로 지금도 전 세계의 관광객들이 몰려드는 연인들의 성지다. 고대 로마의 포룸Forum(시장이나 회합 등에 사용된 공공 복합장소)이었던 에르베Erbe 광장 옆에 있는 줄리에타의 집 2층 발코니와 정원에 있는 줄리에타의 동상에는 남녀노소를 불문하고 많은 관광객들이 기념사진을 찍거나 동상을 만지고 있다. 이곳이 비록 「로미오와 줄리엣」의 실제 배경이 아니라 해도 어린이들이 산타클로스의 선물을 믿고 기다리듯이, 우리는 누구나 로미오와 줄리엣 같은 슬프지만 영원한 사랑을 꿈꾸고 있는지도 모른다.

베네토 와인산업의 중심지 베로나

로마를 포함해 유럽 여러 곳에 원형 경기장이 남아 있지만, 가장 잘 보존되어 있는 원형 경기장이 이곳 베로나의 아레나Arena다. 주세페 베르디Giuseppe Verdi가 작곡한 오페라 〈아이다Aida〉는 1871년 수에즈 운하의 개통을 기념하여 이집트 카이로의 오페라 극장에서 초연하였지만, 1913년부터 매년 여름철에 이곳 아레나에서 공연하여 더욱 유명해졌다. 〈아이다〉 역시 「로미오와 줄리엣」처럼 이승에서 이룰 수 없는 슬픈 사랑의 이야기인데, 그런 의미에서 베로나는 영원한 사랑의 도시인지도 모른다. 시즌이 지나 오페라를 관람할 수 없었지만, 아레나의 맨 뒤편 꼭대기 객석에 앉아 콘서트를 준비 중인 정면의 무대를 바라보니 형언할 수 없는 감동이 밀려왔다. 내가 앉아 있는 이 자리가 로마 제국 시대부터 있었던 닳고 닳은 원형 경기장의 대리석으로 된 좌석이고, 그 객석을 가득 매운 수많은 로마인들의 함성 소리가 생생하게 들려오는 듯한 착각 때문이었다.

밤이 되면 사랑의 도시 베로나는 온통 와인의 도시로 바뀐다. 아레나에서 거미줄처럼 얽혀 있는 좁은 골목을 따라 도심으로 걸어가면, 수많은 레스토랑과 와

로마 시대의 옛 모습을 간직한 베로나의 거리에는 사시사철 관광객이 넘쳐흐른다.

MARIA CALLAS
THE EXHIBITION
11 MARZO 2016
18 SETTEMBRE 2016
VERONA
AMO - PALAZZO FORTI
VIA MASSALONGO 7
INFO E PREVENDITA
045 8003524
WWW.MOSTRACALLAS.IT
Comune di Verona
ARTHEMISIA
agsm

「로미오와 줄리엣」의 배경으로 유명한 줄리에타의 집이 있는 에르베 광장.(왼쪽)
로마 시대의 옛 모습을 간직한 좁은 뒷골목, 유네스코에 등록된 세계문화유산이다.(오른쪽)

인 바Bar를 만날 수 있다. 이탈리아에서의 바는 단순히 술을 마시는 장소가 아닌 캐주얼 다이닝을 함께하는 곳이다. 베로나는 베네토 와인 산지의 중요 거점이다. 특히 가르다호수 주변에 위치한 바르돌리노Bardolino, 아마로네Amarone의 발폴리첼라Valpolicella, 그리고 화이트와인으로 유명한 소아베Soave가 모두 베로나 북부 근교에 위치해 있다. 나는 미국에서 온 관광객 커플과 함께 이름 없는 바에서 다음 날 방문할 마지Masi의 아마로네 매그넘Amarone Magnum으로 여행의 피로를 풀었다. 와인은 이방인을 친구로 만들고 때론 누군가를 사랑하게 하는 묘약이다. 특히 이곳 베로나에서는…….

아마로네의 대부 마지 와이너리

이번 이탈리아 북동부 지역 와이너리 여행 계획을 세우면서 특별히 관심을 가졌던 것이 두 가지였다. 하나는 볼프강 아마데우스 모차르트Wolfgang Amadeus Mozart의 이탈리아 여행의 발자취를 따라 베로나에서 알토 아디제, 즉 오스트리아의 남티롤South Tyrol 지방과 국경을 이루고 있는 지역까지에 이르는 와이너리를 방문하는 것이고, 다른 하나는 와인산업의 변천과 새로운 트렌드를 보여주는 대표적인 사례라고 할 수 있는 아마로네 와인을 찾아가는 여행이다.
원래 아마로네 델라 발폴리첼라Amarone della Valpolicella라는 긴 이름을 가지고 있는 이 와인은 비교적 최근에 개발된 새로운 와인이다. 그것은 이 와인이 1945년에 제2차 세계대전이 끝난 뒤 본격적으로 개발되었으며, 이탈리아 정부로부터 1968년에 DOC 등급을, 2009년에 DOCG 등급을 받은 것만 보아도 잘 알 수 있다. 물론

◀ 베로나는 와인산업의 중심이면서 쇼핑의 천국이기도 하다.
베르디의 오페라 〈아이다〉의 공연으로 유명한 로마 시대의 원형 극장의 외부(위)와 내부(아래) 모습.

최고의 아마로네 와인 생산 지역인 발폴리첼라 벨리의 광활한 포도밭이 펼쳐져 있다.

발폴리첼라 마을에 있는 마지의 포도밭.(위)
마지 와이너리의 빌라에 있는 조형물.(아래)

기원전 800년 이전부터 그리스나 로마에서 이와 유사한 와인을 만들었다고 하나, 그때의 와인은 오히려 오늘날의 레치오토 델라 발폴리첼라Recioto della Valpolicella에 가까운 스위트 와인Sweet Wine이었다.

단테의 와이너리 '세레고 알리기에리'

전날 저녁에 마셨던 마지의 아마로네 와인의 향기를 생각하면서 아침 일찍 베로나를 떠나 북서쪽으로 20킬로미터 떨어진 발폴리첼라 클라시코Valpolicella Classico의 심장부에 위치해 있는 세레고 알리기에리Serego Alighieri를 먼저 찾았다.
1353년부터 『신곡La Divina Commedia』으로 유명한 시인 단테 알리기에리Dante Alighieri의 후손들이 살고 있는 이 역사적인 마을에 보스카니Boscani 가문도 18세기에 마지 아그리콜라Masi Agricola라는 와이너리를 설립하였다. 현재 보스카니 가문의 7대손인 산드로 보스카니Sandro Boscani 회장이 협업 계약을 통해 1973년부터 세레고 알리기에리 와이너리도 함께 운영하고 있다.
우리에게 『신곡』과 베아트리체Beatrice와의 영원한 사랑으로 유명한 '단테'라는 이름은 애칭이고, 원래 이름은 두란테 델리 알리기에리Durante degli Alighieri였다고 한다. 단테는 작가로 더 잘 알려져 있지만, 원래는 피렌체의 유명한 귀족 출신 정치가였다. 권력 투쟁에서 패배하여 1312년에 베로나로 망명, 1318년까지 살았으며, 망명 기간 동안에 불후의 명저 『신곡』을 완성하였고, 1321년에 라벤나Ravenna에서 생을 마감했다. 1353년에 아버지와 마찬가지로 유명한 시인이기도 하였던 그의 아들 피에트로 알리기에리Pietro Alighieri가 이곳 세레고 알리기에리를 구입하였다. 그 후 660여 년이 지난 지금까지 단테의 후손들이 20대에 걸쳐 이 와이너리를 소유하고 있다. 포도밭과 숲으로 둘러싸인 고색창연한 세레고 알리기에리의 본관(지금은 호텔로 운영)과 연한 갈색으로 물들기 시작한 초가을의 포도원을

Mister
Amarone
MASI

거닐면서 문득 단테는 위대한 문학 작품뿐만 아니라, 향기로운 와인까지 남겼다고 생각했다.

마지 와이너리를 방문할 때 주의할 점이 있다. 와인 시음이나 와인 숍, 요리 교실과 숙박을 원하는 일반 관광객은 SP4번 도로에서 오른쪽 비탈진 골목길을 따라 단테 후손의 소유인 세레고 알리기에리를 방문해야 한다. 그러나 사전 예약을 통해 마지 와인셀러를 구경하고자 하는 방문객은 SP4번 도로변에 있는 마지 아그리콜라Masi Agricola로 가면 된다.

나는 먼저 세레고 알리기에리 와이너리의 방대한 시설과 셀러 도어를 구경한 후 산드로 보스카니 회장이 기다리고 있는 마지 아그리콜라로 갔다. 좀처럼 직접 방문객을 맞이하지 않는다는 비서의 귀띔이 있었을 정도니 나에게는 참으로 영광스러운 자리였다. 시음실은 화려하지는 않으면서도 서재 같은 분위기를 풍겼다. 보스카니 회장의 끊임없는 연구정신을 엿볼 수 있었다. 그래서인지 보스카니 회장의 첫인상에서 노교수의 풍모마저 느낄 수 있었던 것 같다. 시음하기 전에 나를 위해 특별히 준비한 동영상을 곁들인 보스카니 회장의 설명은 한 시간 이상 진행되었다.

아파시멘토와 아마로네 와인의 탄생

아마로네 와인을 이해하기 위해서는 먼저 아파시멘토Appassimento라는 양조 방식에 대한 설명이 필요하다. 아파시멘토는 포도 건조 방식에 관한 이탈리아의 와인 용어로, 응축된 포도주스를 얻기 위해 수확한 포도를 대나무나 짚으로 엮은 매트 위에서 수주나 수개월 동안 반쯤 건조시키는 전통적인 방법을 말한다. 이

◀ 내가 시음을 했던 마지 와이너리의 아름다운 빌라.(위)
'미스터 아마로네'라고 일컬어지는 아마로네 와인의 전도사 보스카니 마지 회장.(아래)

렇게 응축된 포도주스로 아마로네, 레치오토Recioto, 스포르잔도Sforzatos(롬바르디아Lombardia 주의 발텔리나Valtellina 지역에서 네비올로Nebbiolo 품종으로 만든 아마로네 와인) 같은 독특한 와인을 만든다. 레치오토 와인은 아파시멘토에서 얻은 농축된 주스의 발효 과정을 일찍 멈추게 하여 리터당 당분이 4그램 이상 포함되게 한 스위트 와인이다. 반면 아마로네는 레치오토에 포함된 잔당을 마지막까지 알코올로 발효시킨 드라이 타입의 와인인데, 그래서 이름도 이탈리어로 '쓰다'는 뜻의 '아마로Amaro'에서 나왔다.

아마로네는 1930년대 한 와인 메이커가 우연히 레치오토 와인의 발효를 중단시키지 못해 탄생하게 되었는데, 그 결과는 놀랍게도 단순히 쓴맛이 아닌 독특한 풍미를 가진 전혀 새로운 스타일의 드라이와인이었다. 이 와인은 제2차 세계대전 이후에 비로소 와인시장에 소개되었으며, 지금은 모든 와인 애호가들이 사랑하는 독보적인 와인의 반열에 올랐다. 포도는 이곳의 토착 품종인 코르비나Corvina를 주 품종으로 45~95퍼센트, 코르비노네Corvinone를 최대 50퍼센트 미만, 론디넬라Rondinella를 5~30퍼센트 사이, 그리고 몰리나라Molinara 등 허가된 기타 품종을 15퍼센트 미만의 비율로 혼합하도록 엄격하게 관리하고 있다.

아파시멘토 과정에서 포도의 무게는 30~45퍼센트까지 줄어든다. 당도가 높아서 일반 와인과는 달리 저온 장기 숙성으로 1~2개월의 발효 과정이 소요된다. 발효가 끝난 와인은 프랑스산이나 슬로베니아산 오크통에서 일반 아마로네는 2년 이상, 리제르바Riserva는 4년 이상 숙성시킨 후 병입한다. 이러한 복잡한 양조 과정을 설명한 보스카니 회장은 현재 아마로네가 시중에서 너무 저평가를 받고 있다고 강조하였다.

아마로네 와인을 만들고 난 찌꺼기로 발폴리첼라의 일반 와인과 혼합하여 20일

포도를 자연건조시키는 마지의 전통적인 아파시멘토시설과(위) 마지 와인너리가 생산한 대표적인 와인들.(아래) ▶

MASI

MASI
CAMPOFIORIN
MASI
COSTASERA
AMARONE

마지의 지하 와인셀러에 있는 숙성용 오크통.(위)
출하를 기다리고 있는 아마로네 와인.(아래)

정도 숙성시키면 리파소Ripasso라는 특별한 와인이 탄생된다. 이 와인은 값비싼 아마로네 와인의 대용품으로 개발되었지만, 현재는 짙은 루비색에 높은 알코올 도수와 타닌을 지녀 또 다른 스타일의 와인으로 인기가 높다. 이탈리아에서는 이렇게 반쯤 건조시킨 포도로 만든 당도가 높은 디저트와인을 '파시토Passito 와인'이라고 부른다.

아마로네 와인의 생산 지역으로는 베로나 북서쪽의 클라시코Classico, 북쪽의 발판테나Valpantena, 그리고 북동쪽의 베로나 에스트Verona est 등이 있는데, 아마로네 와인의 풍미는 생산 지역, 즉 토양보다는 포도 품종의 혼합 비율에 따라 달라진다. 예컨대 코르비나는 신선한 후추향을 가진 우아함을 강조하는 데 반해, 코르비노네에서는 보다 진한 색에 강한 타닌 향과 시가 향을 느낄 수 있다.

'미스터 아마로네' 산드로 보스카니 회장

마지는 최근에 아마로네 와인의 품질과 명성을 유지하기 위해서 결성한 '아마로네 패밀리Amarone Families'를 이끌고 있으며, 이탈리아 와인 명가 협회Grand di Marchi의 회원이다, 마지는 MTGMasi Technical Group라는 별도의 조직을 만들어 베로나 지방의 토착 품종 개발, 현대적 아마로네 와인 생산을 위한 아파시멘토 과정 연구, 새로운 효모yeast와 아마로네 와인의 주 품종인 코르비나의 DNA 구조 분석을 통한 새로운 품종의 개발 사업에 열정을 불태우고 있다. 이러한 연구와 품질 혁신을 통해 다양한 사업을 영위하고 있다. 가르다호수 주변에는 레스토랑과 와인 시음 공간인 테누타 카노바Tenuta Canova를, 스위스의 취리히Zurich에는 마지 와인 바Masi Wine Bar와 고급 식당을 운영하고 있으며, 아르헨티나의 멘도자Mendoza에도 마지 투풍가토Masi Tupungato라는 와이너리를 소유하고 있다.

브리핑이 끝나고 세레고 알리기에리의 와인을 제외한 마지의 다양한 와인 중 아

마지의 보스카니 회장실에 나를 위해 준비한 시음용 와인과 프로젝터.(위)
명품 아마로네 와인들. 왼쪽에서 두 번째가 마지의 아이콘 마짜노 아마로네 클라시코 2007년 빈티지.(아래)

파시멘토 양조 방식으로 생산한 와인을 중심으로 시음에 들어갔다. 대중적인 인기를 끌고 있는 레드와인인 마지 캄포피오린Masi Campofiorin과 아마로네 와인인 아마로네 코스타세라 클라시코Amarone Costasera Classico는 언제 마셔도 기분 좋은 부드러운 달콤함과 신선함이 더욱 돋보였다.

그러나 시제품이자 마지의 최고 아이콘 상품인 마짜노 아마로네 클라시코Mazzano Amarone Classico 2007은 지금까지 내가 경험하지 못했던 전혀 새로운 스타일의 아마로네 와인이었다. 2007년 1만 3,900병만을 한정생산한 이 와인은 12세기부터 최고 품질의 포도를 생산해온 마짜노Mazzano 포도밭에서 생산한 포도만을 사용한다. 포도의 혼합은 전통적인 발폴리첼라의 기법과는 달리 코르비노네 품종을 사용하지 않으며, 전통적인 아파시멘토 기법으로 추운 겨울 동안 건조시킨다. 짙은 버간디 빛깔의 이 와인의 첫 느낌은 너무나 드라이한 얼그레이 티의 맛이 전부였다. 그러나 시간이 흐름에 따라 형언할 수 없는 온갖 풍미가 서서히 피어올랐다. 후추, 다크초콜릿, 블랙플럼과 체리, 마른 귤껍질과 무화과, 크랑베리, 마른 감초 그리고 마지막에는 시가의 연기처럼 복합적인 잔향이 오랫동안 지속되었다. 디캔팅Decanting을 하면 부드러움과 우아함이 더욱 빨리 발현될 것 같았다. 현재의 힘과 풍부한 타닌을 고려하면 향후 10년 이상 숙성도 가능할 것으로 보였다.

시음을 끝내고 보스카니 회장과 작별의 인사를 할 때 그에게서 묵직한 MTG 연구 리포트를 받았다. 그 리포트와 마짜노 아마로네 클라시코 2007의 시음 덕분인지 보스카니 회장이야말로 진정한 '미스터 아마로네, 즉 아마로네의 대부'라는 생각이 들었다. 나 역시 2008년에 집필했던 『와인 & 와이너리』를 그에게 선물하였다. 마지의 뉴스 리플렛에는 '2016년 코리아 와인 챌린지Korea Wine Challenge'에서 마지 캄포피오린Masi Campofiorin 2012가 금메달을 수상했다는 기사가 있었다.

와인 문화의 변방이었던 우리 한국도 이제 국력이 신장하면서 어느 정도 영향력 있는 와인시장이 되어간다고 생각하니 왠지 기분이 좋아졌다.

컨템포러리 아마로네 '달 포르노 로마노' 와이너리

마지의 와이너리를 떠나 SP4번 도로를 타고 동쪽으로 향했다. 《와인 스펙테이터》가 '아마로네 와인의 로마네 콩티'라고 극찬하며 최고의 아마로네 와인으로 선정한 와인을 생산하는 달 포르노 로마노Dal Forno Romano라는 와이너리를 방문하기 위해서였다. 물론 발폴리첼라 지역의 전통적인 아마로네 와인 생산지는 클라시코 지역이지만, 발판테나 지역 및 소아베 지역과 가까운 동부 지방에서도 훌륭한 아마로네 와인을 생산하고 있다. 그것은 이미 언급하였듯이 테루아보다는 포도의 품종과 양조 방법이 아마로네 와인의 스타일과 맛에 더 큰 영향을 미치고 있기 때문이다. 물론 아마로네 클라시코의 특징이 우아함에 있다면, 발판테나의 와인의 특징은 가볍지만 과일 향이 보다 풍부하고, 발폴리첼라 지역의 와인은 높은 알코올 도수와 함께 강건한 스타일의 와인이라는 차이가 있다. 그것은 전적으로 테루아의 영향 때문일 것이다.

이 세 지역 중 달 포르노 로마노는 소아베 지역의 경계에 가까운 발폴리첼라 지역의 발 딜라시Valle d'Illasi 마을에 위치해 있다. 해발 300미터, 점토에 많은 자갈이 섞여 있는 충적토로 구성된 토양에 남쪽으로 경사진 65에이커의 이상적인 포도원이다. 4대에 걸쳐 포도 농사에 종사했던 달 포르노 가문의 와이너리는 로마노 씨가 1983년부터 본격적으로 와인을 생산하기 시작하면서 문을 연 비교적 신생 와이너리다. 1990년경에 새로 지은 와이너리의 정문에 들어서니 마지의 와이너리와는 달리 모든 게 현대적인 건물과 시설로 이루어진 게 눈에 띄었다. 양조를

나에게 와이너리를 안내해주었던 로마노 가문의 셋째 아들 루카 씨.(오른쪽)
2층 아파시멘토실에서 바라본 딜라시언덕에서 남쪽으로 경사진 이상적인 포도밭.(아래)

마지와는 달리 현대적인 기계시설로 포도를 건조시키는 아파시맨토시설. 왼쪽에 거대한 환풍시설이 보인다.(위)
최근에 건축된 달 포르노의 현대적인 와인셀러.(아래)

담당하고 있는 로마노 씨의 셋째 아들 루카Luca 씨의 안내로 둘러본 와이너리는 막 새로 준공한 공장시설처럼 깨끗했다. 특히 자동화된 거대한 환기 장치를 갖춘 아파시멘토시설과 붉은 벽돌로 지어진 예술적인 셀러에 들어서니 기분 좋은 아로마와 함께 아마로네 와인을 숙성시키고 있는 잘 정돈된 새 프랑스산 오크통의 모습이 인상적이었다. 와이너리 전체가 마치 하나의 켄템퍼러리 미술관 같았다.

전통과 현대의 과학을 접목시킨 달 포르노 로마노의 와인

잘 익은 포도만을 10월에 일일이 손으로 수확하여 통풍이 잘되는 기계화된 건조실에서 일반 와인인 발폴리첼라 수페리오레Valpolicella Superiore용은 11월까지, 아마로네 와인을 만드는 데 쓰일 포도는 12월까지 건조시킨다. 이때 일부 손상된 포도는 일일이 손으로 제거한다. 그 후 농축된 포도즙으로 자동 온도 조절 장치가 있는 스테인리스 탱크에서 15일간의 1차 발효를 거친 뒤, 1월 중순부터 새로운 오크통에서 18개월간의 2차 발효 기간을 포함하여 24개월 동안 숙성시킨 후 병입한다. 그리고 병 속에서 다시 3년간 숙성시킨 후 시장에 출하한다. 결국 한 잔의 아마로네 와인을 맛보기 위해서 우리는 최소한 5년이라는 긴 시간을 기다려야 한다. 뿐만 아니라 포도의 품질이 좋지 않은 해에는 아예 와인을 생산하지 않는 것으로도 유명하다. 포도는 전통적인 방법으로, 양조는 현대적인 기술을 통해 '강렬하면서도 우아함strength, energy and elegance'을 추구하는 것이 로마노 가문의 와인철학이라고 하였다.

독일에서 온 수입업자와 함께 셀러 도어에서 달 포르노 로마노가 생산하고 있는 세 종류의 와인인 2008년산 레드와인 발폴리첼라 수페리오레, 디저트와인인 비냐 세레 레치오토Vigna Sere Recioto와 함께 아마로네 와인을 시음하였다. 모카 향, 검은 과일 향과 함께 시가, 가죽, 시나몬 맛이 있는 케이크, 송로버섯의 복합적

수확을 기다리고 있는 아마로네의 주 품종이자 토착 품종인 코르비나.(위)
수입사 후원으로 개최된 IWFS 서울 갈라디너에서 달 포르노 로마노가 서빙되고 있다.(아래)

인 풍미가 입안을 가득 채웠다. 튼튼한 구조감이지만 켜켜이 쌓인 벨벳 같은 타닌 속에서 그동안 감추어졌던 달콤함이 서서히 분해되고 있는 듯한 긴 여운에 마지의 마짜노 아마로네 클라시코와는 또 다른 새로운 스타일을 경험할 수 있었다. 포도 품종도 전통적인 배합 비율이 아닌 코르비나 60퍼센트, 론디넬라 20퍼센트에, 고대부터의 토착 품종인 오셀레타Oseleta 10퍼센트와 크로아티나Croatina 10퍼센트의 비율로 배합하였다.

시음을 마치고 가격을 물어보니 평균 미화 500달러를 상회하였다. 생산량도 매년 다르지만 1년에 1만 5,000병 정도뿐이라고 한다. 어쩌면 이 와인은 컨템퍼러리 예술품으로 분류해야 할지도 모르겠다. 아마로네 와인은 어떤 음식과 잘 어울릴까? 일반적으로 육류나 치즈류가 잘 어울린다고 하지만, 정답은 없다. 특히 드라이 타입의 단맛이 적고 오래 숙성된 아마로네 와인은 그냥 마시거나 바게트Baguette 같은 담백한 빵을 곁들이면 우아하면서도 섬세한 풍미를 보다 즐길 수 있다고 생각한다. 최근에 나는 해외 출장 중 일식당에서 생선회에 오래된 아마로네 와인을 곁들였는데, 동석했던 분들이 하나같이 환상적인 궁합이라며 감동하였다. 그것은 아마도 부드러운 타닌과 아마로네 와인 특유의 수렴성이 생선의 비릿함을 막아주고 입안의 침샘을 자극하였기 때문일 것이다. 생선회나 스시와의 최고의 마리아주Mariage가 사케가 아닌 녹차이듯이 말이다.

소아베의 숨은 와인 명가 프라

그동안 너무 아마로네 와인을 강조하다보니 그 밖의 훌륭한 베로나 주변 일반 와인 생산지를 간과한 것 같다. 그래서 베로나 북쪽에 위치한 지역 중 소아베 지역과 바르돌리노 지역에 있는 와인 명가도 찾기로 하였다.

먼저 화이트와인으로 유명한 소아베 와인 생산 지역(DOC 등급)의 중심지인 몬포르테 달포네Monteforte d'Alpone에 있는 신생 와이너리인 프라Prà를 찾았다. 베로나에서 동쪽으로 A4번 고속도로를 이용하면 불과 30분 만에 도착할 수 있지만, 나는 SR11번 도로를 따라 소아베의 아름다운 성과 끝없이 펼쳐진 연녹색의 가을 포도원 풍경을 만끽하면서 한 시간 뒤에 도착하였다. 마치 여느 가정집처럼 소박한 느낌의 와이너리에서는 오너인 그라지아노 프라Graziano Prà 씨가 직접 기다리고 있었다.

선대부터 포도 농사를 지어왔던 프라 가문의 와이너리는 1980년에 비로소 직접 와인을 생산하기 시작한 신생 와이너리다. 그러나 프라의 와인은 이미 많은 와인 평론가들로부터 높은 평가를 받고 있으며, 시장에서도 점차 소아베의 숨은 와인 명가로 주목받고 있다. 소아베에는 30헥타르를, 발폴리첼라에도 7헥타르라는 비교적 작은 규모의 포도원을 소유하고 있지만, 포도는 철저하게 유기농법으로 재배하고 있다. 해발 150미터 위치에 검붉은 화산토로 구성된 이곳 테루아를 보면 '신선함, 깔끔함과 상큼함의 풍미fresh, clean and crisp taste'를 가진 소아베의 화이트와인의 스타일을 쉽게 이해할 수 있다. 1968년에 소아베는 DOC 등급을 획득했고, 2001년에는 소아베 수페리오레Soave Superiore가 최고 등급인 DOCG 등급을 획득했다.

시음은 포도원을 한눈에 조망할 수 있는 테라스에서 아마로네 와인 및 파시토 와인 그리고 다른 화이트와인 네 종류를 중심으로 이루어졌다. 오토Otto, 스타포르테Staforte, 몬테 그란데Monte Grande, 콜레산트 안토니오 소아베 클라시코Collesant Antonio Soave Classico 등의 레이블에 표기된 앞부분 명칭은 모두 포도원의 지명이다.

프라 와이니리의 오너 그라지아노 프라 씨가 자신의 포도밭을 배경으로 포즈를 취하고 있다.(위) ▶
포도밭을 한눈에 조망할 수 있는 야외 테라스에서 시음한 프라의 와인들.(아래)

PRA'
AMARONE
PRA'
MORANDINA
PRA'
MORANDINA
VALPOLICELLA
PRA'
OTTO

소아베의 토양을 잘 보여주는 소아베 성채의 기단 부분의 단면. 검붉은 화산토가 지층을 이루고 있다.(작은 사진)
소아베 성에서 바라본 계단식 포도밭의 모습.

소아베 와인의 중심지인 소아베 마을에 있는 소아베 성의 위용.(위)
소아베의 대표 품종인 가르가네가 포도넝쿨이 웬지 자연친화적으로 보인다.(아래)

그것은 싱글 빈야드에서 생산된 포도로 각각의 테루아의 성격을 가진 와인을 만들고 있다는 의미다. 시음했던 와인 중 콜레산트 안토니오 소아베 클라시코 DOC 2016이 소아베 와인의 전형을 유지하면서도 특별한 개성을 가지고 있었다. 소아베의 대표 품종인 가르가네가Garganega와 트레비아노Trebbiano 중 가르가네가만을 100퍼센트 사용하였다. 철저하게 유기농법으로 재배한 수령 30~60년의 포도나무에서 손으로 수확하여 섭씨 18도를 일정하게 유지시키며 발효한 후 약 18개월간 프랑스의 알리에Allier산 대형 오크통에서 숙성시킨다. 약간 짙은 볏짚 색깔에 호두, 시나몬, 캐모마일, 바닐라, 파인애플, 배, 살구 등의 복합적인 과일 향과 함께 벌꿀의 풍미도 감지할 수 있다. 전체적으로 풍부한 미네랄리티의 신선함과, 우아하고 균형 잡힌 구조감이 확실히 일반 소아베 와인과는 다른 긴 여운을 남겼다. 상쾌한 아침 햇살과 함께 불어오는 초가을의 미풍이 왠지 이 형언할 수 없는 소아베의 와인 향기와 닮았다는 생각이 들었다.

이 와인을 칭찬하였더니, 그라지아노 프라 씨가 이날 시음하지 못했던 아마로네 와인도 맛보기를 권하면서 2006년산 매그넘Magnum 한 병을 선물로 주었다. 그동안 셀러에 소중히 보관해왔던 이 와인을 얼마 전 가족 모임에서 시음하였다. 그날의 아름다웠던 소아베의 가을 풍경과 그라지아노 프라 씨의 따뜻한 마음의 향기를 느끼면서…….

바르돌리노의 와인 명가 구에리에리 리짜르디

베로나에서 아침 일찍 이탈리아의 최북단 와인 산지 알토 아디제 지방으로 가는 길에 구에리에리 리짜르디Guerrieri Rizzardi의 본사가 있는 바르돌리노 와이너리에 들렀다. 아름다운 가르다호수의 동쪽 호반에 위치해 있는 이 와이너리는 600년의

구에리에리 리짜르디 와이너리의 셀러의 모습.(위)
입구에 설치된 조형물이 이 지역의 토양을 말해준다.(아래)

역사를 가지고 있는 베네토 주의 대표적인 와인 명가이다. 특히 1914년 구에리에리 가문과 리짜르디 가문의 결혼을 통해 세계적인 와인 메이커로 재탄생했으며, 이곳뿐만 아니라 발폴리첼라, 소아베와 발다디지Valdadige에도 포도원을 가지고 있다. 바르돌리노 와인의 특징은 풍부한 아로마를 가지고 있다는 것이지만, 가볍고 부담 없이 즐길 수 있는 와인이라는 점도 주목할 만하다.

모던한 셀러 도어에서 시음한 여러 종류의 와인 중 무누스 바르돌리노 수페리오레 클라시코Munus Bardolino Superiore Classico가 이 지역 와인의 스타일을 대표한다고 생각했다. 토착 품종인 코르비나를 70퍼센트로 하고 메를로, 론디넬라Rondinella, 산지오베제Sangiovese와 몰리나라를 배합해 만든 이 와인은 한마디로 아름다운 루비색을 띤 맛 좋은 와인이었다. 딸기, 자두, 장미의 부케가 오랫동안 피어오르고, 약간의 스파이시한 잔향이 강하지 않으면서 부드럽게 지속되었다. 이곳이 알프스산맥에 가까운 북쪽인데도 가르다호수의 영향에 더해 몬테 발도Monte Baldo산이 북쪽의 찬 공기를 막아주어 기온이 온화하고, 토양 역시 점토에 모래와 자갈이 풍부하게 섞여 있는 테루아로 이루어진 덕분일 것이다. 다만 와인 애호가에게는 5년 이내에 마셔야 한다는 아쉬움이 남는다.

마지막으로 아마로네 와인을 증류하여 만든 그라파 디 아마로네Grappa di Amarone를 시음해보았는데, 지금까지 맛보았던 여타 그라파Grappa(와인 제조 부산물인 포도 찌꺼기 포마체pomace로 만든, 알코올이 35~60퍼센트인 증류주)와는 확연히 다른 풍미를 느낄 수 있었다. 호박색의 토스트, 바닐라 아로마에 스모키한 맛을 느낄 수 있는 이 그라파는 증류 후 아마로네 와인을 숙성시켰던 오크통에서 숙성시킨다고 하였다. 디저트뿐만 아니라 시가와도 잘 매치될 수 있을 것 같았다.

다음 일정 때문에 수출 담당 이사의 저녁 초대에 응하지 못하고 서둘러 트렌토Trento로 향했다. 하지만 2년 후 나는 그 수출 담당 이사와 서울의 H 호텔에서 있었던 이탈리아 와인 페어에서 다시 만나 즐거운 만찬 시 간을 가졌다. 와인의 세계는 언제나 우리의 삶을 엮어주는 훌륭한 인연의 네트워크이기도 하다.

트렌티노 스푸만테의 명가 페라리 와이너리

낭만의 트렌티노-알토 아디제 와인가도를 따라

역사에는 가정이 없다고 하지만, 만약 제1차 세계대전이 없었다면 오늘 달리는 이 길은 이탈리아가 아닌 오스트리아의 영토에 있었을 것이다. 모차르트가 마차를 타고 이탈리아를 방문할 때 다녔던 바로 그 길이기도 하다. 바르돌리노에서 현대 미술로 유명한 로베레토Rovereto를 거쳐 트렌티노-알토 아디제 주의 주도인 트렌토까지 A22번 고속도로를 타고 불과 80킬로미터만 가면 된다. 가는 길 주위는 백운암으로 이루어진 아름다운 산맥인 돌로미티Dolomiti의 암벽 봉우리가 병풍처럼 둘러싸고, 그 사이의 거친 골짜기에는 포도밭이 끝없이 펼쳐져 있는 숨막히는 장관이 계속된다.

이곳에서는 아직도 오스트리아의 문화가 남아 있는 전형적인 남티롤 지방의 대자연의 풍광을 접할 수 있다. 이 낭만적인 와인가도는 오스트리아와의 국경과 불과 50킬로미터 떨어진 국경도시 볼차노Bolzano까지 이어진다. 트렌토는 16세기에 종교 개혁 운동을 막기 위해 가톨릭교회가 개최한 '트리엔트 공의회Council of Trent'가 열린 곳으로 유명하다. 시내로 들어가니 곳곳에 르네상스 양식과 로마네스크 양식으로 지어진 아름다운 대성당과 대주교의 저택인 '팔라초 마뇨Palazzo Magno' 등이 남아 있어 도시가 마치 하나의 중세 건축 박물관처럼 느껴졌다. 시내 관광은 이미 약속된 페라리Ferrari 와이너리 방문을 위해 다음 날로 미루고, 서둘러 호텔 수속을 마치고서 길을 나섰다.

대성당의 아치에서 바라본 트렌토의 모습. 멀리 돌로미티의 산이 보인다

포도밭이 펼쳐져 있는 알토 아디제 계곡.
A22번 고속도로 양편에 있는 거대한 백운암이 이곳이 돌로미티의 시작이라는 것을 느끼게 한다.

페라리 와이너리의 본사는 트렌토의 도심에서 아디제강을 건너 북쪽 강변의 마르곤Margon 마을에 있었는데, 예술미가 넘쳐나는 최신 건물이었다. 해외 수출 담당인 사라 코노테르Sara Conotter 여사가 온통 페라리 와인과 로고로 꾸며진 널찍한 로비에서 기다리고 있었다. 곧 이곳 오너의 아들인 마르첼로 루넬리Marcello Lunelli 부사장이 직접 와줄 것이라고 귀띔하면서 그동안 페라리 와이너리의 여러 시설들을 친절하게 안내해주었다.

페라리 와이너리는 매우 드라마틱한 역사를 가지고 있다. 1902년 프랑스의 샴페인에 필적할 만한 최고의 스파클링 와인을 트렌티노에서 만들겠다고 결심한 창업자 줄리오 페라리Giullio Ferrari 씨의 꿈과 열정으로 시작되었다. 페라리 씨는 이탈리아에서 최초로 샤르돈느Chardonnay 포도나무를 성공적으로 재배한 개척자였으며, 이후 양질의 '트렌티노 스푸만테Trentino Spumante'라는 와인을 생산하는 데 성공하였다.

'스푸만테'는 이탈리아에서 스파클링 와인을 통칭하는 말이다. 그러나 생산 지역과 포도 품종에 따라 피에몬테Piamonte 주에서는 아스티Asti(모스카토Moscato 품종), 롬바르디아Lombardia 주에서는 프란치아코르타Franciacorta(샤르돈느 품종), 베네토 주에서는 프로세코Prosecco(글레라Glera 품종 혹은 프로세코 품종), 에밀리아-로마냐Emilia-Romagna 주에서는 람부르스코Lambrusco, 트렌티노-알토 아디제Trentino-Alto Adige 주(샤르돈느 품종)에서는 그냥 스푸만테라고 부른다.

후손이 없던 페라리 씨는 그의 꿈을 계승할 수 있는 후계자를 물색하였다. 1952년 여러 후보자 중에서 당시 트렌토에서 와인 숍을 하고 있던 와인 애호가 브루노 루넬리Bruno Lunelli 씨를 최종적으로 선택하여 그에게 와이너리를 물려주웠다. 이후 페라리 씨에 못지않은 와인에 대한 열정과 능력을 갖고 있던 루넬리 씨는 결코 품질에 관한한 타협 없이 우아하면서도 오랫동안 풍미를 유지할 수 있는 최

페라리의 본사 현관 입구에 있는 조형물. 초현대적인 건물과 조화를 이루고 있다.(위)
마르곤 마을의 산 중턱에 있는 페라리 소유의 중세풍 빌라에 부속되어 있는 아름다운 교회 건물.(아래)

해발 500미터에 위치한 페라리의 마르곤 포도밭(위)과 페라리에서 시음했던 스푸만테 와인들.(아래)

고 품질의 와인을 생산한다는 일념으로 페라리를 성장시켰다.
페라리의 숭고한 와인철학은 지금도 루넬리 가문 3대에 걸쳐 계속 유지되고 있다. 페라리의 성공을 바탕으로 루넬리 가문은 현재 '테누테 루넬리Tenute Lunelli'라는 이름으로 활동하면서 트렌티노의 테누타 마르곤Tenuta Margon 와이너리, 토스카나에서 유기농와인을 생산하는 테누타 포데르노보Tenuta Podernovo 와이너리, 그리고 세계적인 건축가 아르날도 포모도로Arnaldo Pomodoro가 설계했고 조각 작품으로 유명한 움브리아Umbria 주의 테누타 카스텔부오노Tenuta Castelbuono를 아우르는 세계적인 와인 메이커로 성장하였다.
지하 저장고와 현대적인 생산시설을 둘러보고 시음장으로 돌아오니 부사장 마르첼로 루넬리 씨가 기다리고 있었다. 훤칠한 키에 전형적인 이탈리아 북부 지방의 외모를 자랑하는 마르첼로 루넬리 씨는 나를 위해 총 여섯 종류의 시음용 와인을 준비하였다. 페라리 와이너리는 클래식Classic부터 맥시멈Maximum, 페를레Perle, 리제르바Riserva, 그리고 그랑 퀴브Gran Cuvee 등의 순으로 라인업하여 총 16종의 다양한 와인을 생산하고 있다.
시음용 와인 중에서 1902년부터 생산을 시작한 페라리를 대표하는 NV 클래식 부뤼NV Classic Brut을 먼저 시음하였다. 손으로 일일이 수확한 샤르돈느로 만든 이 와인은, 옅은 녹색을 띤 볏짚 색깔에 끝없이 피어오르는 거품, 신선하면서도 잘 익은 사과와 야생화의 향기를 풍겼다. 입안에서는 조화와 균형감 있는 과일 맛과 잘 구워진 바게트의 맛을 느낄 수 있다. 24개월 이상 숙성하였다고 한다.
마지막으로 시음한 와인은 1972년부터 생산하고 있는 줄리오 페라리 리세르바 델 폰다토레Giulio Ferrari Riserva del Fondatore 2008이다. 이 와인은 이 회사의 톱 아이콘답게 프랑스의 샴페인에 비견되는 제품이다. 우선 밝은 노란색을 띤 황금빛에 섬세한 기포가 끝없이 피어오르고, 열대 과일, 미네랄, 자몽, 벌꿀, 흰 초콜릿, 헤이

페라리는 2015년 올해의 스파클링 와인 메이커로 선정되었다.

즐넛과 스파이시한 향기가 복합적으로 피어올랐다. 또한 우아하면서도 균형잡힌 섬세한 바디감, 마른 꽃향기, 아카시아 벌꿀, 열대 과일 맛과, 심지어 잘 마른 건초의 복합적인 풍미가 입안에서 오랫동안 지속되었다. 해발 600미터에 위치한 자체 포도원에서 수작업으로 수확한 샤르돈느만을 사용하였으며, 10년 이상 숙성시켰다고 하였다.

시음이 끝날 때쯤 "한국에서 페라리를 처음 접했을 때 자동차 회사가 만든 줄 알았다"고 하였더니 루넬리 씨는 웃으면서 "전혀 관계가 없지만, 실제로 와인 마케팅에 많은 도움이 된다"고 하였다. 루넬리 씨의 추천으로 루넬리 가문이 소유하고 있는 문화유산인 빌라 마르곤Villa Margon을 찾았다. 본사에서 약 4킬로미터 거리, 해발 500미터에 위치한 이 건축물은 교회가 딸린 중세의 화려한 귀족 저택의 모습을 잘 간직하고 있다. 원시의 숲과 포도원이 빌라를 둘러싸고 있으며, 아름다운 트렌토 시를 한눈에 조망할 수 있다. 저녁을 하기 전에 루넬리 씨의 권유로 잠시 트렌토의 두오모Duomo 광장에 있는 페라리 와인 바에 둘렀는데, 인테리어를 포함해서 집기와 비품들이 하나같이 모던하고 가볍게 즐길 수 있도록 꾸며져 있었다. 페라리 와이너리는 로마와 밀라노뿐만 아니라 주요 관광지에서도 와인 바를 운영하고 있다. 또한 미슐랭 가이드 2스타 레스토랑인 로칸다 마르곤 Locanda Margon을 트렌토에서 운영하면서 페라리 와인과 음식의 페어링Pairing(궁합, 마리아주)을 직접 시연해보이고 있다.

아쉽게도 방문했던 날이 로칸다 마르곤의 휴무일이어서 루넬리 씨가 추천한 레스토랑에서 대신 저녁을 하였다. 늦은 시간에 저녁을 끝내고 구시가지에 있는 두오모 광장, 대성당과 대주교가 살았던 팔라초 마뇨를 돌면서 잠시 산책의 시간을 가졌다. 평화롭고도 낭만적인 분위기였지만, 한편으로 중세 시대 절대 권력의 상징이었던 건물의 위용은 여전히 나를 압도하고 있었다.

트렌토는 중세 건물에 못지않게 자연친화적인 현대적인 조각품들이 전시되어 있다.

종교 개혁을 막기 위한 트리엔트 공의회가 열렸던 로마네스크 양식의 대성당.(위)
와인 생산지 답게 아파트 베란다에도 포도나무가 심어져 있다.(아래)

볼차노로 가는 가장 길었던 길

여행의 묘미 중 하나는 현지에서 즉흥적으로 낯선 길을 따라가는, 그럼으로써 새로운 길을 개척하는 것이다. 아침 일찍 트렌토에서 출발하여 오전 중에 이 지방의 대표적인 와인 산지인 쳄브라Cembra와 와인농장이 있는 트라민Tramin을 A22번 고속도를 이용하여 방문하기로 한 계획을 바꾸어 험준한 산악길인 SS612번 도로를 택하였다. 알토 아디제의 순수한 자연과 농촌 풍경을 좀 더 피부로 느끼고 싶었기 때문이다.

그러나 쳄브라에 도착하기 직전 갑자기 앞 타이어에 펑크가 났다. 포도가 익어가는 9월에는 작렬하는 태양 때문에 차 안에 있을 수도 없고 에어컨을 오래 작동할 수도 없다. 200미터 떨어진 작은 마을 어귀까지 차를 옮기고 렌터카 사무소에 전화를 했다. 그런데 곧 출동한다는 레커차는 한 시간을 기다려도 오지 않았다. 밀라노의 지점은 물론 로마의 본사에까지 전화를 하였으나 세 시간이 지나도 오지 않았다. 어쩔 수 없이 오후에 방문하기로 한 오스트리아와의 국경 근방에 있는, 이탈리아의 최북단 와이너리인 아바치아 디 노바첼라Abbazia di Novacella에 전화를 하여 약속을 취소하였다.

총 네 시간쯤 흘렀을 때 웬 젊은 여학생이 나타났다. 무슨 일이 있는지 할머니가 궁금해하신다고 했다. 저간의 사정을 얘기하였더니, 할머니가 너무 더우니 자기 집 원두막 그늘에서 쉬면서 기다리라고 말씀하셨다고 전했다. 넓은 텃밭과 포도밭이 있는 정원의 원두막에서 쉬고 있으니 후덕하게 생기신 할머니가 텃밭에서 따온 사과와 배, 포도를 가져와서 먹기를 권하였다. 다행히 그 여학생은 트렌토 대학 경영학과에 갓 입학한 학생인지라 영어로 대화가 가능했다. 그녀를 통해 다시 렌터카 회사에 전화를 걸었지만 곧 도착할 것이라는 말만 또 들었다. 점심

트라민 와인가도에 있는 포도송이 조형물이 이색적이다.(위)
트라민 와인가도의 광고판이 와인을 마시도록 유혹하고 있다.(아래)

시간이 되자 할머니가 파스타를 만들어주겠다고 하셨다. 몇 번 사양하다가 고맙다고 하였더니, 이번에는 "면을 어떻게 요리해줄까?" 하고 물으셨다. 내가 요청한 대로 면을 알덴테al dente로 조리하여 만들어주신 신선한 토마토 스파게티는 이제껏 맛본 어떠한 최고급 이탈리아 식당의 파스타보다도 맛있었다. 아마도 우리 시골의 할머니 밥상이 이런 맛이 아닐까?

이 마을의 땅 중 대부분이 옛날에는 할머니네 땅이었지만, 농사를 돌볼 사람이 없어 지금은 거의 매각하였다고 한다. 우리 농촌의 현실이 실은 세계적 문제인 모양이다. 무려 여섯 시간 만에 레커차가 도착하였기에 우리는 이메일 주소를 주고받으며 아쉬운 작별을 고한 뒤, 다시 트렌토로 되돌아왔다. 젊은 여학생에게는 용돈도 살짝 쥐어주고서…….

타이어를 교체한 뒤 계획했던 트라민 방문을 내일로 미루고 A22번 고속도로로 볼차노에 도착하니 저녁이 다되었다. 결국 60킬로미터, 그러니까 한 시간이면 도착할 수 있는 볼차노까지 하루가 걸린, 볼차노로 가는 가장 먼 길이었다. 그러나 한편으로 나에게는 일말의 후회도 남지 않은 가슴 뿌듯한 시간이기도 했다. 휴머니즘은 지구촌 어디에든 존재한다는 것을 느끼게 해준 하루였기 때문이다. 저녁에는 볼차노 근교의 미슐랭 가이드 2스타 레스토랑인 유명한 재스민Jasmin 레스토랑에서 길었던 하루의 피로를 알토 아디제의 와인으로 풀었다.

오스트리아의 문화가 아직도 강하게 살아있는 알토 아디제의 중심 도시 볼차노를 떠나, 전날 방문할 계획이었던 트라민과 메라노Merano로 향하였다. 볼차노에서 SP14번 지방도로를 따라 트라민까지 포도원 사이를 달리는 트라민 와인가도는 불과 20여 킬로미터에 불과하지만, 돌로미티를 배경으로 한 백운암으로 이루어진 풍경은 최상의 드라이브 코스였다. 특히 트라민 와인마을의 독특한 녹색 구조물로 이루어진 와인농장이 인상적이었다.

독특한 녹색 구조물로 지어진 트라민 와인농장의 뒷쪽에 거대한 돌로미티 알프스가 보인다.

이곳은 화이트와인용 고급 품종인 게뷔르츠트라미너Gewürztraminer의 원산지로 알려져 있다. 게뷔르츠트라미너 포도 품종의 이름이 이 마을의 이름 트레민에서 유래되었다 전하기도 한다. 이 지역은 지중해성 기후 지역인데다 해발 최저 200미터에서 최고 1,000미터에 달하는 높은 고도에 위치해 있어 화이트와인용 포도 재배에 더 적합하다. 게뷔르츠트라미너, 피노 그리지오Pinot Grigio와 피노 비앙코Pinot Bianco가 대표 품종이다. 레드와인용으로는 메를로과 함께 토착 품종인 스키아바Schiava, 라그레인Lagrein, 테롤데고Teroldego 등도 널리 재배한다. 특히 이곳의 포도나무 가지치기는 현대적인 기요Guyot 방식으로 이루어져 포도송이가 줄기 아래로 풍성하게 매달려 있는 것을 볼 수 있다. 기요 방식은 가지치기Pruning를 통해 1~2가지만 철사줄에 묶어 '가로로 키우는 방식Training'이다. 이 방식은 공기의 흐름이 자유롭고 관리하기가 쉽다. 이밖에도 포도밭의 환경에 따라 고블렛Gobelet, 코르동Cordon과 페렐Parral 등의 방식이 있다.

볼차노에서 북쪽으로 30킬로미터 떨어져 있는 온천과 와인 생산지로 유명한 휴양도시 메라노를 거쳐 오후에는 코르티나 담페초Cortina d'Ampezzo로 향했다. 베네토 주의 유명한 프로세코 와인 생산자인 데 스테파니De Stefani 와이너리를 방문하는 길에 돌로미티의 중심지인 이탈리아 최고의 휴양지 코르티나 담페초에서 하룻밤을 묵기로 한 것이다.

이탈리아 최고의 휴양지 돌로미티

볼차노에서 코르티나 담페초로 가는 도로는 여러 개지만, 가장 환상적인 드라이브 코스는 S241번과 48번 국도를 따라가는 '그란데 스트라다 델레 돌로미티Grande Strada delle Dolomiti'라는 길이다. 115킬로미터짜리 산악도로로 주행에 세 시간

기요 방식으로 재배하고 있는 게뷔르츠트라미너가 풍성하다. 이곳이 원산지로 알려져 있다.(위)
기요 방식으로 재배하고 있는 피노 비앙코의 모습이 청량하게 느껴진다.(아래)

해발 2,123미터의 팔로리나 전망대에서 바라본 돌로미티 연봉들이 신비하다.

카나체이 근교의 아름다운 자연 풍경, 알프스의 전형적인 풍경이다.

이 걸리며, 해발 3,000미터가 넘는 사소 룬고Sasso Lungo 및 마르몰라다Marmolada의 위용과, 다섯 개의 아름다운 바위산봉우리로 이루어진 친퀘 토리Cinque Torri를 감상할 수 있다. 나는 카나체이Canazei 마을에 들러 케이블카를 타고 구름 속에서 사라졌다 나타나곤 하는 하얀 돌로미티의 연봉을 보면서 경이로운 자연의 아름다움을 즐겼다.

밤늦게 코르티나 담페초에 도착하여 호텔에 여장을 풀고 티볼리Tivoli라는 전통 음식점에서 저녁을 하였다. 아침이 되니 돌로미티의 화려함이 극명하게 펼쳐졌다. 아침 햇살을 받은 돌로미티의 봉우리들이 마치 밤새 흰 페인트를 칠한 듯 찬란하게 빛나고 있었던 것이다. 아름다운 산악도시에서의 산책을 마치고 케이블카를 타고 해발 2,123미터에 설치된 팔로리나Faloria 전망대에 올랐다. 다시 한 번 친퀘 토리(해발 2,366미터), 마르몰라다(해발 3,343미터), 토파나Tofana(해발 3,221미터) 크리스탈로Cristallo(해발 3,221미터), 소라피스Sorapis(해발 3,205미터)의 봉우리들이 연출하는 숨막힐 듯한 장관을 감상하고 코르티나 담페초를 떠났다.

돌로미티에서의 감동을 뒤로하고 남쪽으로 방향을 돌려 베네치아로 향했다. 베네치아 북쪽의 포살타 디 피아베Fossalta di Piave 마을에 있는 프로세코 와인 생산자인 데 스테파니 와이너리를 방문하기 위해서다. 프로세코 와인 생산지의 중심 마을인 코넬리아노Conegliano까지 SS51번 국도와 A27번 고속도로를 이용하였는데, 약 100킬로미터 거리에 두 시간이 소요되었다.

코넬리아노에서 또 다른 프로세코 와인마을인 발도비아데네Valdobbiadene까지 10여 킬로미터에 펼쳐진 프로세코 와인가도는 독특한 자연 풍광을 연출하였다. 그것은 지금까지 봤던 돌로미티의 웅장한 알프스산맥의 풍경과는 달리 부드럽고 완만한 구릉을 따라 아기자기하게 펼쳐진 포도원들이 반복적으로 전개되면서 이루어졌다. 마치 녹색 바다의 파도가 평화롭게 밀려오는 듯했다. 발도비아데네에서 점심을 간단히 해결하고, 과거 베네치아 공화국의 부자들이 건설했던 아름다운 빌라들이 즐비한 트레비소Treviso를 거쳐 데 스테파니 와이너리에 예정보다 늦게 도착하였다.

헤밍웨이가 머물다 간 데 스테파니 와이너리

나를 기다리고 있던 4대째 오너인 알레산드로 데 스테파니Alessandro De Stafani와 그의 부인인 키아라Chiara 여사가 와인 생산시설과 셀러를 친절하게 안내해주웠다. 시음을 할 수 있도록 준비되어 있던 셀러 도어에서는 커다란 창을 통해 포도원 풍경과 오크통들이 저장되어 있는 셀러의 모습을 직접 볼 수 있다. 아마도 와이너리 관광객들을 위한 배려일 것이다. 최근에 대부분의 와이너리들은 단순히 와인을 생산하는 것뿐만 아니라 와이너리 투어까지 제공함으로써 예술적인 셀러 도어에서 자체 생산한 와인을 직접 홍보·판매하는 기회까지 모색하고 있다.
1800년대 중반에 발레리아노 데 스테파니Valeriano De Stefani가 코넬리아노와 발도비아데네 사이의 레프론톨로Refrontolo에서 설립한 이 와이너리는 현재까지 4대에 걸쳐 이어져왔다. 지금은 레프론톨로에 위치한 콜벤드라메Colvendrame 외에도 트레비소 동쪽 근교에 있는 프라 롱고Prà Longo와 베네치아 북쪽 인근의 현재 본사로 사용하고 있는 레론체Le Ronche 포도밭 등 총 면적 100에이커에서 매년 30만 병의 와인을 생산하는 세계적인 와인 메이커로 성장하였다.
특히 본사의 부속 건물은 제1차 세계대전 당시 종군기자로 참전했던 대문호 어니스트 헤밍웨이Ernest Hemingway가 부상을 입고 1차로 치료를 받았던 야전병원이었다고 하였다. 데 스테파니 와이너리는 이 역사적 사실을 놓치지 않고 와인 시음과 포도원 둘러보기 그리고 음식을 포함한 '투어 헤밍와인Tour Hemingwine'이라는

프로세코 와인가도의 완만한 구릉에 발달해 있는 포도밭이 정겹다.(위)
프로세코 와인마을인 발도비아데네.(아래)

셀러 도어의 창을 통해 바라보는 레론체 포도원의 풍경.(위)
시음실에서 창을 통해 볼 수 있는 와인셀러.(아래)

패키지 상품도 운영하고 있다. 헤밍웨이는 이탈리아에서도 전설이었다.

영화 〈더 라스트 프로세코〉의 배경

하늘이 석양으로 물들어갈 때 본격적으로 시음을 하게 되었다. 준비된 와인으로는 프로세코 스푸만테Prosecco Spumante뿐만 아니라 스틸 와인Still Wine(비발포성 와인)도 있었다. 사실 이 지역은 스틸 와인 생산지로도 유명하다. 나는 프로세코 스푸만테를 중심으로 시음하였다. 프로세코 와인은 이 지방에서 오래전부터 재배해 온 프로세코라는 같은 이름의 포도로 만든 화이트와인을 말한다. 프로세코라는 이름은 프리울리 베네치아 줄리아Friuli Venezia Giulia 주의 주도인 트리에스테Trieste 근교에 있는 프로세코라는 와인마을 이름에서 유래하였다고 한다. 그러나 2009년부터 프로세코의 공식 명칭은 글레라Glera로 바뀌었다.

프로세코 스푸만테는 병 안에서 2차 발효를 시키는 샴페인 방식과 달리 탱크에서 대량으로 2차 발효를 시키는 샤르마Charmat 방식으로 만든다(일부 와이너리에서는 샴페인 방식으로 만들기도 한다). 샤르마 방식은 병에서 2차 발효를 통해 거품을 만드는 샴페인 방식에 비해 생산비가 적게 들어 매우 저렴한 가격의 발포성 와인을 생산할 수 있다. 이 방식은 섬세한 맛이 떨어지는 편이지만, 신선하고 풍부한 과일 향을 발현시킨다는 장점이 있다. 프로세코의 등급체계(DOC)는 1962년, 1969년, 2009년 등 세 번에 걸쳐 확립되었다. 특히 2009년은 EU 회원국의 확대와 신세계(특히 호주)에서 같은 이름의 와인을 생산하는데 따른 대응책으로 더욱 강화된 새로운 프로세코 DOC법을 제정하였다. 그것은 이탈리아 북동부 지역(베네토Veneto, 프리울리 베네치아 줄리아) 이외에서 글레라로 만든 어떤 와인도 프로세코라고 부를 수 없도록 한 것이다. 물론 호주 정부는 프로세코

DE STEFANI

REFRONTOLO PASSITO
DE STEFANI
REFRONTOLO PASSITO
DOCG COLLI DI CONEGLIANO
2013
DA UVE MARZEMINO
REFRONTOLO - COLLI DI CONEGLIANO - ITALIA

가 포도 품종이므로 결코 보호 대상이 아니라고 주장하고 있다. 이는 EU-호주 간 FTA 협상 시 주요 의제로 논의되기도 했다.
프로세코 와인은 이 지역에서 생산된 글레라를 85퍼센트 이상 사용해야 하고, 나머지 15퍼센트 이내에서 토착 품종인 베르디소Verdiso, 비안케타Bianchetta, 트레비지아나Trevigiana, 페레라Perera, 샤르돈느, 피노 비앙코, 피노 그리지오의 배합을 허용하고 있다. DOC법상의 프로세코 와인이란 원래 프로세코 스틸Prosecco Still(비발포성 일반 와인), 프리잔테Frizzante(압력이 2.5바bar 이하인 약한 발포성 와인), 프로세코 스푸만테Prosecco Spumante(압력이 3바 이상인 발포성 와인) 등 세 가지 와인을 말한다. 그러나 앞의 두 와인은 프로세코 스푸만테의 명성에 가려져 프로세코 스푸만테만을 '프로세코'로 부르고 있다. 최고 등급(DOCG)은 트레비소의 코넬리아노와 발도비아데네 사이의 구릉 지역과, 명품 등산화로 잘 알려진 아솔로Asolo 마을 인근에서만 생산된다. 돌로미티 알프스Dolomiti alps의 끝자락에 위치한 이곳 포도원의 토양은 석회암과 사암의 기저에 점토와 이회토가 혼합되어 있고, 베네치아만에서 불어오는 시원한 해풍 덕분에 산도가 높다.
나는 프로세코 브뤼Prosecco Brut부터 로제 제로Rose Zero까지 총 다섯 종류를 시음하였다. 신선하고 상쾌한 푸른 사과 향이 특징인 프로세코 와인은 서울에서도 자주 즐기는 편이지만, 노란 볏짚 색깔을 띤 프로세코 발도비아데네 수페리오레 DOCG 브뤼 밀레시마토Prosecco Valdobbiadene Superiore DOCG Brut Millesimato 2015는 아카시아꽃 향기에 골든애플과 아몬드 · 배 · 복숭아 같은 다양한 과일들의 복합적인 풍미가 더해졌다. 풍부한 미네랄리티 그리고 적당한 산도가 주는 청량감과 함께 끊임없이 솟아오르는 섬세한 기포는 더욱 고혹적이었다. 샤르마 방식으로 만들

◀ 셀러 도어에서 포즈를 취하고 있는 4대째 오너인 알랙산드로 데 스테파니 씨.(위)
점토와 이회토가 섞여 있는 코넬리아노 근교 레프론톨로에서 생산된 최고 등급의 파시토 와인.(아래)

낭만과 물의 도시 베네치아의 대운하와 곤돌라. 언제나 또 가고 싶은 곳이다.

었지만 결코 프랑스의 샴페인에 못지않다고 칭찬하였더니, 선조들이 변함없이 추구해왔던 "자연의 법칙에 따라 와인을 만든다"는 철학의 결과물이라서 그렇다고 스테파니 씨가 말하였다. 그래서 지금도 아버지와 함께 모든 포도밭을 철저하게 유기농으로 가꾸고 있으며, 그 증표로 와인 병 하나하나에 일일이 친필 서명을 하고 있다고 하였다.

시음이 끝나고 어둠이 깃든 유기농 포도밭을 바라보면서 나는 문득 얼마 전 보았던 영화 〈더 라스트 프로세코The Last Prosecco〉가 바로 이들의 이야기가 아닌가 생각했다.

"자연이 세운 규칙에 따라, 땅을 속이거나 지나친 욕심으로 착취하지 않으면서 만드는 와인. 농약을 뿌리거나 복잡한 농법을 사용하지 않고, 배양된 효모가 아닌 순수한 자연 효모에 의해 발효된 와인."

그리고 영화 속에서 프로세코 와인 생산자인 주인공 안칠로토Ancillotto 백작이 자살 직전에 자신의 셀러에서 프로세코 와인을 마시면서 했던 독백을 가슴에 안고 이번 여행의 마지막 종착지인 베네치아로 향했다.

— 사랑하는 친구들과 한 잔!
— 베니스의 여인과 한 잔!
— 그냥 한 잔!

◀ 베네치아의 좁은 골목에 해당되는 소운하는 더욱 낭만적이다.

북서부 지방(The Northwest)

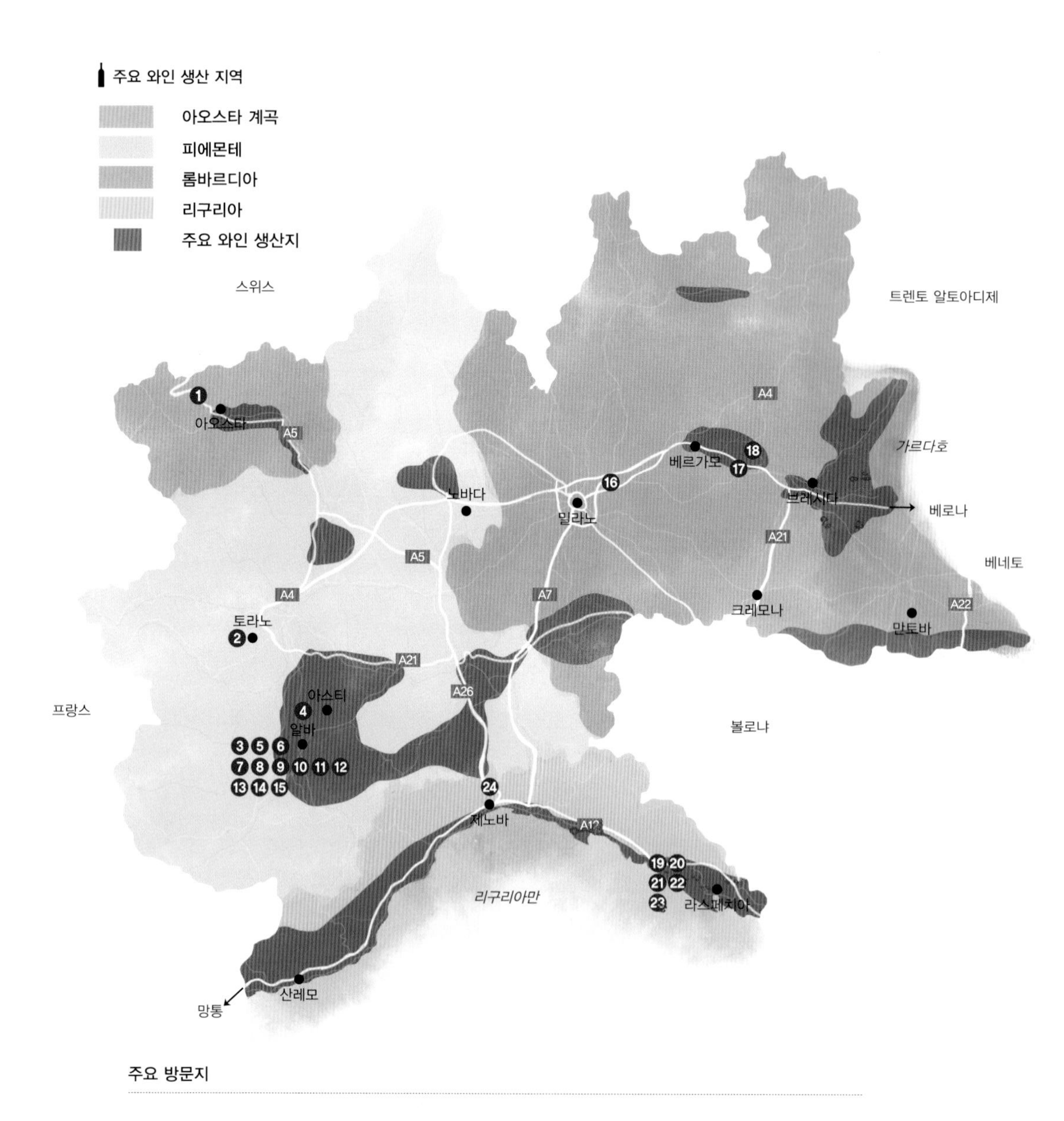

주요 방문지

❶ 아오스타	❼ 파올로 스카비노	⓭ 포데리 알도 콘테르노	⓳ 몬테로소
❷ 토리노	❽ 레나토 라티	⓮ 파밀리아 마로네	⓴ 베르나차
❸ 알바	❾ 폰타나프레다	⓯ 피아자 두오모 레스토랑	21 코르닐리아
❹ 아스티	❿ 지지 로소	⓰ 다 비토리오 레스토랑	22 마나롤라
❺ 바롤로	⓫ 피오 체자레	⓱ 에르부스코	23 리오마죠레
❻ 바르바레스코	⓬ 가자	⓲ 카델 보스코	24 제노바

이탈리아 대표 와인 산지 북서부 지방

이탈리아 북서부 지방의 대표적인 와인 생산지는 알프스산맥의 남쪽 산악 지역에 위치한 바에다오스타Valle d'Aosta 계곡, 항구도시 제노바Genoa가 있는 지중해 연안의 리구리아Liguria, 이탈리아 제일의 산업도시 밀라노Milan가 있는 롬바르디아Lombardia, 그리고 이탈리아 와인산업을 대표하는 피에몬테Piemonte 지방이다. 나는 오래전부터 자주 피에몬테 지역을 방문하였는데, 이번 여행에서는 리구리아 지방의 친퀘 테레Cinque Terre 지역의 와인과, 롬바르디아 지방의 프란치아코르타Franciacorta 와인을 피에몬테 와인과 함께 소개하고자 한다. 이번 여정은 스위스에서 출발, 아오스타 북부의 와이너리를 경유하여 방문하기로 하였다.
아오스타 계곡은 스위스에서 알프스산맥의 터널을 지나면 나타나는 첫 번째 지방인데, 바위가 많은 알프스산맥의 언덕에 위치한 지리적 제약으로 인해 적은 양의 와인을 생산하지만, DOC 등급의 품질 좋은 와인으로 명성이 높다. 특히 몽블랑Monte Bianco 근처에서 생산되는 모르제Morgex와 라 살레La Salle라는 화이트와인이 유명하다. 대부분의 지붕들이 규격화되지 않은 두꺼운 천연 슬레이트로 뒤덮인 풍경도 볼 수 있다. 이러한 척박한 자연환경 속에 자리를 잡고 있는 아오스타의 와이너리 풍경은 "이곳에는 아직도 중세 시대의 산악민들이 거주하고 있지 않나?" 하는 생각마저 들 정도로 문명사회의 변방처럼 느껴지기까지 하였다.

13세기에 세워진 토리노 시의 마다마 궁전. 지금은 고대 예술 박물관으로 사용되고 있다.(위)
토리노 시의 중심부에 있는 쇼핑 거리의 모습.(아래)

음식과 와인의 천국 피에몬테 지방

사부아 왕국과 이탈리아 통일 운동의 중심지 토리노

아오스타에서 남쪽으로 A5번 고속도로를 따라 달리면 피에몬테 주의 주도 토리노Torino에 도착할 수 있다. 토리노 시는 포Po강 서쪽 강변에 자리하고 있는데, 2006년 동계 올림픽이 열렸던 곳으로, 그리고 피아트FIAT 자동차의 본사가 있는 곳으로 더 잘 알려져 있다. 그러나 인구 100만 명이 채 안 되는 이 도시를 직접 방문한 여행객들은 토리노의 역사, 와인과 음식을 포함한 문화적 깊이에 놀라게 된다.

프랑스의 알자스처럼 토리노 역시 유럽 열강들의 흥망성쇠에 따라 주인이 바뀐 적이 많다. 고대에 타우리니Taurini족이 이곳에 세웠던 정착촌은 기원전 218년 알프스산맥을 넘어 로마로 진격하던 한니발 바르카Hannibal Barca가 이끄는 카르타고Carthago군의 침략으로 일부가 파괴되었다. 그후 로마의 군사기지가 되어 성벽을 갖춘 도시로 재건되었다. 당시 성벽의 유적이 지금도 남아 있다. 서기 4세기에 로마가 쇠퇴한 후 비非이탈리아계 민족과 롬바르디아 왕국, 그리고 프랑크Franc 왕국의 지배를 번갈아 받다가 11세기에 프랑스의 부르고뉴 출신으로 추정되는 유명한 사부아Savoie 가문의 영토가 되었다.

중세 시대에 왕국을 이룬 사부아 가문은 현재 프랑스·이탈리아·스위스의 접경지대인 알프스산맥 서부의 많은 영토를 차지했다. 19세기부터 사부아 왕국의 왕 비토리오 에마누엘레Victor Emmanuel 2세가 이탈리아의 통일 운동을 주도하여 이탈리아의 왕이 되었으며, 토리노는 이탈리아의 첫 번째 수도가 되었다. 제2차 세계대전이 끝난 후 비토리오 에마누엘레 3세가 왕정의 종식으로 물러날 때까지, 이곳은 이탈리아의 정치적인 중심지였다. 아직도 진위에 대한 논란이 계속되고

모스카토 다스티의 고향 아스티 마을(위)과 모스카토 다스티의 예술적인 와인 레이블(아래).

있는 예수의 시체를 쌌다고 하는 '토리노의 수의Shroud of Turin'를 포함하여 왕궁, 중세 교회 건물 등이 유명하다. 특히 17세기에 사부아 공작 가문의 미망인들이 거주했다는 토리노의 중심가에 있는 마다마Madama 궁전은 13세기 로마의 성터 위에 새워진 역사적인 건물로, 한때는 이탈리아 최초의 상원 의사당으로 사용되기도 하였다. 이 궁전은 현재 국립 고대 예술 박물관으로 개방되어 고대부터 사부아 왕국 시절까지 토리노의 역사와 영광을 한눈에 볼 수 있게 하고 있다.

식전주 와인 모스카토 다스티와 디저트와인 그라파

저녁에는 이곳 와이너리들을 함께 방문하기 위해서 주한이탈리아 대사관의 상무관으로 근무한 적이 있는 로마에서 온 사바티노Sabatino 부부와 토리노 인근의 전통 식당에서 저녁을 하였다. 이탈리아에서 디너파티나 만찬을 하게 되면 항상 식전주Aperitif로 이 지역이 원산지인 수푸만테의 모스카토 다스티Moscato d'Asti나 베네토의 프로세코를 내놓는다. 이 달콤하면서 순하고 향기로운 스파클링 와인은 프로슈토prosciutto(이탈리아 햄)나 까나페canapé(자그마한 오픈샌드위치) 요리와 잘 어울린다. 여느 유럽 국가처럼 해산물과 육류 같은 메인 요리에 다양한 화이트와인과 레드와인 서빙이 이어진 뒤, 어김없이 알코올 도수 40도가 넘는 디저트용 술인 그라파가 나왔다. 이미 설명하였듯이 그라파는 와인을 만들고 난 후 찌꺼기를 증류시켜 만든 증류주이나 그 독특한 향과 입을 자극하는 강렬함은 만찬의 마지막을 장식하는 데 가장 적절할지도 모른다.

커피를 마시면서 우연히 벽 쪽을 바라보니 눈에 익숙한 그림 한 점이 걸려 있었다. 독특한 화법의 이대원 작가의 〈농원〉! 그러나 그 그림은 토리노에서 꽤 알려져 있는 향토 작가의 작품이라고 하였다. 고인이 된 그 작가의 활동 시기도 한국의 이 화백의 것과 비슷했다. 귀국 후 나는 그 일을 한동안 잊지 못하고 있었는

바롤로 지역의 광활한 와이너리 풍경이 장관이다.

데, 최근에야 그 의문이 어느 정도 해소되었다. 예술의 사조는 동서양 사이에서도 어느 정도 통한다는 것을 깨우침으로써 말이다.

바롤로와 바르바레스코의 고향 알바

저녁을 마치고 바롤로Barolo와 바르바레스코Barbaresco 와이너리를 방문하기 위해 좁은 국도를 따라 알바Alba로 향했다. 알바는 와인과 음식으로 유명한 마을인데, 특히 송로버섯의 집산지다. 이탈리아를 대표하는 4대 명품 와인으로 흔히들 바롤로, 바르바레스코, 키안티 클라시코Chianti Classico와 브루넬로 디 몬탈치노Brunello di Montalcino를 얘기한다. 바롤로 와인과 바르바레스코 와인은 알바 근교 랑게Langhe언덕에 있는 바롤로 지역과 바르바레스코 지역에서 생산된다. 이 와인들은 토스카나 와인과는 달리 스타일이라는 관점에서는 프랑스 와인에 더 가까운지 모른다. 와인의 맛과 병의 모양까지 프랑스의 부르고뉴 와인과 유사하기 때문이다. 그러나 지금까지 설명한 이 지역의 역사적 뿌리를 생각해보면 이런 점을 쉽게 이해할 수 있을 것이다.

피에몬테의 음식 문화는 단연 이탈리아를 대표한다. 최근 인기 있는 이탈리아 요리 학교는 대부분 로마가 아닌 토리노나 주요 와인 생산지인 브라Bra, 아스티, 알바 등 피에몬테에 집중되어 있다. 우리나라에도 잘 알려져 있는 패스트푸드Fast food에 대항하기 위한 슬로푸드Slow food 운동이 이곳에서 1986년에 처음 시작되었다는 것은 이 지방의 격조 높은 음식 문화를 가늠할 수 있게 한다. 이 운동의 결과로 토리노에서는 세계에서 가장 규모가 큰 '음식과 와인 전시회the Salone del Gusto in Turin'를 개최하고 있으며, 조직 위원회가 있는 브라에서는 치즈 전시회를 2년마다 열고 있다. 이렇게 이곳 음식이 유명해진 이유로 알프스산맥 지역과 포강

이 지역의 전형적인 와인 병 모양. 맨 오른쪽 와인이 모스카토 다스티이다.(위)
피에몬테 지방의 와인 중심 도시 알바의 낭만적인 거리 풍경.(아래)

저녁놀에 비친 녹색 포도밭과 와이너리 건물의 색깔이 환상적이다.
아래는 익어가고 있는 돌체토의 풍성한 포도송이.

유역에서 발달한 다양하고 풍부한 식재료를 들 수 있겠다.
이곳 음식이 유명한 두 번째 이유는 프랑스계로 추정되는 사부아 가문의 지배에 더해 프랑스와의 접경지대이다 보니 프랑스 요리의 영향을 받았기 때문인 것 같다. 마치 청나라 시대의 만주족 요리와 한족 요리를 융합하여 만든 연회 요리 코스인 만한전석滿漢全席처럼, 프랑스와 이탈리아의 음식 문화가 만나 새롭게 탄생시킨 것이 오늘날의 피에몬테 요리가 아닐까?
마지막으로 이 지방에서 생산되는 질 좋은 와인들이 큰 역할을 하였을 것이다. 유명한 와인 생산지에는 맛있는 음식이 있고, 그 지방의 와인은 그 지방의 음식과 제일 잘 어울린다. 이곳에서 식전주로 수푸만테 모스카토 다스티Spumante Moscato d'Asti가 일반화되어 있지만, 점심시간에는 현지인들이 어디서나 가볍게 먹는 파스타와 함께 돌체도Dolceto 와인을 마시는 모습도 볼 수 있다. 나 역시 이곳을 방문할 때는 항상 송로버섯을 얇게 썰어 뿌린 파스타와 셀러에서 막 꺼내온 신선한 돌체도를 주문한다. 그 환상적인 궁합은 오직 이곳을 여행하는 사람들만이 즐길 수 있는 특권이 아닐까?

네비올로 포도로 만든 명품 와인

피에몬테 지방의 와인과 음식이 비록 프랑스의 영향을 받았다고 하나, 피에몬테는 여전히 자신들만의 오랜 전통과 문화를 고수하고 있다. 비록 프랑스에서 카베르네 소비뇽, 메를로, 샤르돈느 등의 포도 품종과 기술을 도입하고 있지만, 여전히 이곳의 최고 와인들은 수천 년간 그들의 테루아에서 재배해온 토착 품종에서 나온다. 바롤로, 바르바레스코, 그리고 네비올로 달바Nebbiolo d'Alba 등 이 지역 3대 레드와인은 네비올로Nebbiolo 품종으로 만들고, 이밖에 돌체도Dolcetto, 바르베라Barbera, 브라케토Brachetto, 프레이사Freisa, 그리놀리노Grignolino 그리고 화이트와인

바롤로 마을에 있는 아름다운 팔레티 읍성.
이곳에는 유명한 WiMu 와인 박물관이 있다.

용 품종인 모스카토Moscato, 코르테제Cortese, 아르세Arse 등도 각기 개성 있는 와인을 만드는 데 쓰인다. 이러한 다양한 포도 품종들은 모두 이곳의 토착 품종들이다. 피에몬테 지방의 와인 생산량은 이탈리아에서 7위에 불과하지만, 가장 많은 고급 와인(DOCG 등급 및 DOC 등급의 와인)을 생산하는 곳이기도 하다. 각기 다른 문화적 충돌은 때론 시너지 효과를 발휘하여 새로운 고급 문화의 탄생을 가져올 수 있지 않을까? 그래서 피에몬테는 단순한 기후 조건과 테루아만이 아닌 천지인天地人이 완벽하게 결합하여 '와인의 왕, 왕들의 와인King of wines and wine of kings'으로 불리는 세계 최고의 와인을 생산하는 생산지가 되었는지도 모른다.

왕의 와인 바롤로

피에몬테 와인의 중심 도시 알바에서 남서쪽으로 끝없이 펼쳐진 포도원 사이로 30여 분간 달리면 바롤로Barolo라는 한적한 마을이 나타난다. 이곳이 바로 그 유명한 "와인의 왕, 왕들의 와인"인 바롤로 와인을 생산하는 11개 마을 중의 하나이다. 피에몬테 와인을 대표하는 바롤로 지역은 해발 191미터의 갈로 달바Gallo D'Alba에서부터 가장 높은 세라발레Serravalle의 762미터에 이르기까지 다양한 지형을 이루며 랑게언덕 아래로 부채꼴처럼 펼쳐져 있다. 높은 언덕에서 내려다보면 다양한 높이로 이루어진 랑게언덕에 발달해 있는 바롤로 지역의 포도원이 마치 밀려오는 녹색의 파도처럼 특별한 모습을 연출하고 있다.
바롤로 와인 생산지는 바롤로, 라모라La Morra, 노벨로Novello, 몬포르테 달바Monforte d'Alba, 세라룬가 달바Serralunga d'Alba, 카스틸리오네 팔레토Castiglione Falletto, 디아노 달바Diano d'Alba, 그린차네 카부르Grinzane Cavour, 로디Roddi, 베르두노Verduno, 케라스코Cherasco 등 11개 마을이지만, 다시 166개의 세부 지역Subzone으로도 나뉜다. 그만큼 이 지역은 각 언덕의 높이와 위치에 따라 다양한 테루아를 형성하고 있으며, 이러한 모습이 바로 다양성과 개성 있는 바롤로 와인을 생산하는 요인이 된다. 바롤로 와인의 명성이 계속됨에 따라 이곳의 포도 재배 면적도 점차 증가하여 현재에는 총 1,700헥타르에 이른다. 또한 약 1,000여 개의 와이너리에서 연간 약 1,100만 병의 DOCG 등급의 최고급 와인을 생산한다.

안개의 어원을 가진 네비올로 포도

이 지역에서는 바르베라, 돌체토, 모스카토나 샤르돈느가 재배되지만, 바롤로의 포도 품종은 오로지 100퍼센트 네비올로여야만 한다. 네비올로는 이탈리아를 대표하는 토착 품종이며, 이탈리아인들의 고집스러운 전통 그리고 장인정신과 어우러져 네비올로 달바, 바르바레스코와 바롤로 등 이 지방 3대 명품을 탄생시켰다. 네비올로라는 이름은 랑게언덕의 유명한 안개Nebbia에서 유래하였다고 한다.

이곳 전설에 의하면 어느 날 한 수도승이 자신이 마실 와인을 만들기 위해 텃밭에 포도나무를 심고 돌보았다. 그러나 아침이면 짙은 안개에 가려져 있는 것을 보고, 자신의 믿음이 소홀함에 신이 화가 난 것으로 생각하고 열심히 기도하였다고 한다. 그 후 수확철이 되자 안개가 걷히고, 태양 아래에서 보석처럼 빛나는 잘 익은 포도송이를 발견하였다고 한다. 다른 의견은 사부아 왕가가 가장 즐겨 마셨던 와인이고, 네비올로라는 말이 중세 이후에 비로소 쓰이기 시작한 점으로 볼 때 네비올로가 귀족Nobile이란 말에서 유래하였다는 주장도 있다.

네비올로의 어원이 무엇이든 좋은 와인은 실제로 안개와 매우 밀접한 관계가 있다. 안개는 일반적으로 밤낮 기온의 차이가 심할 때 나타나며, 아침 안개가 자욱한 날의 한낮에는 날씨가 유난히 청명하다.

낮 동안의 높은 온도와 충분한 일조량은 포도를 잘 익게 하지만, 기온이 떨어지

익어가는 네비올로 포도송이(위)와 우박 맞은 포도송이(아래). 수확기의 우박은 포도 농사에 치명적이다.

바롤로의 와이너리는 해발 200~700미터 사이의 랑게언덕에 다양하게 펼쳐져 있다.(위)
포도가 익어가는 가을은 유럽인에게 하이킹의 계절이기도 하다.(아래)

는 밤에는 일시적으로 숙성이 멈추게 된다. 과일이 익어가는 기간에 이러한 현상이 반복되면 열매는 더욱 견실해지고 당분이 농축된다. 고온 건조한 사막성 기후 지역이나 분지에서 자란 과일은 일반적으로 당도가 높고 아로마가 강하다. 그래서 안개 속에서 태어난 바롤로 와인은 세계의 어떠한 와인보다도 부드러우면서도 강렬한 맛과 향기 그리고 화려한 빛깔을 빚어내는지도 모른다.

실제로 포도가 익어가는 8~9월에 이곳을 방문하면 오전 10시까지도 자욱한 안개에 덮여 있는 랑게언덕 포도밭의 환상적인 모습을 볼 수 있다. 그 모습은 마치 잘 그려진 한 폭의 수묵화 같다. 그러나 포도밭이 이렇게 항상 평화롭고 아름다운 것은 아니다.

안개가 걷히고 한낮이 지나면 때론 검은 구름이 몰려오고 소낙비와 함께 농부들이 가장 싫어하는 우박이 쏟아진다. 우박은 잘 익어가는 포도를 상처 내고 포도나무를 할퀴고 한해의 농사를 망치기도 한다. 우리가 즐기는 향기로운 와인 한 잔도 결국은 자연에 의존해야 하는 고달픈 농부의 애환이 깃들어 있는 한낱 농산물에 불과하다는 것을 느끼게 된다.

부드러우면서도 강한 풍미의 완벽한 와인

바롤로 와인은 알코올 함유량이 13퍼센트 이상이어야 하며, 최소한 3년 이상 숙성시키되 이 중 2년 이상은 반드시 오크통 속에서 숙성시켜야 한다. 만약 생산연도가 3년 미만의 바롤로가 시중에 있다면 그것은 바롤로가 아니다. 특히 5년 이상 숙성시킨 와인은 레이블에 리제르바Riserva라는 명칭을 표기할 수 있다. 바롤로 와인에 친코나Cinchona라는 허브와 알코올을 첨가하여 바롤로 키나토Barolo Chinato라는 강화 와인을 생산하기도 한다.

바롤로 와인은 네비올로 포도와 전통적인 숙성 과정을 통해 이미 중세부터 프랑

P
STOP

바롤로는 바롤로 마을을 포함하여 총 11개 마을에서 생산한다.

스 와인과 비견되는 명품으로 자리를 잡았는데, 프랑스의 왕 루이Louis 16세, 교황 피우스Pius 7세, 사르데냐의 샤를르 알베르트Charles Albert 왕 등이 이 와인을 특히 즐겨 마셨다고 한다. 최근에 가장 좋은 빈티지는 2000년도산인데,《와인 스펙테이터》가 2008년도 빈티지차트에서 바롤로 와인에만 유일하게 100점 만점을 부여함으로써 금세기 최고의 와인으로 추천하였다.

바롤로 와인은 우리가 흔히 좋은 와인의 조건이라고 표현하는 균형Balance, 복합성Complexity, 깊이감Depth, 지속성Length, 그리고 테루아의 특성Typical of their Terroir을 두루 갖춘 완벽한 와인이라고 할 수 있다. 타닌, 산도, 알코올과 단맛이 어느 한 쪽에 치우침이 없고, 시간이 흐를수록 부드럽게Silky 하나Round가 된다. 그러나 그 향과 맛은 때론 부드러우나 강렬하고, 가벼우나 중후하여 역설적이다. 섬세하고도 복합적인 풍미는 마신 후에도 그 여운이 오랫동안 입안을 맴돌게 한다. 마치 100만 송이의 각기 다른 꽃으로 이루어진 여왕의 부케처럼…….

어떤 이는 흔히들 바롤로 와인을 부르고뉴 와인처럼 가볍고 부드러운 여성적인 와인이라고 표현한다. 그러나 많은 와인 마니아들은 바롤로는 결코 여성적인 와인이 아니며, 가장 강건한 남성적인 와인이라고 말한다. 나 역시도 이에 동의한다.

오래되지 않은 바롤로는 루비색을 띠나 잘 숙성된 바롤로는 벽돌색을 띠는 아름다운 석류색이다. 제비꽃, 산딸기, 타르, 토바코, 바닐라, 민트, 감초, 후추 심지어는 이 지방의 특산물인 송로버섯 등 매우 복합적인 향을 느낄 수 있다. 이러한 향들은 네비올로 포도 품종과 이곳 테루아의 특성이 반영된 복합적인 바롤로 와인의 전형이라고 할 수 있다.

이탈리아는 전통을 고수하면서 새로운 양조기법을 도입하여 와인산업의 부흥을 추구한다. 사진은 바롤로에 있는 레나토 ▶ 라티 와이너리의 현대적인 양조시설.(위) 바롤로에 있는 그리말디 와이너리. 홍수 피해의 흔적이 있는 와인 병에서 이탈리아 와인의 오랜 전통을 느낄 수 있다.(아래)

21
0469
20
L 10469
19
L 10469

입안에서의 관능적인 체험을 추구하는 파올로 스카비노 와이너리

이곳 바롤로에는 이름만 들어도 금방 알 수 있는 세계적인 와이너리가 즐비하다. 레나토 라티Renatto Ratti, 폰타나프레다Fontanafredda, 지지 로소Gigi Rosso, 파올로 스카비노Paolo Scavino, 피오 체자레Pio Cesare, 가자Gaja와 보르고뇨Borgogno 와이너리 등 하나같이 이탈리아 와인산업 부흥의 주역들이다.
이곳 와이너리 중 대부분의 특징은 대를 잇는 가족 중심의 경영, 전통의 고수와 함께 새로운 기술을 접목시키려는 도전들이 아직도 진행형이라는 점이다. 이러한 변화의 중심에서 가장 성공적인 변혁을 이룬 와이너리가 파올로 스카비노다. 전통적인 와인 제조 방법을 고수해왔던 아버지 파올로 스카비노로부터 와이너리를 물려받은 엔리코 스카비노Enrico Scavino 씨는 지나치게 거칠고 떫은 네비올로의 타닌을 줄이고, 옅은 색깔을 진하게 하기 위해 새로운 자동 온도 조절 장치가 있는 스테인리스 발효통을 사용하고, 숙성 과정에서 산화를 방지할 수 있도록 전통적으로 사용해왔던 5,000리터의 대형 오크통 대신 소형의 프랑스산 오크통으로 과감하게 대체하였다. 시설뿐만 아니라 와인의 병 모양도 부르고뉴 스타일에서 보르도Bordeaux 스타일로 바꾸었다.
스카비노의 와이너리를 방문해보면 바롤로 지역의 다른 와이너리에서는 볼 수 없는 정갈하고 현대화된 시설에 놀라게 된다. 마치 새로 지은 박물관처럼 아름답게 느껴진다. 이러한 노력의 결과 진한 색깔과 섬세하고 부드러우며 균형 있는 풍미를 구현하는 데 성공하였다. "입안에서의 관능적 체험A sensual experience on the palate"을 궁극적으로 추구했던 스카비노의 와인은 《와인 스펙테이터》에서 매년 90점 이상의 높은 점수를 받고 있는 현대적인 명품 바롤로 와인으로 다시 태어났다. 우리에게 위대한 전통은 개혁을 통해서 새롭게 태어난다는 교훈을 동시에

파올로 스카비노 와이너리의 와인 숙성고. 숙성용 통은 프랑스산 오크통이다. 경건한 마음까지 들게 하는 분위기가 특징이다.(위) 바롤로 와인의 현대화에 성공한 파올로 스카비노 와이너리의 주인 엔리코 스카비노 씨와 나.(아래)

포데리 알도 콘테르노 와이너리의 정문.
평소에는 방문객을 받지 않는다.

선사하면서, 엔리코 스카비노 씨는 지금도 가업을 물려줄 두 딸과 함께 또 다른 개혁을 시도하고 있는지도 모른다.

바롤로 최고의 명품 와인을 만드는 포데리 알도 콘테르노 와이너리

지난 가을의 피에몬테 여행에서 가장 잊을 수 없는 와이너리 하나를 특별히 소개하고자 한다. 그곳은 바롤로 최고의 명품 와인을 생산하고 있는 포데리 알도 콘테르노Poderi Aldo Conterno 와이너리다. 19세기에 아르헨티나로 잠시 이민했다가 귀국한 콘테르노 가문은 몬포르테Monforte 마을에서 소규모의 와이너리로 시작하여 현재 5대째 가업을 이어오고 있다.

현재의 와이너리는 콘테르노 가문의 4대인 알도 콘테르노가 1969년에 설립하였다. 좀처럼 일반인에게 개방하지 않는 와이너리의 육중한 철문을 열고 들어가니 알도의 셋째 아들이자 와이너리 책임자인 헌칠한 키의 젊은 쟈코모Giacomo 씨가 기다리고 있었다. 시음하기 전 쟈코모 씨는 수확철이라 바쁜데도 흔쾌히 나를 맞이하게 된 이유를 설명하였다. 그것은 아버지의 추억 때문이라고 하였다.

형 죠바니Giovani와 함께 아버지의 와이너리 일을 돕던 알도는 1950년 아메리칸 드림을 가지고 삼촌이 있는 캘리포니아로 떠난다. 그곳에서 와이너리 일을 도왔지만 영주권이 나오지 않아 애를 먹었다고 한다. 그러던 중 쉽게 영주권을 얻기 위해 군대에 입대하게 되었는데, 공교롭게도 한국전쟁이 발발하였고 곧바로 참전하게 된다.

한국전쟁 참전 용사 알도 콘테르노를 추억하며

최전선에 투입된 알도는 중국군의 참전으로 전황이 불리해지면서 철수 명령을

바롤로 최고 품질의 와인을 생산하는 부시아언덕의 로미라스코 포도밭에 자리한
포데리 알도 콘테르노 와이너리가 그의 와인만큼 신비하게 느껴진다.

지하 와인셀러의 공간이 여유가 있다. 최근에 품질 관리를 위한 소량생산의 경영철학을 도입했기 때문이다.(위)
내가 시음한 와인들. 맨 오른쪽이 대표 와인인 바롤로 그란부시아 리제르바 2000이다.(아래)

받았다. 지정된 장소에 정해진 시간에 도착하여야만 헬리콥터로 구출될 수 있었는데 그만 목적지에 3분 늦게 도착하여 헬리콥터가 이륙하고 말았다. 멀리서 하염없이 헬리콥터를 바라보고 있는데, 갑자기 헬리콥터가 폭발하면서 추락하였단다. 알도는 동료들과 함께 한동안 멍하니 이 광경을 바라보면서 '3분이 결정한 생사의 갈림길'에 대해 생각하면서 새롭게 인생을 관조하게 되었단다.

천신만고 끝에 구출된 알도는 즉시 전역을 신청하고 고국 이탈리아로 돌아와 지금의 와이너리를 일구었다고 한다. 아버지 알도는 가끔 가족들과 함께 난롯가에 앉아 운명의 그 순간을 회상하며 한국전쟁 당시의 한국의 비참한 상황을 얘기하곤 하였단다. 아버지가 떠난 지금 쟈코모 씨는 왠지 한국인을 보면 형제 같은 생각이 든다고 하였다. 영화 같은 쟈코모 씨의 아버지 스토리를 듣고 있자니, 갑자기 나는 쟈코모 씨가 오래된 친구처럼 느껴졌다.

유럽을 대표한 와인 바롤로 그란부시아 리제르바 2000

우리는 다시 와인의 세계로 돌아와 콘테르노 가문의 와인에 대한 철학과 와인을 만드는 전통에 대해 지루한 줄 모르고 두 시간 넘게 열띤 토론을 이어갔다. 밀라노 대학에서 경영학을 전공한 쟈코모 씨는 와인의 전도사로서 마치 엄격한 교수처럼 그의 주장을 이어갔다.

쟈코모 씨의 와인철학은 전통과 혁신 그리고 자연 친화 농법으로 요약할 수 있었다. 특히 어린 자식들이 포도원에서 뛰어놀다 아무 때나 포도를 따 먹을 수 있는 그런 포도밭을 지켜나가는 것이라고 강조하였다. 이렇게 하여 탄생한 바롤로 그란부시아 리제르바Barolo Granbussia Riserva 2000이 유럽을 대표하는 와인으로 크리스티 경매에서 최고가에 판매되었다고 하면서 기사가 보도된 잡지와 함께 와인을 가져오더니 시음하기를 권하였다. 나는 이렇게 귀한 와인을 다 마시지도 못

진정한 바롤로의 와인 전도사 쟈코모 씨가 포즈를 취하고 있다.(오른쪽)
셀러의 온도를 유지하기 위하여 차가운 지하수에서 나오는 공기를 위로 환기시키는 구조물이 친환경적이다.(위)
지하 셀러에 알도 콘테르노를 기념하는 1931년산 와인을 아직도 저장하고 있다.(아래)

하면서 한 병을 열어 시음하는 것이 아깝다고 하였다. 그러자 쟈코모 씨는 걱정 말라고 하면서 와인이 남는다면 저녁에 가족과 마신다고 하였다. 나는 시음 후 쟈코모 씨가 자랑스러워하는 이 와인을 연거푸 두 잔이나 마시고 말았다. 오랜만에 나는 완벽한 바롤로 와인의 전형을 경험하였다.

쟈코모 씨와 아쉬운 작별을 하고 밖으로 나오니 어느덧 어둠이 깔려 있었다. 바롤로의 심장부 몬포르테 마을의 부시아Bussia언덕에 위치한 포데리 알도 콘테르노 와이너리의 하얀 저택과 이 지역 최고의 테루아인 로미라스코Romirasco 포도원이 저녁놀에 유난히 아름답게 보였다.

여왕의 와인 바르바레스코

바롤로 와인을 '왕의 와인'이라고 한다면 이 지역의 또 다른 명품 와인인 바르바레스코Barbaresco는 '여왕의 와인'이라고들 말한다. 두 명품 와인은 모두 이탈리아의 토착 포도 품종인 네비올로가 빚어낸 작품이지만, 바르바레스코가 바롤로보다는 좀 더 가볍고 부드러우며 여성적인 와인이라고 느껴지기 때문이다. 피에몬테를 제외하고는 이 지구 상 어느 곳에서도 네비올로로 이러한 명품 와인을 생산하지 못하고 있다. 우리는 이로써 와인산업에서 포도의 품종과 함께 테루아의 중요성을 다시 한 번 확인하게 된다.

바르바레스코는 알바에서 북동쪽으로 자동차로 10여 분이면 도착할 수 있는 한적한 마을이다. 이 지역도 랑게언덕의 자욱하게 피어오르는 부드러운 안개로 평화롭고 낭만적인 풍광을 연출하고 있었다. 바르바레스코 와인을 생산하는 지역은 알바 시 근교인 산 로코 세노델비오San Rocco Seno d'Elvio를 포함한 바르바레스코, 네이베Neive, 트레이조Treiso 등 크게 네 지역으로 구분된다. 이 지역에서는 총 재배

바르바레스코 지역의 포도원. 전형적인 랑게 지역의 지형을 볼 수 있다.

랑게언덕에서는 어느 작은 마을에 가든 유명한 레스토랑을 만날 수 있다.

면적 696헥타르에 490여 곳의 와이너리에서 1년에 약 419만 병의 바르바레스코 와인을 생산한다.
와이너리 투어를 마치고 바르바레스코의 중심 마을인 네이베에서, 미슐랭 가이드에 랭크되어 있는 유명한 레스토랑에서 그리말디Grimaldi 와이너리의 오너인 쟈코모 그리말디Giacomo Grimaldi 씨의 초대로 저녁을 하였다. 그 레스토랑의 지하 셀러에서 와인을 골랐는데, 1만 병 이상의 세계 유명 와인들이 수집되어 있었다. 한때는 3만 병까지도 있었다고 한다. 나는 이 중에서 브루노 쟈코사 바르바레스코Bruno Giacosa Barbaresco 2005를 선택하였다(가야Gaja 와인도 욕심이 났지만 국내에서 마셔본 경험이 있어서 포기했다).
바롤로가 최소한 3년 이상 숙성한 후에 시중에 출하할 수 있는데 반해 바르바레스코는 2년 숙성(1년은 오크통 숙성) 후에 시장에 나온다. 알코올 함유량도 바롤로가 13퍼센트 이상인데 반해 바르바레스코는 12.5퍼센트 이상이면 된다. 와인의 색은 바롤로보다는 다소 엷은 오렌지빛을 포함하는 석류색이다. 잔을 흔드니 강렬하고 기분 좋은 에테르 향이 피어올랐다. 그리고 드라이하고 묵직한 맛과 부드럽고 섬세한 맛을 동시에 느낄 수 있었다. 전반적으로 바롤로에 비해 가벼운 풍미였지만, 분명 바롤로와는 다른 개성을 가지고 있었다. 담당 소믈리에는 앞으로도 10년 이상 장기 숙성이 가능하다고 자랑하였다.

바르바레스코의 탄생

바르바레스코는 생산량에서도 바롤로의 절반에도 미치지 못하고, 명성 면에서도 비교할 수 없지만 명품 와인이다. 물론 여러 가지 우여곡절을 겪은 후인 19세기 중반 이후 오늘날과 같은 명품 와인으로 인정을 받게 될 수 있었다. 원래 바르바레스코 와인의 역사는 고대 로마 시대까지 거슬러 올라가지만, 한때는 바롤로 와인의 대용품으로, 즉 값싼 와인으로 취급되었다. 그것은 이 지역에서 재배된 네비올로가 바롤로 지역에 비해 기후가 서늘하여 매우 늦게 수확되고, 당도가 낮으며, 또한 기온의 강하로 인해 충분한 발효가 이루어지지 않아서 생긴 잔당殘糖으로 인해 그 맛이 스위트하기 때문이었다. 그러나 중세 유럽에서는 한때 스위트한 와인이 유행하여 스위트 와인의 가치를 더 높게 매긴 시대가 있었다. 그것은 신성로마제국 시대에 주로 독일과 오스트리아의 화이트와인에서 영향을 받았기 때문이리라. 이로 인해 바르바레스코 와인 생산자들은 당분이 많은 모스카텔로Moscatello와 파세레타Passeretta를 네비올로에 배합하여 인위적으로 달콤한 바르바레스코 와인을 생산하였다. 이러한 바르바레스코가 오늘날 바롤로에 비견될 수 있는 명품 와인으로 인정받은 지는 불과 50년이 채 되지 않았다.

1894년에 알바 양조 학교의 양조학자인 도미치오 카바짜Domizio Cavazza 교수가 이 달콤한 바르바레스코 와인을 강렬한 드라이 레드와인으로 바꾸는 데 공헌하였다. 최적의 포도 수확 일자를 선택하고, 적절한 타닌과 색깔을 얻기 위해 지금까지의 전통적인 발효 탱크(커다란 나무통이나 콘크리트통) 대신 온도 조절 장치가 있는 발효 탱크를 이용하여 단기간에 1차 발효Maceration를 완료시켜 그 잔당을 없애고, 작은 용량의 프랑스산 오크통을 이용하여 숙성Maturation시키는 등 현대 양조기술을 접목한 것이다.

이러한 노력은 제2차 세계대전 이후 오늘날 바르바레스코를 대표하는 브루노 쟈코사Bruno Giacosa 와이너리와 가야 와이너리에 의해 1960년대까지 계속되었다. 이 결과 바르바레스코는 1966년 바롤로, 키안티, 브루넬로 디 몬탈치노와 함께 최초로 DOC 등급을 부여받았고, 1980년에는 최고급품임을 나타내는 DOCG 등급도 부여받았다.

바르바레스코 와인의 중심인 네이베 마을의 와이너리 풍경.(위) 소담한 건물이 인상적이다.
바르바레스코 마을의 고색창연한 골목길.(아래)

파밀리아 마로네의 오너 마로네 씨가 두 딸 데니즈와 발렌티나와 함께 와이너리 루프톱에서 포즈를 취하고 있다.(위)
파밀리아 마로네에서 시음했던 와인들. 가운데에 바롤로 피체메이 2010년 빈티지와 바르바레스코가 보인다.(아래)

가족이 만드는 파밀리아 마로네 와이너리

최근에 방문했던 바롤로와 바르바레스코 와이너리들 중 가장 가족 중심의 와이너리는 파밀리아 마로네Familglia Marrone이다. 특히 이곳에서 시음한 바르바레스코는 바롤로를 능가하는 풍미를 자랑하였다. 10여 년 전에 방문했던 레나토 라티 와이너리와 이웃하고 있는 파밀리아 마로네 와이너리는 현재 4대째가 와이너리를 운영하고 있다. 아버지 지안 피에로 마로네Gian Piero Marrone와 큰딸 데니즈Denise는 와인 메이커로, 둘째 딸 세레나Serena는 회계, 막내딸 발렌티나Valentina는 마케팅 담당으로 완벽한 팀을 이루고 있다. 모두 박사 학위를 보유하고 있는 재원들이다.
아침 일찍 알바에서 알바-바롤로 도로를 따라 주소지에 도착했으나 덩그런 창고만 있고 어디에도 간판이 보이지 않았다. 전화를 했더니 그곳은 와인을 출하하기 위한 창고이고, 와이너리는 바롤로의 중심 마을인 라모라La Morra 아래의 구릉 꼭대기에 위치한 안눈치아타Annunziata라는 작은 마을에 있다고 하였다.
와이너리에 도착하니 온 가족이 나와서 반갑게 맞아주었는데, 웬지 시골 친척집을 방문한 것 같은 아늑함을 느꼈다. 먼저 지붕 꼭대기에 올라가니 아침 안개에 젖은 아름다운 안눈치아타 마을과 아래쪽 바롤로까지 펼쳐져 있는 광활한 포도원을 한눈에 볼 수 있었다. 규모는 작았지만 4대째 한결같이 와인을 만들어왔던 지하 셀러에서는 오랜 전통이 배어나오고 있는 것이 느껴졌다. 와이너리 투어를 끝내고 1층 셀러 도어에서 바롤로부터 모스카토 다스티까지 아홉 종류의 와인을 시음했다.
이 중 평소에 한국에서 즐겨 마시고 있는 바롤로 피체메이Barolo Pichemej와 바르바레스코를 현지에서 직접 비교·시음해보는 것도 나에게는 흥미로운 일이었다. 바롤로 피체메이 2010은 이 집의 아이콘 상품으로 풀 보디에 좋은 구조감을 가

파밀리아 마로네 와이너리에서 바라본 안눈치아타 마을이 안개에 싸여 있다

지고 있었지만, 바르바레스코 2011에 비해 피니쉬감이 아쉬웠다. 바르바레스코는 우아한 과일 향에 스파이시한 아로마와 적절한 타닌, 산도, 알코올의 균형감, 벨벳 같은 부드러운 풍미로 네비올로의 특징을 가장 잘 표현하고 있는 와인이라고 생각했다.

와인은 패션이다

오늘날의 바르바레스코 와인이 있게 한 것은 가야 와이너리의 소유주 안젤로 가야Angello Gaja와 같은 걸출한 인물 덕분이었으리라. 브루노 쟈코사 와이너리가 전통을 고수하면서 현대적인 양조기법을 도입하여 바르바레스코를 생산하고 있다면, 안젤로 가야는 전통과 제도를 뛰어넘어 새로운 실험과 도전으로 세계의 와인 마니아를 감동시키고 있다.

가야는 2000년 이후 여러 까다로운 조건을 충족해야 하는 최고급품임을 나타내는 DOCG 등급을 스스로 포기하고, 그보다는 하위 등급인 DOC 등급으로 바르바레스코를 생산하고 있다. 그것은 등급 기준에 미달해서가 아니고, 정부의 통제에서 벗어나 새로운 실험을 자유롭게 시도함으로써 새로운 와인을 창조하겠다는 도전정신과 창조정신의 발현이라고 할 수 있다. 그 결과 카베르네 소비뇽이나 메를로를 15퍼센트 범위 내에서 네비올로와 배합하여 소리 산 로렌조Sori san Lorenzo, 소리 틸딘Sori Tildin, 코스타 루시Costa Russi 같은 고가의 명품 와인을 성공적으로 탄생시켰다.

내가 잠시 수학하였던 U.C. 데이비스Davis 대학의 경영대학원장을 역임하였던 저명한 경영학 교수인 레슬리 스마일Leslie Smile 박사는 "와인은 패션Fashion이다"라고 정의한바 있다. 그러면서 스마일 박사는 2001년 세계적인 와인회사 CEO들과의 인터뷰에서 "와인 마케팅 전략에서 가장 중요한 개념은 와인도 결국 그 시대를 표현하는 문화적 산물, 즉 의류와 같은 일종의 유행"이라고 주장했다. 가장 전통적인 와인으로 오랫동안 와인 애호가들에게서 선호를 받았던 카베르네 소비뇽으로 만든 와인이 한때 메를로로 만든 와인에 밀리더니, 2004년 영화 〈사이드웨이Sideway〉가 개봉된 이후 피노 누아Pinot Noir로 만든 와인에 대중이 매료된 상황도 바로 이 바르바레스코 와인의 끊임없는 변천사와 일맥상통하는 것인지도 모른다. 지금은 시라Syrah나 그르나쉬Grenache, 심지어 말벡Malbec, 진판델 Zinfandel로 만든 와인을 사랑하는 심포지엄이나 마니아 그룹이 늘어나고 있다. 이렇듯 와인도 사람들의 입맛과 취향에 맞춰 끝없이 변화하고 있다.

송로버섯 이야기

알바는 와인 못지않게 송로버섯Truffles 집산지로 유명하다. 특히 흰 송로버섯White Truffles은 금의 가격과 맞먹는다고들 얘기한다. 유럽에서는 캐비어caviar, 푸아그라foie gras(거위 간)와 함께 3대 진미 중 으뜸으로 친다. 와인 축제와 함께 송로버섯 채취 기간인 10월이 되면 전 세계의 레스토랑 주인들이나 미식가들이 송로버섯 경매에 참석하기 위해 이곳 알바에 몰려든다. 송로버섯은 여러 가지 면에서 우리나라의 송이버섯과 유사하다.

우선 가격이 비싸고 자연산이며, 폭발적인 향기에 채취 기간도 가을철이다. 다만 송이버섯과 달리 땅속에서 자라기에 냄새에 민감한 사냥개Truffle hunter dog를 이용하여 채취한다. 그래서 흔히들 송로버섯 채취를 "송로버섯 헌팅Truffle hunting"이라고 말한다. 또한 송이버섯이 오래된 소나무 밑에서 자라는 데 반해 송로버섯은 참나무, 헤이즐넛Hazelnut(개암나무), 떡갈나무 밑에서 자란다. 나는 문득 송이버섯에서 소나무의 향기를 느낄 수 있었고, 송로버섯에서는 참나무나 헤이즐넛

트러플 헌터개와 견주. 3년 이상의 훈련이 필요하다.(위)
송로버섯 헌팅 투어에서 수확한 값비싼 120그램짜리 흰 송로버섯.(아래 오른쪽) 알바 시내 식품 가게에 진열되어 있는 검은 송로버섯.(아래 왼쪽)

의 향기를 느끼면서 어쩌면 와인의 테루아가 버섯에서도 적용되지 않을까 생각해보았다.
나는 그동안 알바를 방문할 때마다 송로버섯 헌팅을 계획하였으나 일정이 맞지 않아 이루지 못했다. 지난해 추석 무렵 알바를 떠나기 하루 전에 운 좋게 송로버섯 채취 기간이 시작되었다. 송로버섯 헌팅 투어는 알바 시의 두오모 성당 앞에 있는 관광 안내소에서 단체 투어 프로그램이나 개인 투어 프로그램 중 선택하여 예약하면 된다. 나는 개인 투어 프로그램을 선택하였는데, 가이드의 승용차로 시내에서 약 40분 거리에 있는 헤이즐넛 농장 근처의 참나무와 떡갈나무가 무성한 숲에 도착하였다. 가이드가 전화를 하니 시골 농부 차림의 현지인이 SUV 차량에 사냥개 두 마리를 태우고 나타났다. 한 마리는 베테랑이고, 작은 개는 아직 훈련 중이었는데, 베테랑이 되려면 약 3년의 훈련 기간이 필요하다고 하였다. 주인이 베테랑 사냥개에게 송로버섯의 향을 맡게 한 후 땅속에 있는 송로버섯을 찾아오라고 명령하였다. 사냥개는 미치듯이 뛰어다니다 한 참나무 둥치 밑에서 갑자기 두 발로 땅을 파기 시작하였다. 이때 주인이 사냥개를 제지하고 직접 꼬챙이로 조심스럽게 20~30센티미터 깊이로 땅을 파헤치니 작고 하얀 감자 같은 것이 나타났다. 바로 금과 같다는 흰 송로버섯이었다(표면이 검으면 검은 송로버섯Black Truffle이다). 약 한 시간에 걸친 헌팅이 끝난 후 채취한 흰 송로버섯 120그램짜리와 80그램짜리를 시중보다 저렴한 가격으로 구매하였다. 보통 검은 송로버섯에 비해 흰 송로버섯의 가격이 2~3배 비싸며 향도 그만큼 풍부하다. 채취한 송로버섯의 맛과 향은 7~10일 정도 유지되니 그 안에 먹어야 좋다고 한다. 한국의 레스토랑에서는 대개 검은 송로버섯이나 송로버섯기름을 사용한다.
송로버섯과 관련하여 서울에 돌아와서의 후기를 빼놓을 수가 없다. 한 달 후 가족 모임에서 그때까지 냉장고에 고이 보관해오던 송로버섯이 담긴 통을 열었는

와인과 음식의 메카 알바의 중심에 있는 피아자 두오모 광장.

데, 120그램짜리 송로버섯 껍질 안쪽이 텅 비어 있었다. 애벌레 한 마리가 120그램짜리 송로버섯을 다 먹어치운 것이다. 다행히 80그램짜리로 체면치레를 할 수 있었지만, 두고두고 아쉬웠다.

피아자 두오모 레스토랑

알바 시의 또 하나의 자랑거리는 두오모 광장에 있는 세계에서 가장 유명한 미슐랭 가이드 3스타 레스토랑인 피아자 두오모Piazza Duomo이다. 이 레스토랑은 매년 50대 세계베스트 레스토랑 목록에 이름을 올리고 있다. 전에는 이곳을 방문할 때마다 예약을 하기 힘들었는데, 이번 방문 때는 다행히 점심 예약이 가능했다.
미국 화가가 실내 벽화를 그렸는데, 컬러와 대담한 그림이 나를 압도하였다. 점심이었지만 어렵게 예약한 것을 생각해서 테이스팅 메뉴를 주문하였다. 수석셰프가 일본에서 요리공부를 한 경험 때문인지 전체적으로 심미적이고 섬세한 요리를 선보였다. 각종 허브와 채소 같은 식자재 또한 레스토랑에서 바이오다이나믹Biodynamic 농법으로 직접 재배한 것이라 신선하고, 피에몬테 지방의 독특한 풍미도 느낄 수 있었다.
환상적인 점심을 마치고 주방에 들러 수석셰프 엔리코 크리파Enrico Crippa 씨와 인사를 나누고 그가 서명한 메뉴판을 선물로 받았다. 셰프는 나에게 특별한 선물을 하겠다면서 젊은 동양인 청년을 소개하였다. 그는 이곳에서 디저트를 배우고 있는 포항 청년이었다. 반갑게 인사를 하고 귀국하면 연락하라면서 명함을 주었다. 1년 동안의 연수를 마치고 귀국 후 찾아온 그에게 그곳에서 배운 것을 펼치고 싶다면 일정 기간 동안 가게를 열 수 있도록 지원해주겠다고 제안하였다. 며칠을 고민한 그는 좀 더 공부한 후 오겠다고 약속하고 다시 이탈리아로 출국하였다. 그의 꿈이 어디서든지 이루어지길 지금도 바라고 있다. 즐거운 일에는 가끔

알바에 있는 미슐랭 가이드 3스타 레스토랑인 피아자 두오모의 실내 벽화가 인상적이다.(위)
주방에서 포즈를 취한 수석셰프 엔리코 크리파 씨와 나.(아래)

의외의 비용이 추가로 발생한다. 나는 1년 후 불법 정차와 차로 위반으로 무려 200유로짜리 벌금 고지서를 받았다. 중세의 모습을 간직하고 있는 알바의 두오모 광장 인근에서 관광객이 주차 공간을 찾는 것은 고난에 가깝다.

친퀘 테레의 해안절벽에서 나온 리구리아 와인

이탈리아의 북서부 와인 생산 지역에 속한 리구리아Liguria 주는 이탈리아 전체 와인 생산량 중 0.5퍼센트만을 생산하는 작은 지역이다. 나는 피에몬테 주의 알바를 방문하는 길에 3일 일정으로 제노바와 친퀘 테레Cinque Terre(다섯 개의 땅)로 향했다. 친퀘 테레는 리비에라 디 레반테Riviera di Levante 해안의 몬테로소 알마레Monterosso al Mare, 베르나차Vernazza, 코르닐리아Corniglia, 마나롤라Manarola, 그리고 리오마조레Riomaggiore 등 다섯 개의 작은 어촌마을을 일컫는다.

이때까지 나의 여행 목적은 언제나 와이너리 방문이었지만, 이번 여정에서는 친퀘 테레의 자연 경관을 보고자하는 욕심이 컸다. 제노바에서 1박한 다음 날 친퀘 테레에서 자동차가 진입할 수 있는 유일한 마을인 몬테로소에서 여정을 풀었다. 이 지방의 와인 생산지는 제노바를 중심으로 서쪽의 리비에라 디 포넨테Riviera di Ponente 그리고 동쪽의 리비에라 디 레반테 해안을 따라 가파른 언덕 일대에 가족 중심의 작은 규모로 발달해 있다.

나는 몬테로소에서 기차를 타고 라 스페치아La Spezia에 가까운 맨 동쪽 끝 마을인 리오마죠레에 내린 뒤 다시 서쪽 방향의 다섯 개 마을들을 차례로 방문하는 일정을 잡았다. 옛날에는 해안절벽의 오솔길을 따라 마을과 마을 사이를 통행했다고 하는데, 지금도 옛길을 이용할 수 있다. 내가 방문했을 때는 폭우 피해로 일부 구간의 통행이 통제되었기에 기차를 이용하였다.

친퀘 테레(에서 자동차가 진입할수 있는 유일한 마을인 몬테로소의 아름다운 해변 풍경.(위)
몬테로소 마을 언덕에 있는 포도밭.(아래) 남쪽의 지중해로 경사져 있어 풍부한 일조량을 확보할 수 있다.

파스텔 색으로 단장한 친퀘 테레의 가장 전형적인 어촌인 마나롤라 마을의 풍경.
포도송이로 장식한 여인의 동상에서 이 지역의 오랜 와인의 역사를 엿볼 수 있다.

친퀘 테레에서 유일하게 언덕에 위치한 코르닐리아 마을의 낭만적인 골목 풍경. 왼쪽에 오래된 와인 바가 보인다.(위)
마을 언덕 위의 성채에서 바라본 베르나차 마을의 풍경. 왼쪽에는 중세에 지어진 산타 마르게리타 성당이, 오른쪽 멀리에는 계단식 포도밭이 보인다.(아래)

다섯 개의 마을들 모두 각자의 개성을 가지고 있어 아름다웠다. 특히 리오마죠레 다음에 방문했던 마나롤라 마을이 가장 인상적이었다. 가파른 해안절벽에 파스텔 색의 작은 집들이 옛날 모습을 그대로 간직한 채 아기자기하게 모여 있는 풍경을 바라보노라니, 이곳에서는 시간이 멈춰 있다는 착각에 빠졌다. 마을 뒤편 가파른 언덕에는 작은 규모의 계단식 포도밭들이 분포되어 있고, 마을의 광장이나 전망 좋은 곳에서는 와인 관련 동상이나 조형물을 볼 수 있어 친퀘 테레의 오랜 와인 역사를 짐작할 수 있었다. 점심 때가 되어 마나롤라 마을 해변의 전망 좋은 레스토랑에서 힘들게 자리를 잡았다.

시음도 할 겸 마나롤라 마을과 코르닐리아 마을 사이에서 생산된 이곳의 대표적인 와인 중 하나인 친퀘 테레 코스타 데 캄푸Cinque Terre Costa De Campu 2015를 주문하였다. DOC 등급의 와인으로, 이곳 토착 품종인 보스코Bosco를 70퍼센트, 베르멘티노Vermentino를 15퍼센트, 알바로라Albarora를 15퍼센트 비율로 배합한 화이트와인이다. 옅은 노랑볏짚 색깔을 띤 이 와인은 허브·야생꽃 향기에 풍부한 시트러스 맛의 산미가 더해져 상쾌한 청량감이 지속되는 특별한 개성을 가진 와인이었다. 드라이 타입이었는데, 이곳에서 잡은 해산물을 튀긴 요리와 특히 좋은 페어링을 이루었다.

친퀘 테레 와인의 문제는 소량생산으로 인해 이탈리아 현지인도 친퀘 테레 이외의 지역에서는 좀처럼 맛볼 수 없다는 점과, 반드시 생산 후 2~3년 안에 마셔야 한다는 점이다. 친퀘 테레 와인은 지중해의 거친 파도와 해풍, 남쪽으로 경사진 척박한 계단식 포도밭을 비추는 지중해의 태양의 영향으로 심한 일교차까지 가진 이상적인 테루아다. 이런 척박한 자연과 인간의 합작품이기에 이곳 와인을 더욱 소중하다고 생각했다.

친퀘 테레의 다른 마을들과는 달리 해변이 아닌 언덕 위에 위치한 코르닐리아

NEW YORK

친퀘 테레의 대표적인 DOC 등급 화이트와인인 친퀘 테레 코스타 데 캄푸 2015.(위)
손으로 일일이 수확한 친퀘 테레의 대표적인 토착 품종인 보스코 포도.(왼쪽 위) 친퀘 테레의 와인 역사는 오래되었지만 대부분 가족 중심의 소규모 와이너리다.(왼쪽 아래)

는 비교적 넓은 포도원을 가지고 있고, 와인 투어 버스도 운영하고 있다. 고색창연한 마을 광장 주변에는 와인 숍과 오래된 와인 바가 많았는데, 일정상 오래 머무를 수 없었던 것이 지금도 아쉽다. 몬테로소의 이웃 마을인 베르나차에서는 친퀘 테레의 가장 전형적인 모습을 볼 수 있다. 마을 언덕 위 요새에 오르면 바로 앞에 펼쳐진 포도밭의 테라스, 중세에 지어진 아름다운 산타 마르게리타Santa Margherita 성당, 역시 이곳 특유의 파스텔 색깔의 아기자기한 집들과 리구리아만의 짙은 코발트색 바다를 한눈에 감상할 수 있다. 친퀘 테레는 이탈리아의 국립공원이자 세계문화유산으로 지정되어 있는 관광의 보고寶庫이기도 하다. 이곳을 방문하는 동안 한국 관광객도 많이 만났는데, 대부분 피렌체Florence나 피사Pisa에서 기차를 이용하여 하루 일정으로 방문한다고 하였다.

저녁 때쯤 호텔이 있는 몬테로소로 돌아와 석양에 물든 해변 길을 산책한 후 미슐랭 가이드에 등재된 레스토랑인 미키Miki에서 저녁을 하였다. 친퀘 테레가 자

녹색 언덕 위에 간결하게 설치된 독일의 세계적인 조각가 이고르 미토라이의 카라라 대리석 두상이 인상적이다.

브라질 조각가 스피리토 코스타의 작품 〈에그 콘셉트〉.

카델 보스코의 정문에 설치된 이탈리아 출신의
세계적인 조각가 아르날도 포모도로의 서큘러의 문.

피노 비앙코 25퍼센트, 피노 네로Pinot Nero(피노 누아) 25퍼센트의 비율로 배합하였다고 한다.
프란치아코르타의 스틸 와인의 역사는 이탈리아의 다른 지역의 것처럼 오래되었지만, 스푸만테 와인인 프란치아코르타는 1960년대부터 생산을 시작했다. 이런 짧은 역사에도 프랑스의 샴페인에 비견될 수 있는 이탈리아 최고의 스파클링 와인의 명성을 얻게 된 이유는 무엇일까?
첫째는 이 지방의 테루아가 샤르돈느와 피노 네로의 재배에 좋은 자연 조건을 가지고 있다는 점일 것이다. 토양은 석회암에 모래와 자갈이 많이 섞인 것이고, 알프스산맥에 가까우면서도 북쪽에는 이제오Iseo호수가 서쪽에는 올리오Oglio강이 흐르고 있어 서늘하면서도 온화한 기후를 가지고 있다. 다음으로는 샴페인을 능가하는 철저한 품질 관리에서 찾을 수 있을 것이다. 최고 품질의 포도만을 골라 일일이 손으로 수확하고, 압착 과정도 기계보다는 포도의 중력으로 자연스럽게 흘러나온 주스(프리런free run)를 기본으로 사용한다. 병 안에서의 숙성 기간도 최소 18개월 이상(샴페인은 15개월 이상)으로 규정하고 있다. 이런 각고의 노력으로 프란치아코르타는 1995년부터 최고 등급인 DOCG 등급을 획득하였으며, 샴페인처럼 굳이 레이블에 등급 표시를 하지 않고도 '프란치아코르타'라는 이름만으로 '이탈리아의 샴페인'이라는 인정을 받고 있다.
1994년에 카델 보스코 와이너리는 베네토 주에 기반을 둔 지냐고Zignago 그룹에 편입되었지만, 여전히 마우리치오 자넬라가 지분과 독립적인 경영권을 행사하고 있어 카델 보스코 와이너리의 정체성과 예술 경영은 계속될 것으로 보인다. 이탈리아의 유명한 조각가 아르날도 포모도로Arnaldo Pomodoro의 작품으로 만들어진 서큘러Circular의 정문을 나서니 프란치아코르타의 포도원 위를 석양이 물들이고 있었다.

중부 지방(Central Tyrrhenian)

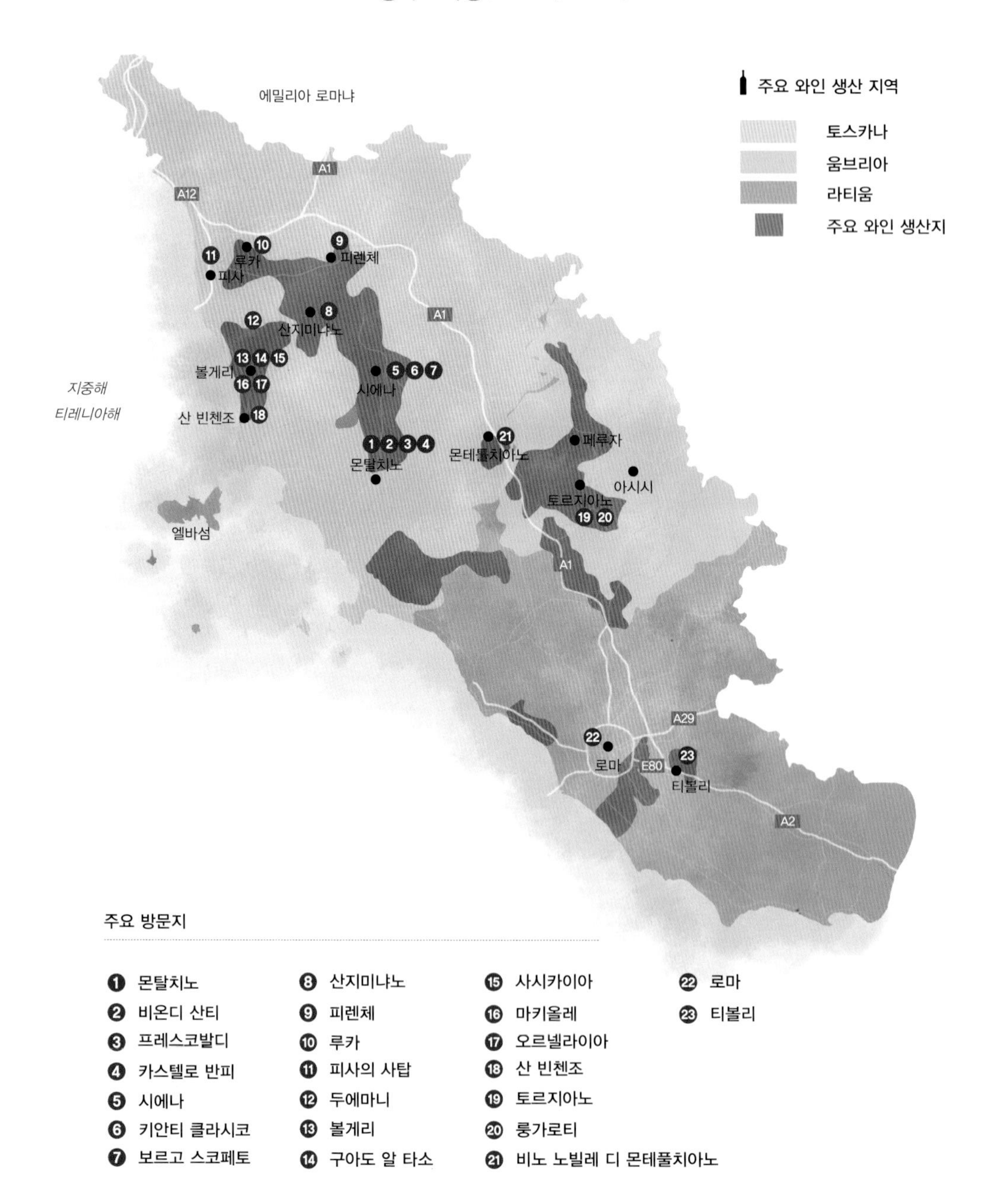

이탈리아의 심장 중부 지역

갈색의 대지, 거대한 자연 박물관 토스카나

토스카나 지방을 여러 차례 방문하였지만, 방문할 때마다 항상 가슴이 두근거린다. 녹색과 갈색이 묘하게 하모니를 이루는 구릉들이 마치 파도처럼 전개되는 토스카나의 전형적인 자연, 포도원과 올리브 농원 사이로 키다리 사이프러스나무들이 줄지어 서 있는 아름다운 풍광을 보면 와인 애호가가 아닐지라도 감동하게 된다. 토스카나의 자연은 그 자체가 하나의 거대한 박물관이자 극장이다. 피에몬테와 함께 이탈리아 와인 산지의 양대 산맥을 이루고 있는 토스카나에는 피렌체Florence, 피사Pisa, 루카Lucca, 시에나Siena, 몬탈치노Montalcino 등 어디에든 고색창연한 역사의 흔적과 르네상스의 찬란한 문화가 있는 예술적인 마을들이 즐비하다. 무엇보다 이탈리아의 심장이라고 할 수 있는 중부 지역에 위치한 토스카나 지방은 찬란한 태양과 지중해성 기후의 영향과 적당한 높이의 구릉에 따라 미세기후대가 형성되어 포도 재배에 최적의 자연 환경을 가지고 있다.

토스카나 지방의 주요 와인 산지는 피렌체 남부 지방에 위치한 시에나를 중심으로 키안티Chianti와 키안티 클라시코Chianti Classico, 몬탈치노의 브루넬로 디 몬탈치노Brunello di Montalcino, 몬탈치노와 동쪽에 이웃하고 있는 비노 노빌레 디 몬테풀치아노Vino Nobile di Montepulciano, 마지막으로 최근 수퍼 투스칸Super Tuscan으로 유명해진 토스카나 서쪽 해안 지역의 볼게리Bolgheri 지역 등이다.

몬탈치노 성에서 바라본 토스카나의 갈색 대지의 장관.

'브루넬로 디 몬탈치노'의 성지 몬탈치노

나는 한때 주한 이탈리아 대사관에서 상무관과 재무관으로 근무한 적이 있는 오랜 친구 미카엘레 사바티노Michaele Sabatino 씨의 안내로 몬탈치노를 처음 방문하였다. 그때의 감동을 잊지 못한 나에게 몬탈치노는 이탈리아를 방문할 때마다 들르곤 하는 단골 장소가 되었다. 몬탈치노는 가장 토스카나적인 자연과 문화를 압축하고 있는 중세풍 마을이다. 처음 이곳을 방문하였을 때 마을 꼭대기에 지금은 성벽만 남아 있는 몬탈치노 성Fortezza di Montalcino의 망루에 올라가서 느꼈던 감동을 잊을 수가 없다. 사방으로 갈색과 녹색이 모자이크되어 광활하게 펼쳐진 토스카나의 자연을 한눈에 조망할 수 있었는데, 그 풍경은 마치 대지가 파도가 되어 밀려오는 듯하였다. 여름이 되면 몬탈치노 성은 와인과 예술이 만나는 화려한 축제의 장으로 다시 태어난다. 저녁을 마치고 고성 안에서 열리는 '와인 엔 재즈 페스티벌Wine & Jazz Festival'에 참석하였는데, 각종 와인과 음식을 밤늦게까지 즐기면서 시간 가는 줄 몰랐다. 세월의 흔적과, 폐허가 된 성벽을 타고 흐르는 음악, 시원하게 불어오는 여름 바람, 달빛을 받아 더욱 영롱하게 빛나는 브루넬로 디 몬탈치노의 향기가 오랫동안 여운을 남겼다. 마치 토스카나가 고향인 테너 가수 안드레아 보첼리Andrea Bocelli의 음성이 대지에 스며들어 멀리 퍼지듯이…….

중세에 만들어진 좁은 석조골목을 따라 해발 500미터 정상에서 남성미를 자랑하며 서 있는 몬탈치노 성은 14세기 시에나의 요새로 축조되었다. 중세 이탈리아가 정치적으로 혼란했던 만큼 주인이 자주 바뀌었던 마을이지만, 지금은 브루넬로 디 몬탈치노 와인 하나로 문화·역사·예술이 어울리는 낭만의 성이자 토스카나의 보석이 되었다. 몬탈치노는 세계적인 관광지인 피렌체나 시에나에 인접해 있어 쉽게 접근할 수 있다.

여름이면 이곳 몬탈치노 고성에서는 낭만적인 재즈가 흐르는 와인 페스티벌이 열린다.(위)
몬탈치노 마을에서 바라본 광활한 토스카나 지방의 포도원 전경.(아래)

자동 온도 조절 장치가 갖춰져 있는 대형 스테인리스 탱크에서 1차 발효가 이루어진다.(위)
1차 발효가 끝난 브루넬로 디 몬탈치노 와인은 다시 대형 오크통에서 오랜 숙성 과정을 거친다.
모든 단계에서 꼼꼼하고 명확하게 손길이 닿는다.(아래)

브루넬로 디 몬탈치노의 탄생

키안티 와인이 오래전부터 토스카나의 와인을 대표한다면, 브루넬로 디 몬탈치노는 19세기 이후부터 현대적인 와인산업이 탄생시킨 토스카나 와인의 보석이라고 할 수 있다, 이 와인 역시 키안티처럼 산지오베제Sangiovese로 만들지만, 몬탈치노 지역에서 재배된 산지오베제만으로 양조하여야 한다. 원래 브루넬로Brunello는 산지오베제 그로소Grosso를 표현하는 현지 방언인데, 지금은 포도 품종의 이름으로 쓰인다. 브루넬로는 갈색을 뜻하지만, 단순한 갈색이 아닌 매혹적인 갈색이라고 한다. 그래서 이 와인을 "몬탈치노의 매혹적인 갈색"이라고 하면 어떨까? 실제로 브루넬로 디 몬탈치노는 키안티와는 달리 4년 동안 오크통에 숙성시킨 후에야 출시할 수 있는데, 이것이 브루넬로가 매혹적인 진홍색과 함께 남성적인 강건함, 그리고 풍부한 과일 향이 적절히 균형을 이루는 짜임새 있는 명품 와인이 되는 비결이다. 브루넬로는 최소한 10년에서 심지어 50년까지 숙성하여도 여전히 그 힘을 잃지 않고 개성을 유지한다. 이곳 와이너리들 중 대부분에서는 브루넬로 디 몬탈치노의 대체품으로 2년 동안 숙성하여 출시하는 DOC 등급의 로소 디 몬탈치노Rosso di Montalcino를 생산한다. 이는 브루넬로를 기다릴 수 없는 애호가들을 위한 배려(?)이기도 하지만, 사실은 와이너리들의 자금 흐름Cash flow에 도움이 되기 때문이다. 로소 디 몬탈치노가 비록 브루넬로에는 비견될 수 없지만, 나름의 개성과 풍미는 어떠한 와인과도 견줄 수 있는 와인이다.

클레멘테 산티 가문이 일궈낸 명작, 4년간 오크통에서 숙성해야

브루넬로 디 몬탈치노 와인의 탄생은 몬탈치노만이 갖고 있는 테루아와, 이 테루아에 맞는 포도 품종의 개발 그리고 현대적인 양조기술이 빚어낸 자연과 인간의 합작품이라고 할 수 있다. 몬탈치노는 다른 키안티 지역과 달리 남쪽에 폭풍

우를 막아주는 해발 1700미터의 아미아타Amiata산, 바다가 가까워 따뜻하고 여름에 건조한 기후, 해발 500미터까지 이어진 점토질과 이회토의 테루아 덕분에 세계에서 가장 농축되고 강건한 산지오베제의 생산이 가능하다. 물론 클레멘테 산티Clement Santi 가문의 공헌도 빼놓을 수 없다. 산티 가문이 없었으면 브루넬로 디 몬탈치노 와인은 지금도 몬탈치노의 한갓 투박한 와인으로 남아 있었을 것이다. 산지오베제 그로소(브루넬로)가 이곳 테루아에 맞는다고 확신한 산티는 19세기 중반부터 이 포도나무를 심기 시작하였다. 또한 와인도 당시에 유행하였던 부드럽고 즉시 마실 수 있는 키안티 형태의 덜 숙성된 와인 대신, 4년 동안 오크통에 숙성한 후에도 일정 기간 동안 병에서 숙성시킨 후 출시하였다. 이런 과정을 통하여 지금까지 이 지구 상에서 가장 진하고 강렬한 풍미를 가졌다고 말할 수 있는 위대한 브루넬로 디 몬탈치노 와인이 탄생한 것이다.

시간이 흐를수록 그 진가를 발휘한 이 와인은 1880년 이후 이탈리아 국내에서보다는 해외에서 더 유명해졌으며, 현재는 바롤로와 함께 이탈리아를 대표하는 와인으로 자리매김하였다. 현재 200여 와이너리에서 1년에 400여만 병을 생산하고 있는 이 와인은 산티 가문의 혁신적인 도전정신이 있어 더 향기롭게 느껴지는지도 모른다. 몬탈치노 남동쪽 외곽에 있는 비온디 산티Biondi Santi 와이너리는 그 역사를 간직한 듯 오래된 사이프러스나무들로 이루어진 가로수 길과 더불어 담쟁이넝쿨로 뒤덮인 건물이 인상적이다.

몬탈치노 와인의 선구자 비온디 산티 와이너리의 보습. 담쟁이넝쿨로 뒤덮인 건물에서 유구한 역사가 느껴진디.(위) ▶
몬탈치노 마을의 낭만적인 골목 풍경.(아래)

700년 전통의 프레스코발디 와이너리

르네상스의 정신을 이어가는 프레스코발디 와인

몬탈치노에서 남서쪽으로 18킬로미터 지점을 지나면 오른쪽에 역사적인 프레스코발디Frescobaldi의 카스텔 지오콘도Castel Giocondo(행복의 성)가 있다. 정문에서 비포장도로 위에 흰 먼지를 일으키며 2.5킬로미터를 더 달려 와인셀러에 도착하였다. 뜨거운 오후 날씨에도 홍보 담당 나딘 부차케라Nadine Buchakera 여사가 반갑게 맞아주었다. 프레스코발디 와이너리의 소유자인 프레스코발디 가문은 중세시대인 12세기부터 피렌체의 정치·사회·금융 분야에서 막강한 영향력을 행사했던 귀족 가문이다. 그들은 피렌체뿐만 아니라 일종의 벤처캐피탈을 통해 영국의 에드워드Edward 1세의 재정과 관세 징수를 담당하고, 영국의 양모를 독점 수출하는 등 일찍부터 다국적 기업을 이루고 많은 부를 축적하였다. 이러한 배경에 힘입어 1308년부터 와인을 생산하기 시작하여 영국과 유럽의 왕실에 공급하고, 심지어 미켈란젤로Michelangelo를 포함하여 르네상스 시대 화가들의 그림과 와인을 물물교환하기도 하였다.

현재 프레스코발디는 704년 동안 30세대에 걸쳐 이탈리아 와인산업의 산 역사를 대변하고 있다. 1855년에 처음으로 이 지역에 국제적인 품종인 샤르돈느, 카베르네 소비뇽과 메를로를 도입하였으며, 가문의 금융력을 바탕으로 토스카나에 현대적인 양조기술과 시설을 갖춘 세계적인 와인 메이커로 성장하였다. 특히 1995년 첨단 기술과 자본을 가진 미국의 로버트 몬다비Robert Mondavi와 전통과 역사를 자랑하는 프레스코발디의 비토리아 프레스코발디Victoria Frescobaldi가 세계 최고의 와인을 만들기 위해 합작 법인을 설립하여 전설적인 루체Luce(빛) 와인을 생산하였다. 2005년에는 형제들 간의 불화로 해체된 로버트 몬다비 와이너리의

카스텔 지오콘도의 역사가 느껴지는, 정문 너머로 본 리페 알 콘벤토의 포도원.

카스텔 지오콘도에서 바라본 광활한 마렘마 평원의 라마오네 포도밭.(위)
피렌체의 시뇨리아 광장에 있는 프레스코발디 레스토랑.(아래)

지분과 수퍼 투스칸 와인의 대명사인 테누타 델 오르넬라이아Tenuta dell' Ornellaia를 인수하여 명실상부한 세계 최고 와이너리로 부상하였다. 현재 프레스코발디는 토스카나 지역에 총 300만 평 이상의 포도원을 소유하고 있으며, 매년 900만 병 이상을 생산하고 있다. 11세기 피렌체 방어를 위해 세워진 요새였던 카스텔로 디 니포짜노Castello di Nipozzano를 포함하여, 카스텔로 디 포미노Castello di Pomino, 카스텔 지오콘도 등의 와이너리에서 키안티, 수퍼 투스칸, 브루넬로 디 몬탈치노 등 다양한 와인을 생산하고 있다.

나는 프레스코발디의 와이너리 중에서 12세기 지중해로부터의 공격에서 시에나를 방어하기 위해 세워진 고성 카스텔 지오콘도와 피렌체에 있는 프레스코발디의 레스토랑을 방문하였다. 레스토랑은 카스텔 지오콘도 방문 후 피렌체에 머무르는 동안 들렀다. 피렌체 관광의 중심지 시뇨리아Signoria 광장 골목에 위치한 프레스코발디 레스토랑은 와인과 음식 문화를 전파하기 위한 일종의 문화사업인 듯했다. 식당 문을 닫기 직전인 늦은 시간에 도착하였는데도 지배인이 준비된 요리와 와인을 페어링하면서 친절하게 설명해주었다. 품위 있는 실내 장식을 갖췄지만 캐주얼한 복장으로 와인과 요리를 즐길 수 있다.

오, 토스카나의 태양 루체 와인!

몬탈치노에서 남서쪽에 있는 마렘마Maremma평원의 언덕에 위치한 카스텔 지오콘도는 1800년대부터 본격적으로 브루넬로 디 몬탈치노를 생산하였다. 해발 180~420미터, 230헥타르의 광활한 포도원은 편암·이회토·역암·석회석·모래 등 포도 재배에 좋은 토질로 이루어졌다. 이곳 포도원에서 가장 높은 지역에 위치한 리페 알 콘벤토Ripe al Convento 포도원은 서늘한 기후와 편암질의 토양으로 산지오베제 그로소의 최적의 재배지로, 최고급 와인인 브루넬로 디 몬탈치노 리제르바Brunello di Montalcino Riserva를 생산한다. 조생종인 메를로는 기후가 다소 높은 저지대인 라마오네Lamaione에서 재배하는데, 구조감이 강한 레드와인을 생산하는 데 쓰인다.

시음하기 전에 먼저 와인셀러를 방문하였다. 아랍풍의 아치형 지하 셀러가 이탈리아의 예술성을 나타냈다면, 셀러 지붕에 물을 담아 한낮의 뜨거운 온도를 낮추는 지혜는 실용과학을 보여주었다. 특히 숙성되고 있는 루체 와인의 로고가 태양처럼 빛났다. 셀러 구경을 마치고 시음을 위해 12세기에 건설된 카스텔 지오콘도로 이동하였다. 이탈리아에서 카스텔은 영어의 캐슬Castle이지만 프랑스의 샤토처럼 포도원을 소유하고 있는 와이너리(양조장)를 의미하기도 한다. 시음장에서는 카스텔 지오콘도(브루넬로 디 몬탈치노 와인의 상표명)를 포함한 다섯 종류의 와인이 기다리고 있었다. 목조 부속 건물을 개조한 시음장은 구석구석에 중세의 향기가 배어 있었다. 창문 밖으로 펼쳐진 광활한 포도원, 나딘 부차케라 여사와 도우미 한 사람이 전부인 고성의 적막함 속에서 나는 잠시 중세의 고성에 있다는 착각에 빠졌다.

산지오베제 그로소 100퍼센트로 만든 카스텔 지오콘도(최고급인 DOCG 등급)는 이미 그 명성이 와인 애호가들에게 널리 알려져 있지만, 나에게는 토스카나의 태양을 상징하는 2009년산 루체 와인이 가장 인상적이었다. 루체의 이름은 로버트 몬다비 부부가 이 성에 머무를 때 아침에 떠오른 찬란한 토스카나의 태양에서 영감을 얻어 지었다고 한다. 산지오베제 45퍼센트와 메를로 55퍼센트의 비율로 배합하여 만든 루체는 깊고 진한 루비색에 허브·블랙베리·체리·가죽 향과 스파이시한 향에 부드러운 타닌, 활기찬 산도와 짜임새 있는 구조감 그리고 잘 익은 과일 맛의 풍미가 오랫동안 입안에 감돌게 했다. 부드럽고 유연한 메를로와 강한 구조감에도 우아한 맛이 있는 산지오베제의 결합은 신세계 와인과

카스텔 지오콘도의 지하 와인셀러에서 숙성되고 있는 루체 와인.

안내를 담당한 나딘 부차케라 여사. 목조로 된
아름다운 시음장에서의 와인은 품위 그 자체였다.

구세계 와인의 완벽한 화학적 결합의 산물이라고 할 수 있지 않을까?
비전, 기술, 그리고 조상으로부터 물려받은 땅에 대한 사랑을 결합하여 개성 있는 세계 최고의 와인을 만들겠다는 비토리아 프레스코발디 명예회장과 고인이 된 로버트 몬다비의 꿈은 루체 와인을 통해 이루어졌다.

다국적 와인 기업 카스텔로 반피

몬탈치노의 남서쪽에 위치한 성 안젤로스칼로Sant'Angelo Scalo 인근에 위치한 카스텔로 반피Castello Banfi 와이너리는 미국에 뿌리를 둔 세계적인 와인 거상이다. 중세 시대인 11세기에 세워진 반피 성에 있는 마리아니 박물관The Giovanni F Mariani Museum of Glass and Wine은 설립자 마리아니에게 헌정하는 세계적인 유리 박물관으로 불·유리·와인을 연계한 테마 박물관이다. 기원전 15세기부터 로마 제국 시대 그리고 현대까지의 다양하고 방대한 수집품들은 유리잔을 통해 암흑기부터 황금기까지의 모든 것을 보여준다.
카스텔로 반피는 미국의 다국적 기업답게 와인산업을 접객hospitality사업과 연계하여 성공적인 경영을 하고 있다. 유리 박물관, 와인 시음장과 에노테가Enoteca(와인숍), 전통 레스토랑Taverna Banfi, 14개의 방을 갖춘 고성 호텔과 와이너리 관광 등, 제2차 세계대전 때 폐허로 변한 이곳을 접객 센터로 개축한 것이다. 뿐만 아니라 서남쪽으로 부드럽게 뻗어 있는 구릉, 총 2,900헥타르(870만 평)의 광활한 땅에 포도원, 올리브 농원, 밀밭, 과수원, 사슴 목장을 소유한 반피의 제국으로 만들었다. 이곳에서는 최상급 와인인 브루넬로 디 몬탈치노의 리제르바급인 포지오 알로로Poggio all'Oro부터 IGT급인 엑셀수스Excelsus 그리고 화이트와인까지 생산한다.
에노테가에서 시음한 여러 와인들 중 플래그십flagship 와인인 카스텔로 반피 브루

카스텔로 반피의 에노테카. 시음과 동시에 와인을 구매할 수 있다 (위)
카스텔로 반피의 유리 박물관의 내부 모습 (아래)

카스텔로 반피의 몬탈치노 근교에 있는 포도밭 전경.

넬로 디 몬탈치노 2004는 브루넬로 와인의 전형이었다.
진한 루비색에 체리 향과 블랙베리 향, 가죽 향과 스파이시한 풍미에 산미가 강하게 느껴지나 부드러운 타닌이 입안을 꽉 채우는 풀 보디의 균형 잡힌 와인이다. 왜 교황청의 셀러에 납품되고 있는 와인인지를 확인할 수 있었다. 800만평의 광활한 반피의 포도밭이 석양으로 물들 때 서둘러 키안티를 방문하기 위해 시에나로 향했다.

한때 이탈리아의 대표 와인이었던 키안티

이탈리아 와인을 세계에 알린 1등 공신은 전적으로 키안티 와인이다. 키안티 와인은 피에몬테의 와인들과 함께 1966년에 이탈리아 최초로 DOC 등급을 부여받았으며, 대체로 가볍고 신선한 과일 향이 풍부한 와인으로 대중에게 널리 알려지고 사랑도 받아왔다. 키안티를 만드는 주 포도 품종은 산지오베제로, 바롤로나 바르바레스코의 네비올로처럼 이탈리아의 토착 품종이다. 1996년 이후 카나올로Canaiolo, 화이트와인 품종인 말바지아Malvassia와 트레비아노Trebbiano 그리고 기타 이 지역에서 재배되는 포도 품종을 포함하여 25퍼센트까지 배합할 수 있도록 허용하였다. 이것은 키안티 와인이 그만큼 신선하고 부드럽고 오랜 기간 숙성하지 않아도 마실 수 있는 비결이다.
많은 이들이 아직도 이탈리아 와인하면 짚으로 포장되어 있는 키안티의 루피노Ruffino 와인을 떠올린다. 명품 와인 브루넬로 디 몬탈치노와 볼게리 지방의 수퍼투스칸 와인이 탄생하기 전까지 키안티 와인은 토스카나뿐만 아니라 이탈리아를 대표하는 와인이었다. 키안티 와인은 피렌체와 시에나를 중심으로 광범위한 지역에서 재배한 산지오베제를 주 품종으로 하여 생산되는 와인을 말한다. 그러

니콜라 피자노의 걸작 시에나의 두오모 성당. 외부의 화려한 로마네스크-고딕 양식보다 내부의 대리석에 새겨진 상감 무늬가 더욱 현란하다. (위)
시에나의 카몰리나 골목에서 만난 프로슈토와 살라미. 역사가 깊은 골목에는 언제나 유명한 전통 음식점이 있다.(아래)

중세와 르네상스의 영광을 오롯이 담은 만자탑은 그 화려한 역사 이후에도 우뚝 솟아 있다.

나 산지오베제 품종에 다른 포도를 30퍼센트까지 배합할 수 있는 규정 때문에 부드럽고 산미가 강한, 마시기 좋은 와인에서 점점 저질 와인으로 전락하였다.

키안티로 가는 길, 시에나

우리에게 피렌체는 '꽃의 도시'라든가 르네상스 등으로 익숙하지만, 한때 피렌체와 자웅을 겨루었던 시에나는 다소 생소한 도시이다. 몬탈치노에서 북쪽으로 한 시간 정도 달려 키안티 클라시코Chianti Classico 와인 생산의 중심지 시에나에 도착하였다. 시에나는 일찍이 로마 제국 시대에 갈리아Gallia(프랑스) 지역으로 이어지는 교통의 요지였으며, 12세기 이후 자치도시로서 상업·수공업과 금융업이 발달하였다.

중세와 르네상스 시대 이탈리아의 영광을 한눈에 볼 수 있는 문화와 예술의 도시이며, 1472년에 설립된 세계에서 가장 오래된 은행Monte dei Paschidi Siena이 현존하는 곳으로도 유명하다. 피렌체와는 끝없는 주도권 싸움을 벌였으며, 1260년 몬타페르티Montaperti 전투에서 승리하여 그 후 200년 동안 르네상스의 문화 · 예술 운동과 함께 화려한 융성기를 맞이하였다. 그러나 1348년 페스트로 인구의 태반을 잃고 1555년에 피렌체의 메디치Medici 가문에 종속되어 그 화려한 역사를 마감하였다. 그러나 로마네스크 양식과 사실주의에 중점을 둔 피렌체 미술에 반해 헬레니즘 · 비잔틴 문화의 신비로움에 근거한 시에나파를 탄생시킨 것은 미술사적으로도 중요한 사건이다.

시에나는 도시 전체가 완벽한 중세 시대 건축물의 문화 단지다. 그중 나에게 가장 인상적이었던 곳은 이탈리아에서 두 번째로 높은 탑인 만자의 탑Torre di Mangia이 있는 캄포Campo 광장과 두오모Duomo 성당, 그리고 저녁 늦게까지 문을 연 '카멜리아Camellia' 골목의 레스토랑에서 먹은 전통 음식이었다. 아홉 개의 부채꼴 모양

키안티 클라시코 지역의 카스텔누보 베라르덴가 근교의 포도원 풍경이 평화롭다.

의 완만한 경사로 이루어진 캄포 광장은 이 도시가 가장 번성했던 시대(1287~1355)를 통치했던 9인 정부Governo dei Nove를 상징한다. 매년 7월과 8월에 팔리오Palio 축제가 열리는 이곳은 이탈리아 전체에서 가장 아름답고 웅장한 광장이다.

위대한 정치가에서 키안티 클라시코 와인의 개발자로

키안티 클라시코는 키안티 지역 중 포도원의 고도·토양, 그리고 미세기후대에 따라 키안티와는 다른 테루아를 형성하고 있다. 키안티에 비해 드라이하고 짜임세 있는 와인으로 체리나 견과류 향을 느낄 수 있다. 키안티 클라시코는 키안티보다는 한 단계 위의 고급 와인인데, 주로 피렌체와 시에나 사이의 한정된 지역에서 생산되는 산지오베제를 사용한다. 키안티 클라시코 리제르바Chianti Classico Riserva는 키안티 클라시코를 더 오래 숙성시켜 양조한 강건하고 구조감 있는 와인이다.

명품 와인 바롤로와 브루넬로 디 몬탈치노 탄생에 가야Gaja 가문과 산티Santi 가문이 있었다면, 키안티 클라시코의 탄생은 전적으로 리카졸리Ricasoli 가문의 공헌 덕분이다. 1141년에 설립된 리카졸리 가문은 32대 900년이라는 오랜 역사와 함께 토스카나 지역에서 가장 방대한 와이너리를 소유하고 있다. 19세기 브롤리오Brolio 지역의 영주였던 베티노 리카졸리Bettino Ricasoli가 엄격한 키안티 와인의 제조방식을 제안하여 키안티 클라시코를 탄생시켰다. 키안티 와인이 생산 후 2~3년 안에 마실 수 있는 가벼운 대중적 와인이라면, 클라시코나 리제르바는 10년 이상 숙성하여도 그 힘을 유지하는 고급 와인이다.

베티노 리카졸리는 와인산업뿐만 아니라 정치에서도 뛰어난 지도력을 발휘하였는데, 높은 도덕심과 청렴성으로 이탈리아 최초로 수상에 선출되기도 하였다. 수상직에서 사임한 후 고향으로 돌아와 포도 재배와 와인 연구에 몰두하였다.

시에나의 중심부에 있는 부채꼴 모양의 캄포 광장. 이곳에서 유명한 팔리오 축제가 열린다.(위)
보르고 스코페토 와이너리의 비냐 미시아노 포도원 천경.(아래)

특히 바쁜 농부들을 위해 짧은 시간에 조리하기 쉬운 요리법을 개발하여 지금까지도 리카졸리 스타일의 야채 스프와 로스트비프 요리가 전해져 내려온다. 철의 영주였던 리카졸리였지만 와인과 대중을 사랑하는 그의 정신이 몰락 직전의 키안티 와인산업으로 하여금 키안티 클라시코를 통해 새로운 르네상스 시대를 열게 한 게 아닐까?

신생 키안티 클라시코 와인 메이커, 보르고 스코페토

키안티 클라시코를 직접 시음하기 위해 시에나 근교 카스텔누보 베라르덴가Castelnuovo Berardenga에 있는 비교적 신생 와이너리인 보르고 스코페토Borgo Scopeto를 방문하였다. 고풍스런 농가, 올리브 농원과 포도원, 사이프러스나무의 숲이 여전히 아름다운 토스카나의 자연 풍광이지만, 이곳은 아직 개발이 이루어지지 않아 더 평화롭게 느껴졌다. 11세기에 교회 겸 요새로 지어졌다가 14세기에는 소찌니Sozzini 가문의 별장이 된 유서 깊은 이곳은 오래전부터 와이너리와 올리브 농원으로 번성하였다. 키안티 클라시코 와인을 생산하기 시작한 해는 1990년이었다. 이회질 점토와 석회암의 토양, 남쪽 방향으로 뻗은 완만한 경사지, 해발 350~420미터에 위치한 와이너리는 70헥타르의 포도원에서 주로 산지오베제를 재배하고 있었다. 셀러 구경을 마치고 준비된 세 종류의 와인을 시음하였는데, 이 중 키안티 클라시코 리제르바 비냐 미시아노Chianti Classico Riserva Vigna Misciano가 가장 인상적이었다. 16세기에 황폐해졌던 미시아노Misciano 지역을 재건하고서 육성한 산지오베제 100퍼센트로 만든 와인이다. 30헥토리터의 대형 슬로베니아산 오크통과 500리터의 프랑스산 오크통에서 18~24개월간 숙성하고 병에서 다시 8개월 이상을 숙성하여 출하한다. 깊은 루비색에 우아한 견과류 향과 스파이시한

보르고 스코페토 와이너리의 와인셀러. 숙성하는 데 대형 오크통을 사용한다.(위)
보르고 스코페토의 셀러에서 시음한 키안티 클라시코 와인.(아래)

향 그리고 바닐라·코코아의 풍미, 강한 구조감에도 부드러운 타닌과 산미가 입안에 오랫동안 맴돌았다. 로스트비프나 숙성된 치즈와 페어링하면 좋을 것 같았다. 아직 한국에는 수출하지 않고 있지만, 봄에 한국을 방문할 계획이라고 마케팅 담당 마리오 투리비Mario Turibi 씨가 말하였다.

탑의 마을 산지미냐뇨의 베르나차 와인

카스텔누보 베라르덴가를 떠나 토스카나 지방에서 가장 유명한 랜드마크인 탑이 있는 산지미냐뇨San Gimignano로 향했다. 토스카나를 여행하는 여행객들 중 대부분은 시에나에서 곧장 피렌체로 향한다. 그러나 시에나와 피렌체의 서쪽 중간에 위치해 있는 산지미냐뇨는 와인뿐만 아니라 하늘을 찌를 듯한 14개의 웅장한 중세 시대의 탑이 있는 마을로 유명하다. 중세에 북유럽과 이어지는 지정학적 요충지라는 점으로 인해 부를 누렸던 귀족들이 부의 상징 겸 방어용으로 탑을 경쟁적으로 건설하여 당시에는 70개가 넘었다고 한다. 페스트로 인해 마을은 폐허가 되었지만 중세의 아름다운 모습들을 지금도 잘 간직하고 있다.

세월에 깎인 돌로 포장된 좁은 골목길을 따라 오밀조밀한 가게들과 와인 숍들을 둘러보며 시간 가는 줄 모르고 관광의 중심지인 두오모 광장에 도착하니 석양 때문에 높은 탑의 그림자가 더욱 길게 느껴졌다. 산지미냐뇨 와인 역시 우리에게는 다소 생소하지만, 이곳의 토양이 화이트와인 품종인 베르나치아Vernaccia에 적합하여 토스카나에서는 드물게 최고급(DOCG 등급) 와인인 베르나치아 디 산지미냐뇨Vernaccia di San Gimignano라는 화이트와인을 생산한다.

마을 언덕 위에 위치한 레스토랑에서 저물어가는 토스카나의 자연을 감상하면서 베르나치아 디 산지미냐뇨를 주문하였다. 연한 담황색에 사과·아몬드와 미

토스카나 지역에서 가장 두드러진 랜드마크인 탑의 도시 산지미냐뇨 마을. 베르나치아 디 산지미냐뇨 화이트와인의 산지다.(위) 와인숍에서 고가의 와인을 잔으로 판매하는 자동화 시스템. 오른쪽에 티나넬료가 보인다.(아래)

저녁놀에 물든 산지미냐뇨 근교의 해바라기밭. 꿈 속에서나 볼 수 있는 몽환적 풍경임이 틀림없다.

영화 〈냉정과 열정 사이〉로 유명한 피렌체의 두오모 성당과 세례당.

네랄 향을 갖추고 산미도 풍부한 드라이 타입이라 식전주로 적합하였다. 생선과 파스타와 궁합이 좋았는데, 르네상스 시대에 이 와인을 즐겨 마셨다는 미켈란젤로를 비롯한 메디치 가문의 후원을 받던 예술가들을 생각하면서 르네상스의 메카 피렌체로 향했다. 피렌체로 가는 길에 저녁놀을 배경으로 펼쳐진 해바라기밭과 사이프러스 가로수들이 늘어선 꿈결 같은 들녘을 달리면서 이곳이 토스카나라는 것을 다시 한 번 온몸으로 느꼈다.

르네상스 문화·예술의 꽃 피렌체

르네상스 문화·예술의 꽃 피렌체는 토스카나 주의 주도이자 토스카나 와인 산지의 중심이다. 피렌체 시내는 대부분 일방통행의 좁은 골목이며, 네비게이션이 전혀 작동하지 않는다. 이렇다 보니 산지미냐뇨를 떠나 두오모 성당 근처 호텔에 도착했을 땐 이미 늦은 저녁이었다.

15세기 초에 시작된 이탈리아의 르네상스는 메디치 가문의 후원과 피렌체를 통해 꽃피게 된다. 특히 플라톤Plato의 철학과 초월적 사고에 심취했던 코지모 1세 데 메디치Cosimo I de' Medici가 세운 플라톤 아카데미Academia Platonica가 르네상스의 정신적 가치를 제공하였다. 이밖에도 치열한 장인정신과 경쟁의식이 꽃 핀 르네상스의 발상지 피렌체는 일찍이 고대 에트루리아인Etruschi들에 의해 건설된 도시이다. 하지만 현재의 번영과 문화·예술도시로서의 명성은 1400년부터 약 350년간 피렌체를 통치했던 메디치 가문에 의하여 이루어졌다.

시골 농장주로 출발하여 은행업과 모직물 교역으로 축적한 엄청난 부를 기반으로 두 명의 교황과 두 명의 왕비를 배출한 메디치 가문은, 문화·예술에 각별한 관심을 가지고서 지원했으며, 천재 예술가 미켈란젤로를 양아들로 삼기도 하였

아름다운 아르노강이 흐르는 피렌체 전경. 오른쪽 높은 탑이 있는 건물이 베키오 궁전이고, 2층 다리가 베키오 다리이다.

중세 시대가 막 시작된 795년에 착공하여
1370년에 건립된 루카의 산 미켈레 대성당의 기둥 양식이 특이하다.

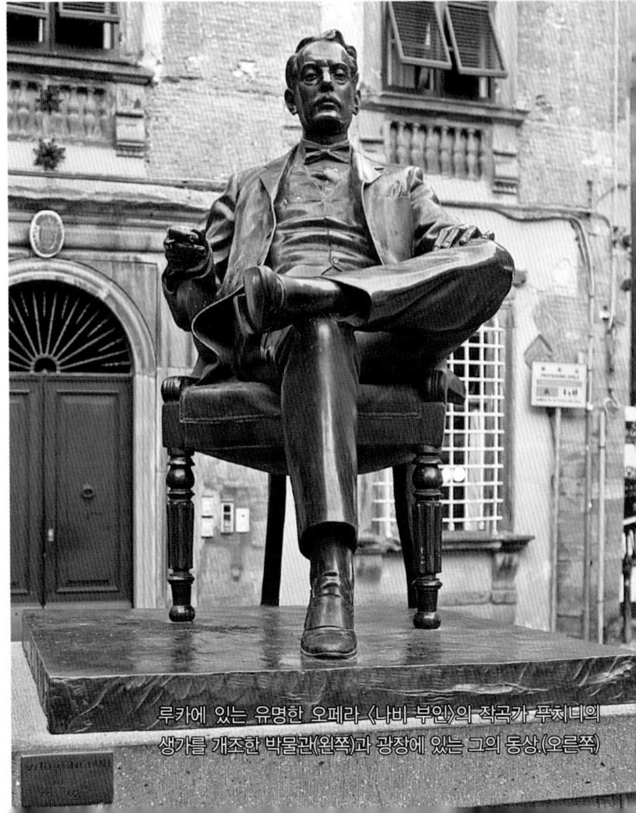

루카에 있는 유명한 오페라 〈나비 부인〉의 작곡가 푸치니의
생가를 개조한 박물관(왼쪽)과 광장에 있는 그의 동상.(오른쪽)

다. 특히 13~18세기의 주옥같은 르네상스 회화 작품을 보유한 우피치Uffizi 미술관을 피렌체 시민에게 기부하여 노블레스 오블리주를 실천하였다. 르네상스 건축의 창시자 필리포 브루넬레스키Filippo Brunelleschi가 벽돌 400만 장으로 지어 올린 두오모 성당의 돔은 영화 〈냉정과 열정 사이Calmi Cuori Appassionati〉의 배경으로 등장하여 우리에게 영원한 사랑의 장소로 남아 있다. 지오르죠 바사리Giorgio Vasari의 화려한 프레스코화로 장식된 베키오Vecchio 궁전과 피렌체의 중심을 흐르는 아르노Arno강 위의 2층으로 된 베키오 다리 모두 이 메디치 가문의 유산이다.

오페라의 탄생, 식사 예절의 전파도 모두 메디치 가문의 덕이다. 이러한 피렌체의 정신은 음식 문화와 함께 토스카나가 옛부터 명품 와인 산지가 되게 한 원동력이었을 것이다. 피렌체에서는 좁은 골목길을 걷다 아무 레스토랑에 들어가도 항상 합리적인 가격으로 맛 좋은 음식과 와인을 즐길 수 있어 좋다. 문화·예술 못지않게 피렌체는 음식과 와인의 천국이다.

〈나비 부인〉의 작곡가 푸치니의 고향 루카

미켈란젤로 광장 언덕에서 피렌체의 영광을 가슴에 안고 티레니아해안으로 향했다. 지금까지 토스카나의 키안티 와인을 중심으로 피렌체 남쪽 내륙 지역을 여행하였다면, 이번에는 서쪽의 루카와 피사 그리고 수퍼 투스칸 와인의 본고장 볼게리를 방문하기 위해서다. 이곳은 서쪽의 티레니아해와 동북쪽의 해발 2,000미터의 아펜니노산맥Monti Apennines을 방패 삼아 100~500미터 높이의 구릉으로 이루어진 지역으로, 다양한 토스카나 와인을 생산하고 있다.

피렌체에서 A1번과 A15번 고속도로를 타고 약 한 시간만에 중세풍 마을 루카에 도착하였다. 루카는 마을 전체가 아직도 성벽으로 둘러싸여 있는데, 오페라 〈나비 부인〉으로 유명한 작곡가 쟈코모 푸치니Giacomo Puccini의 고향으로도 유명

갈릴레오 갈릴레이가 가속도 실험을 한 피사의 사탑과 두오모 성당.

하다. 성 안에는 중세의 모습이 거의 완벽하게 보존되어 있었다. 마을 중심에 있는 아름다운 산 미켈레San Michele 대성당의 광장을 지나니 푸치니 동상과 그의 생가를 개조한 푸치니 박물관이 있다. 박물관 앞에 있는 유명한 푸치니 레스토랑에서 저녁식사를 하였는데, 내륙 지방이지만 해산물이 신선하였다. 루카 근교의 포도원에서 생산한 화이트와인인 꼴리네 루케지Colline Lucchesi는 가볍고 부드러웠지만 산미가 부족한 것이 아쉬웠다.

저녁을 끝내고 루카에서 남쪽으로 30분 거리에 있는 사탑Torre Pendente으로 유명한 피사로 향했다. 피사는 중세에 막강한 해군력을 갖춰서 한때 이 지역의 맹주로 군림하기도 하였다. 그러나 1284년 제노바와의 전쟁에서 패하고 피렌체에 정복되어 쇠퇴하였다. 지금은 아름다운 두오모 성당과 갈릴레오 갈릴레이Galileo Galilei가 가속도를 실험한 사탑만이 옛 영광을 되새기며 관광객을 맞이하고 있다. 2007년 여름밤 고향 토스카나의 야외무대에서 "대지는 침묵을 사랑하고, 음악은 대지에 스며든다"고 한 성악가 안드레아 보첼리Andrea Bocelli도 피사 법과대학 출신이다. 피사는 고대 에트루리아 시대부터 와인을 생산한 오랜 역사를 가지고 있다. 최고급인 DOCG 등급의 키안티 델레 꼴리네 피자네Chianti delle colline pisane와 화이트와인인 비앙코 피자노 디 산 토르페Bianco Pisano di San Torpè가 유명한데, 향은 강하나 가볍게 마실 수 있는 와인들이다.

제2의 수퍼 투스칸을 꿈꾸는 두에마니 와이너리

피사에서 티레니아해안을 따라 남쪽으로 약 60킬로미터 떨어진 곳의 비교적 높은 구릉 지역에 있는 리파르벨라Riparbella라는 시골마을을 어렵게 찾아갔다. 토스카나의 전통적인 와인 지역 분류로 보면 몬테스쿠다이오Montescudaio 와인의 산지

제2의 수퍼 투스칸 와인을 꿈꾸는 두에마니 와이너리의 리파르벨라 포도밭.(위)
열정적으로 자신의 꿈을 설명하는 두에마니 와이너리의 오너 루카 다토마 씨와 파트너 엘레나 첼리 여사.(아래)

에 속한다. 이곳에서 다시 지도에도 없는 산악도로를 따라 10킬로미터를 달려 조그마한 포도원에 도착하였다. 제2의 수퍼 투스칸의 탄생을 꿈꾸는 젊은 와인 메이커 루카 다토마Luca D'Attoma 씨가 둥지를 튼 두에마니Duemani 와이너리다.
7헥타르 규모의 작은 포도밭은 고대 그리스의 야외극장 모양을 하고서 멀리 티레니아해를 향해 경사진 면에 위치하였다. 여느 와이너리처럼 화려하거나 방문객을 압도하는 거대한 셀러도 없는, 막 개척을 시작하는 농장 같은 느낌이었다. 루카 다토마는 일찍이 베네토 대학에서 양조학을 전공하고 다양한 현장 경험을 거쳤으며, 볼게리의 전설적인 수퍼 투스칸 와인으로 새롭게 떠오르는 별인 레 마키올레Le Macchiole에서 양조를 컨설팅해주는 유명한 와인 메이커다.
고향 루카를 사랑해 이름도 루카라고 지은 그는 같은 고향 출신인 엘레나 첼리Elena Celli 여사와 함께 2000년부터 이 척박한 땅에서 그의 꿈을 실현하기 위해 모든 열정을 바치고 있다. 유기농법을 고수한 루카는 포도원의 토양과 위치에 따라 시라, 카베르네 프랑, 메를로 등 프랑스의 보르도 품종을 재배하고 있다. 이곳을 선택한 것은 볼게리 지역과 유사한 기후와 토양 그리고 무엇보다 토지 가격이 비교할 수 없을 정도로 저렴하기 때문이라고 하였다. 한낱 한적한 농촌이었던 볼게리가 수퍼 투스칸의 탄생으로 마치 골드러시 같은 황금기를 맞이하면서 포도원이 포화 상태이기에 그곳에서 새로운 와이너리를 찾는 것은 어렵다고 하였다.

호박꽃 라비올리와의 와인 시음 잊지 못해

점심식사와 함께 와인을 시음하기 위해 다시 리파르벨라 마을에 있는 토속 음식점인 라 칸티나La Cantina로 이동하였다. 이렇게 한적한 마을에서 마치 시골 밥상 같은 편안하고도 맛있는 요리들을 맛볼 수 있는 것은 또 다른 행운이었다. 특히

리파르벨라의 토속 음식점 라 칸티나 레스토랑에서 시음 중인 수이자씨 와인과 호박꽃이 들어 있는 라비올리 요리.(위)
두에마니 와이너리에서 시음한 와인들, 맨 왼쪽 와인이 최고의 품질을 자랑하는 수이자씨 와인이다.(아래)

호박꽃을 속에 넣어 물만두처럼 나온 라비올리는 지금도 잊을 수 없는 요리다. 총 네 종류의 준비된 와인을 음식과 함께 시음하였는데, 전체적인 와인의 맛은 거의 볼게리의 수퍼 투스칸에 비견될 수 있는 구조감과 풍미를 가졌다. 카베르네 프랑과 메를로를 각각 50퍼센트씩 배합하여 만든 알트로비노Altrovino 2008, 카베르네 프랑 100퍼센트로 만든 두에마니Duemani 2007과 씨프라CIFRA 2010 그리고 시라 100퍼센트로 만든 수이자씨Suisassi 2007 중 단연 돋보이는 와인이 수이자씨였다. 1년에 3,500병만 한정생산하는 수이자씨는 짙고 농축된 루비색, 블랙베리 향과 옅은 토바코 향에 스파이시한 향, 14.5퍼센트라는 높은 알코올 농도에도 신선하면서도 안정된 구조감과 밸런스, 섬세한 타닌과 과일 향의 향미가 오랫동안 입안에 지속되었다. 《와인 스펙테이터》가 95점, 미국의 와인 품평가 로버트 파커Robert Parke가 94점으로 평가한 명품이었다. 시음 후 나는 어쩌면 이 젊은 와인 메이커의 꿈이 너무 일찍 이루어질지도 모른다는 괜한 걱정마저 하고야 말았다.

혁신과 창조정신이 이루어낸 수퍼 투스칸 와인

토스카나 와인 기행의 종착역인 볼게리 지역은 피사에서 지중해 해안을 따라 남쪽으로 80킬로미터, 로마에서 북쪽으로 270킬로미터 지점에 위치해 있다. SS1번 고속도로를 빠져나오면 하늘을 찌를 듯한 소나무 가로수 길을 만나게 되는데, 이 길이 유명한 베키아 아우렐리아Vecchia Aurelia 도로다. 그리고 다시 내륙 쪽으로, 노벨 문학상에 빛난 이 지역 출신 시인 조수에 카르두치Giosue Carducci가 찬양한 끝없는 사이프러스나무 가로수 길로 연결된다. 어디에서나 푸른 하늘과 태양을 볼 수 있고, 짙은 녹색의 포도원과 아직 야성미를 잃지 않는 지중해성 자연 풍광이 펼쳐지는 이곳이 바로 전설적인 수퍼 투스칸 와인의 산지인 볼게리 지역이다.
수퍼 투스칸은 이탈리아 정부의 와인 등급(DOC) 관련 규정을 따르지 않고 만든 토스카나 지방의 와인을 말한다. 즉, 토스카나 지방에서 생산된 토착 품종인 산지오베제나 기타 다른 품종을 배합하여 만들도록 되어 있는 규정을 따르지 않고 주로 프랑스 보르도의 카베르네 소비뇽, 카베르네 프랑, 메를로 등의 품종으로 보르도 스타일의 양조법에 따라 생산된 와인을 말한다. 이렇게 만든 와인은 품질과는 별도로 최하위 등급인 VDTVino da tavola로 표기하여 판매하게 된다. 이 와인을 처음 시음한 미국 언론인이 그 품질에 감동하여 도저히 VDT급 와인이라고 할 수 없어 지금까지의 토스카나 와인과는 다른 특별한 와인이란 의미로 '수퍼 투스칸Super Tuscan'이라고 표현한 것에서 유래했다고 한다. 현재 우리에게 널리 알려진 대표적인 수퍼 투스칸은 사시카이아Sassicaia, 오르넬라이아Ornellaia, 솔라이아Solaia, 구아도 알 타소Guado al Tasso, 티냐넬로Tignanello 등인데, 이뿐만 아니라 최근의 마키올레Marcholi까지 대부분 볼게리 지역에서 생산된 와인들이다. 이들은 보르도의 명품 와인에 맞먹는 높은 시장 가격을 형성하고 있다.
세계의 와인 애호가들을 사로잡은 수퍼 투스칸의 탄생은 결코 우연이 아니다. 오랜 역사적 배경과 르네상스를 탄생시킨 이탈리아인들의 장인정신과 창조경영의 산물이다. 기원전 9세기에 이미 에트루리아인들에 의해 와인이 생산되었지만, 로마 제국의 멸망과 무수한 외지인의 침입으로 이 지역은 황폐화되어 한동안 잡목과 늪지대가 전부였다. 그러나 이곳의 토양은 포도 재배에 이상적인 테루아를 형성하고 있다. 굵은 자갈과 광물질이 풍부한 내륙 언덕에서부터 점차 서쪽 해안 저지대에 이르기까지 작은 자갈과 고운 석회질, 점토 그리고 진흙과 모래가 분포된 토양은 그에 맞는 다양한 포도 품종의 재배에 적합하다. 또한 이곳의 기후는 매우 온화하다. 지중해에서 불어오는 부드러운 해풍이 여름에는 무

해안에 가까울수록 볼게리의 토양은 석회질 점토와 진흙, 모래가 섞인 붉은 토양이다.

더위를 식혀주고 겨울에는 추위를 막아준다. 하늘은 청명하고 일조량이 풍부하다. 이러한 천혜의 자연 조건을 갖췄기에 이곳은 처음부터 명품 와인을 탄생시킬 수 있었던 게 아닌가 싶다.
이러한 자연에 문명을 접목하는 것은 인간의 몫이다. 이 역할은 세 사람의 개척자, 즉 수퍼 투스칸의 기초를 제공한 열정적인 와인 애호가 델라 게라르데스카Della Gherardesca 가문의 귀도 알베르토Guido Alberto, 최초의 수퍼 투스칸 와인이라고 할 수 있는 전설적인 사시카이아 와인을 만든 마리오 인치자 델라 로케타Mario Incisa della Rochetta 그리고 그의 동서이자 수퍼 투스칸 와인의 대부 니콜로 안티노리Niccolo Antinori에 의해 시작되었다. 1920년대에 계속된 경기 불황으로 품질보다는 양 위주의 와인 생산이 만연하여 이탈리아, 특히 토스카나의 키안티 와인은 과거의 명성을 잃고 저질 와인의 대명사가 되었다. 이러한 위기를 타개하기 위하여 양 위주의 와인 생산을 거부하고 과거의 비효율적이던 전통에서도 탈피, 과감하게 프랑스와 독일의 최첨단 양조기술과 장비를 도입하였다. 또한 품질을 저하시키는 원인이 된 와인 등급 법규를 무시하고 이곳 테루아에 맞는 외래 품종을 재배하여 세계적인 수준의 와인을 탄생시킨 것이다.

수퍼 투스칸 와인의 창시자 안티노리와 구아도 알 타소 와이너리

지금까지 사용해왔던 슬로베니아산 대형 오크통 대신 225리터의 작은 프랑스산 오크통에서 숙성하는 양조 방식을 선택하였다. 이 중심에 섰던 수퍼 투스칸 와이너리 중 나는 맨 먼저 안티노리 가문이 운영하고 있는 구아도 알 타소 와이너리를 방문하였다.
우산처럼 하늘을 뒤덮은 소나무 가로수 길을 지나 1868년에 지어진 아름다운 건

수퍼 투스칸 와인의 창시자 안티노리의 구아도 알 타소 와이너리 입구의 소나무 가로수 길.

물에 도착하니 대외 홍보 책임자 루이사 포르세티Luisa Forseti 여사와 양조 담당 마르코 페라레제Marco Ferrarese 씨가 기다리고 있었다. 1385년부터 와인을 생산하기 시작한 안티노리 가문은 700년 동안 26대를 이어온, 이탈리아를 대표하는 와인 명가다. 이곳은 1932년에 25대인 니콜로 안티노리Niccolo Antinori가 볼게리 지역의 오랜 와인 명가 델라 게라르데스카Della Gheradesca 가문의 딸 카를로타Carlotta와 결혼하면서 그녀가 지참금으로 가져온 땅이다. 본격적으로 와이너리로 개발하기 시작한 1940년대 전까지만 해도 이곳은 너도밤나무, 참나무, 야생 올리브나무와 아이비와 주니퍼 등 지중해성 관목으로 이루어진 원시적인 숲이었다. 뿐만 아니라 멧돼지, 사슴, 오소리, 여우, 족제비, 두더지, 이리 들이 노니는 아름다운 자연 환경을 유지하고 있었다고 한다. 주민들은 농사와 사냥 그리고 바다에서의 고기잡이로 생계를 꾸려가는 평범한 시골이었다.

구아도 알 타소 와이너리는 지금도 총 1,000헥타르의 광활한 면적 중 300헥타르가 포도원이고, 나머지 땅은 밀밭, 해바라기밭, 올리브 농원으로 사용하면서 자연림을 최대한 살려 이 지역의 자연과 역사적·문화적 유산을 잘 보호하고 있다. '볼게리의 야외극장Bolgheri's amphitheatre'이라고 일컬어지는 와이너리는 내륙 쪽 언덕에서부터 지중해의 티레니아해 연안까지 부드러운 경사가 펼쳐지는 광활한 평원이었다.

한창 랙킹Racking(여과) 작업을 하고 있는 셀러 구경을 마치고 포도원을 구경하였다. 해발 45~60미터의 포도밭에서는 각각의 토양에 적합한 토착 품종인 베르멘티노, 산지오베제에서부터 국제적 품종인 카베르네 소비뇽, 메를로, 시라, 카베르네 프랑 등을 재배하고 있었다. 이곳에서는 스칼라브로네Scalabrone 로제와인, 베르멘티노 100퍼센트로 만든 베르멘티노 화이트와인, 카베르네 소비뇽, 메를로, 카베르네 프랑을 배합하여 만든 대표적인 수퍼 투스칸 구아도 알 타소 레드

와인을 여과하기 위해 새로운 오크통에 와인을 옮기는 랙킹 작업.(위)
볼게리 지역 안티노리의 구아도 알 타소 와이너리의 지하 셀러에서 숙성 중인 와인들.
좋은 와인은 오크통에서뿐만 아니라 병입 후에도 일정한 숙성 기간을 거친다.(아래)

와인, 카베르네 소비뇽, 메를로, 시라를 배합한 일 브루치아토Il Bruciato 와인 등 네 종류를 생산하고 있다. 레드와인은 발효 후 8개월에서 14개월 동안 오크통 속에서 숙성한 뒤 병입한다.

포도원 가운데 70헥타르의 자연림에서는 친타 세네제Cinta Senese(토스카나 최고 양질의 토종 돼지)를 포함한 가축을 방목하고 있다. 자연 사료를 먹인 이 돼지로 소량이지만 양질의 피노키오Finocchio나 살라미Salami와 프로슈토를 만든다고 한다. 와인을 시음하기 위해 다시 본관 응접실로 돌아오니 먹음직스러운 갓 구워낸 빵과 이곳에서 키운 돼지로 만든 살라미와 프로슈토가 와인과 함께 기다리고 있었다. 시음용 와인은 베르멘티노 2011과 구아도 알 타소 2008이었다. 베르멘티노는 스테인리스통에서 숙성하여 바로 병입하기 때문에 신선한 과일 향과 살아있는 산도가 일품이었다. 특히 이곳의 프로슈토와 좋은 페어링을 이루었다. 구아도 알 타소는 국내에서도 여러 번 맛보았지만 짙은 루비색에 잘 익은 체리와 자두의 과일 향, 시가 향과 초콜릿 향에 2008년산인데도 부드러운 타닌과 잘 짜여진 구조감이 좋았다. 위대한 와인은 항상 문명과 자연의 조화에 의해서 탄생된다. 이 와인도 볼게리의 우수한 테루아와 안티노리 가문의 와인에 대한 열정이 빚어낸 혁신의 산물일 것이다.

열정, 새로운 도전과 기다림의 미학이 빚어낸 사시카이아 와인

일개 도시국가였던 로마가 이탈리아 반도 전체를 장악해가던 기원전 3세기에 건설한 군사용 도로인 아우렐리아Aurelia 가도는 지금은 무성한 소나무와 키다리

갓 구워낸 각종 빵과 이곳에서 직접 만든 살라미 프로슈토와 함께 시음한 레드와인 구아도 알 타소와 화이트와인 베르멘티노.(위) 사시카이아 와인으로 유명한 테누타 산귀도가 운영하고 있는 레스토랑.(아래) ▶

와인 여과 작업을 위해 오크통을 쉽게 이동시킬 수 있도록
설계된 사시카이아의 현대적인 와인셀러.

사이프러스나무가 어우러져 특별한 아름다움을 연출해내는 낭만적인 도로다. 서쪽 해안을 따라 시칠리아Sicilia까지 남북으로 뻗어 있는 이 도로는 로마에서 제노바를 거쳐 프로방스Provence나 알프스Alps산맥을 넘어 스위스로 연결된다. 율리우스 카이사르Julius Caesar의 군대가 고대에 이 도로를 따라 라인Rhine강까지 진격, 로마 제국의 뛰어난 건축 기술을 활용해 건설한 목재다리를 건너 게르만족을 격퇴했을 것이라고 생각하니 새삼 가슴이 두근거렸다.

아우렐리아 가도에서 내륙 쪽으로 꺾어들면 하늘을 찌를 듯한 사이프러스나무 가로수가 터널을 이루는 곳으로 유명한 볼게리로 가는 길이 나온다. 볼게리는 「산귀도 교회 앞에서Davanti San Guido」라는 시에서 이 길의 아름다움을 노래한 이탈리아의 국민 시인 조수에 카르두치Giosuè Carducci(1906년 노벨 문학상 수상자)가 유년 시절을 보내며 시심을 키웠던 곳이다. 바로 이곳이 오늘 내가 방문할 전설적인 수퍼 투스칸 와인의 효시이자 고향인 테누타 산귀도Tenuta San Guido 와이너리다. 세계의 와인 애호가들이 이름만 들어도 가슴이 설렌다는 사시카이아 와인을 생산하는 곳이다. 테누타 산귀도 와이너리의 오너인 마리오 인치자 델라 로케타 후작은 수퍼 투스칸의 위대한 개척자이다.

그가 전 유럽에서 1954년부터 3년 동안 16전 전승을 거둔 금세기 불멸의 경주용 명마인 리봇Ribot의 주인이었다는 사실은 와인 애호가들에게도 잘 알려져 있지 않다. 리봇을 육성한 후작의 경험이 훗날 리봇과 같이 금세기 최고의 전설적인 와인을 만드는 데 일조하게 되었다는 것은 와인의 역사에 특이한 일로 기록될 것이다. 메독Medoc 스타일의 명품 와인을 만들겠다는 꿈은 경주마에 대한 열정과 환경 보호에 대한 헌신이 일치되어 이루어졌는지도 모르기 때문이다. 실제로 후작은 1950년에 리봇의 오너가 되었고, 지금도 볼게리에서 유명한 도르멜로 올지아타 브리드Dormello-Olgiata breed라는 경주마 사육장을 운영하고 있다. 이탈

또 다른 명품 수퍼 투스칸 와인을 생산하는 오르넬라이아 와이너리 입구.(위)
수퍼 투스칸의 대표 와인들. 오른쪽 끝이 오르넬라이아 13년 에디션이고, 가운데가 사시카이아다.(아래)

리아의 WWF(세계 자연 보호 광고 단체) 초대 총장으로서 자신의 볼게리 농장의 해안가 습지를 볼게리의 오아시스로 지정하여 보존하고 있다는 사실이 자연에 대한 후작의 애정을 증명하고 있다.

수퍼 투스칸의 전설은 불멸의 경주용 명마에서

앞에서 언급한바 있듯이 후작은 1930년 볼게리 지역의 명문가 게라데스카 가문의 딸 클라리체Clarice와 결혼하여 광활한 이곳 땅의 반을 상속받았다. 1932년에는 피렌체의 와인 명문가 안티노리 가문의 니콜로Niccolò가 클라리체의 동생 카를로타Carlota와 결혼하여 역시 이곳의 나머지 땅(지금의 구아도 알 타소 와이너리)을 지참금으로 상속받았다.

청년 시절이던 1920년대부터 귀족의 후예로서 참석한 상류 사회의 모임에서 자주 접했던 고급 보르도 와인의 맛과 향에 매료되었던 그는 자신도 이 같은 와인을 만들자는 꿈을 가졌다. 경주마 리봇처럼 순수 혈통의 최고 명품 와인인 보르도 와인을 벤치마킹하고, 이를 달성하기 위해 1930년대부터 그의 고향 북부 피에몬테의 로케타Rocchetta에서 피노 누아를 재배하고 프랑스산 오크통으로 숙성하는 등 본격적인 실험을 시작하였다. 1940년대 부인과 함께 볼게리의 산귀도에 정착한 그는 동서 니콜로 안티노리와 함께 방치된 이곳을 본격적으로 포도밭으로 개발하였다. 후작은 기후가 서늘한 이탈리아 북부와 달리 무덥지만 해풍으로 온난한 날씨와 유난히 자갈이 많은 이곳이 프랑스 메독의 그라브Graves(자갈) 지역과 유사한 테루아를 가졌다고 확신하게 된다. 그래서 후에 이곳에서 생산된 와인의 이름을 사시카이아(자갈밭)로 명명하게 된다.

후작은 이곳 토양에 맞는 포도 품종의 시험 재배를 거쳐 1944년부터 본격적으로 보르도에서 가져온 카베르네 소비뇽과 카베르네 프랑을 심었다. 양보다는 품

테누타 산귀도 와이너리에서 시음한 와인들.
오른쪽에서 두 번째가 최초의 수퍼 투스칸이자 전설적인 와인으로 알려진 사시카이아 와인이다.

와인 숍과 레스토랑이 있는 테누타 산귀도 와이너리.
왼쪽에 사시카이아 와인의 레이블로 사용한 로케타 가문의 문장이 보인다.

질을 위해 포도나무를 식재하면서 간격을 띄우고 포도송이 숫자도 줄였다. 양조 방법 면에서도 전통적인 방식을 버리고 현대적인 장비와 기술을 도입하여 작은 프랑스산 오크통에서 숙성시키는 등 당시로서는 상상할 수 없던 혁신적인 방법을 택했다. 이렇게 하여 1964년 이탈리아 정통 와인의 이단아라 할 수 있는 사시카이아의 역사적인 첫 번째 빈티지가 탄생했다.

그러나 첫 번째 와인의 시음 결과는 지인들로부터 좋은 반응을 얻지 못했다. 카베르네 소비뇽은 오랜 숙성과 기다림이 필요한 품종이었기 때문이다. 후작은 매년 생산한 각 빈티지의 와인들을 계속 숙성시켜 동서인 니콜로 안티노리 등 지인들과 그 맛을 비교하고 양조 방법을 개선하였다. 오랜 진통과 기다림 끝에 1968년 사시카이아는 최초로 1967년 빈티지를 시장에 선보였고, 그 결과는 성공적이었다. 보르도의 최고 등급 와인에 비견되는 품질과 가격으로 해외 와인 애호가들로부터 선풍적인 인기를 끌었다. 특히 1978년 런던에서 있었던 카베르네 와인 블라인드 테이스팅에서 보르도 와인을 누르고 1등을 하였으며, 1985년 빈티지는 미국의 와인 품평가 로버트 파커로부터 100점 만점을 받았다. 법규대로 만든 와인이 아니라고 고급 와인을 뜻하는 DOC 등급을 부여하지 않던 이탈리아 정부도 1994년 대부분의 수퍼 투스칸 와인에 'DOC 볼게리Bolgheri'라는 등급을 부여하였다. 특히 사시카이아 와이너리는 이탈리아에서 유일하게 지역이 아닌 와이너리 단독으로 DOC 등급을 받는 영광을 차지하였으며, 그 기록은 아직도 깨어지지 않고 있다.

나는 구름 한 점 없는 볼게리의 푸른 하늘과 작렬하는 태양을 만끽하면서 수퍼 투스칸이 탄생한 역사의 현장에서 사이프러스나무 가로수 길 건너편에 새롭게 단장한 양조장으로 이동하였다. 기다리고 있던 홍보 담당 엘레나 부라키니Elena Burakini 여사가 안내한 셀러는 다른 양조장의 것과는 차이가 있었는데, 층층으로 저장된

225리터의 프랑스산 오크통이 여과 작업을 할 때 쉽게 이동할 수 있도록 설계되어 있었던 것이 특히 그러했다. 사시카이아는 77헥타르 면적에서 재배한 카베르네 소비뇽 85퍼센트와 카베르네 프랑 15퍼센트의 비율로 배합하여 만든다. 스테인리스통에서 15일간의 발효 기간을 거친 후 프랑스산 오크통에서 2년간 숙성하고, 1개월간의 배합 기간과 병입 후 3개월의 병 숙성을 거쳐 시판한다.

시음한 와인은 사시카이아 2009 이외에 세컨드와인이라고 할 수 있는 구이달베르토Guidalberto 2010(카베르네 60퍼센트, 메를로 40퍼센트), 써드와인Third wine이라고 할 수 있는 레디페제Le Difese 2010(카베르네 70퍼센트, 산지오베제 30퍼센트) 그리고 사르데냐Sardinia 섬에서 생산된 바루아Barrua 2009(카리냥Carignan 85퍼센트, 메를로+카베르네 15퍼센트) 등 네 종류였다. 구이달베르토와 레디페제는 오랜 숙성 기간이 필요한 사시카이아 대신 합리적인 가격으로 가볍게 마실 수 있게 개발된 와인이다.

2009년산 사시카이아는 진한 루비색에 잘 익은 과일 향과 스파이시한 향, 아직 강하지만 부드러움을 느낄 수 있는 타닌, 적절한 산도의 균형 잡힌 풍미가 오랫동안 지속되었다. 10년 이상 보관할 수 있지만 지금 마셔도 강렬한 사시카이아의 또 다른 개성을 느낄 수 있다는 것은 수퍼 투스칸 와인들만이 가진 장점일지도 모른다. 결국 이러한 명품 와인은 우연히 탄생된 것이 아니다.

세계 최고의 경주용 명마 리봇을 육성한 철학으로 세계 최고의 와인을 만들겠다는 열정, 새로운 개혁과 끝없는 도전정신, 오랜 준비와 시행착오 그리고 기다림의 미학을 통해 사시카이아는 탄생되었고, 그것을 몸소 실천한 마리오 인치자 델라 로케타 후작의 이름은 수퍼 투스칸과 함께 영원히 기억될 것이다. 2018년 《와인 스펙테이터》가 선정한 세계 100대 와인 중에서 2015년산 사시카이아가 당당히 1위에 선정되었다.

레 마키올레 와이너리의 와인셀러. 다른 와이너리의 셀러에 비해 간결하지만 매우 심미적으로 설계된 공간이다.(위)
지안루카 풋졸루 씨가 레 마키올레 와이너리가 가진 테루아의 우수성을 설명하고 있다.(아래)

수퍼 투스칸의 새로운 별, 레 마키올레 와이너리

운치 있는 테누타 산귀도 와이너리에서 운영하는 레스토랑에서 점심을 끝내고, 볼게리 와인가도에 있는 오르넬라이아 와이너리를 지나 수퍼 투스칸의 새롭게 떠오른 별인 레 마키올레Le Macchiole 와이너리를 방문하였다. 나를 기다리고 있던 홍보 담당 지안루카 풋졸루Gianluca Putzolu 씨가 포도원과 양조 과정에 대해 열정적으로 설명해주었다.

1975년에 이 와이너리를 설립한 에우제니오 캄폴미Eugenio Campolmi 씨는 1983년 부인 친치아 메를리Cinzia Merli 여사와 함께 현재의 포도원을 조성하였다. 내가 방문한바 있는 두에마니 와이너리의 오너이며 양조 전문가인 루카 다토마 씨의 컨설팅을 받아, 1991년 22헥타르에 각기 다른 다섯 개의 성격을 가진 토양에 맞는 포도 품종을 시험 재배하였다. 새로운 수퍼 투스칸 와인 개발에 열정을 불태웠던 남편이 죽자 그의 철학을 물려받은 부인 친치아 여사는 2000년 카베르네 소비뇽 품종을 카베르네 프랑으로 전부 교체하였다. 점토·진흙·모래·퇴적암으로 구성된 토양과 지중해에서 약 5킬로미터 떨어져 카베르네 프랑 재배의 기후 조건에 적합하였기 때문이었다. 친치아 여사는 와인의 복합성·균형을 파악하고, 긴 여운의 풍미를 갖는 와인을 만들기 위해 유기농법, 수작업, 배합을 하지 않는 단일 품종(화이트와인과 볼게리 로소Bolgheri Rosso 제외)과, 발효 과정에 배양된 효모 대신 천연 효모를 사용하는 방법 등을 도입하였다. 그리고 "와인은 가족이 만들어낸 자식"이라는 개념의 경영철학도 도입하였다. 이런 결과로 2008년《와인 스펙테이터》로부터 100점 만점을 획득한 전설적인 팔레오 로소Paleo Rosso를 탄생시켰다. 현대적이고 예술적으로 꾸며진 와인셀러를 구경하고 2층에 있는 시음장에서 이곳 와이너리에서 생산된 총 다섯 종류—팔레오 비

스테인리스와 오크로 제작된 발효탱크다.(위)
레 마키올레 와이너리에서 시음한 와인들. 중앙이 대표 와인인 팔레오 로소다.(아래)

레 마키올레 와이너리의 포도원. 무성한 숲 너머 멀리 코발트빛 지중해가 보인다.(위)
노벨 문학상으로 빛나는 시인 조수에 카르두치의 고향 카스타니에토 카르두치 마을.(아래)

앙코Paleo Bianco, 볼게리 로소Bolgheri Rosso, 팔레오 로소, 스크리오Scrio, 메쏘리오Messorio—의 와인을 시음하였다. 이 중에 인상적인 와인은 메를로 100퍼센트로 만든 메쏘리오와 카베르네 프랑 100퍼센트로 만든 레 마키올레의 대표 와인인 팔레오 로소였다. 특히 팔레오 로소를 시음하고 느낀 것은 "보르도에서 카베르네 소비뇽과 메를로의 보조 역할에 만족해야 했던 카베르네 프랑 단일 품종으로 어떻게 이렇게도 완벽한 균형과 복합적인 향미의 우아한 와인을 만들 수 있을까?"였다. 위대한 자연과 인간의 열정이 만나면 언제나 새로운 와인이 탄생할 수 있다. 이렇듯 와인은 인류의 역사를 머금은 가장 문화적인 상품이며, 그래서 와인은 끊임없이 진화하는 생명체가 아닐까? 만약 브루넬로 디 몬탈치노가 토스카나를 빛낸 와인이라면, 수퍼 투스칸은 이탈리아 와인을 세계적 반열에 올려놓은 1등 공신이라고 할 수 있지 않을까?

나는 레 마키올레 와이너리 방문을 마치고 와인가도를 따라 볼게리 전체를 둘러보기 위해 높은 언덕 위에 위치한 중세풍 마을 카스타니에토 카르두치Castagneto Carducci로 향했다. 시인 조수에 카르두치가 유년 시절을 보내며 시심을 키웠던 이곳은 원래 마사 마리티마Massa Marittima라는 마을이었으나, 조수에 카르두치의 이름을 따서 마을 이름을 바꾸었다. 한적한 중세풍 마을 풍경은 너무나 평화로웠고, 마치 시간이 멈춘 듯하였다. 미국의 한 중년 이혼 여성의 방황과 사랑을 그린 〈투스카니의 태양〉이라는 영화의 한 장면이 떠올랐다. 마을의 가장 높은 곳에서 한눈에 바라본 볼게리 지역의 전경. 짙은 녹색의 포도원과 숲, 소나무와 사이프러스나무가 줄지어 있는 아우렐리아 가도, 그 너머에 펼쳐진 쪽빛 티레니아해의 조화는 마치 야수파 화가 앙리 마티스Henri Matisse의 풍경화처럼 강렬하게 느껴졌다.

볼게리지역은 갈색의 대지가 연출하는 전형적인 토스카나의 자연을 보여주지만(위)
수퍼 토스칸의 꿈을 꾸는 새로운 포도밭이 조성되고 있다.(아래)

군대와 함께한 와인 문화

세계의 유명한 와인 산지는 와인뿐만 아니라 항상 맛있는 식당이 있고, 아름다운 자연 그리고 역사가 숨 쉬는 장소라는 공통점을 가지고 있다. 와인과 음식은 마치 부부처럼 궁합이 맞아야 한다. 또한 와인의 전파 과정이나 특정 와인의 뿌리를 찾다보면 대부분 문명의 이동 경로와 일치하면서 군대도 함께했음을 알 수 있다. 대표적인 곳이 고대에는 '갈리아'라 불렸던 프랑스와 현재 독일의 라인강 남부 지역 그리고 '신대륙'인 남미의 대표 와인 산지인 칠레와 아르헨티나이다. 갈리아 지역은 이 지역을 정복한 로마군에 의해, 남미 지역은 잉카 · 아즈텍 문명을 지구상에 사라지게 한 스페인의 정복군Conquistador에 의해 전파되었다. 미국 캘리포니아의 대표적인 와인 산지들은 천주교의 신부들에 의해 형성되었는데, 이는 산타 바바라Santa Barbara나 샌프란시스코San Francisco처럼 전주교의 성인들의 이름을 딴 도시 이름으로도 확인할 수 있다. 정복군 병사들에게는 알코올 음료로서, 천주교에서는 미사주로서 절대적으로 필요한 용품이었을 것이다. 고대 이집트의 정복왕 람세스Ramesses 2세 때 오늘날의 시리아 일대를 놓고 히타이트Hittites 왕국(터키에 있던 고대 국가)과의 전쟁 시 전투 여부에 따라 군인들에게 매일 공급했던 와인의 양이 달랐으며, 부상병들을 치료하는 의약품으로도 사용되었다. 이러한 목적의 와인 수요는 로마군에도 적용되었으며, 그래서 로마군에 의해 현재의 유럽 와인 지도(와인 생산 지도)가 사실상 완성되었다는 사실은 여러 차례 언급한바 있다. 와인의 문화와 역사 면에서 아이러니한 일이 아닐 수 없다. 미국의 TDA(세계 무역 통계) 자료에 1인당 와인 소비량이 세계에서 가장 많은 나라가 놀랍게도 교황청이라고 언급된 것은 흥미로운 일이다.

나는 수퍼 투스칸의 메카 볼게리를 떠나기 전에 이곳의 음식 문화를 더 경험하

고 자연유산도 더 둘러보기로 하였다. 볼게리 지역은 고대 에트루리아 시대에 시작된 와인 문화에 더해 고대 유적과 자연유산이 많은 지역이다. 또한 지중해의 풍부한 해산물로 미식가들의 가슴을 설레게 하는 유명한 레스토랑들이 많이 있다. 최근에는 지방 정부, 호텔, 레스토랑, 관광 단체가 주축이 되어 1995년부터 에트루스칸Etruscan 와인가도 개척 운동이 시작되었다. 루트는 볼게리 지역뿐만 아니라 몬테스쿠다이오Montescudaio와 발디 코르니아Val di Cornia의 DOC 등급 지역을 포함한 넓은 지역이다. 볼게리 지역은 아우렐리아 가도에서 산귀도와 볼게리, 비교적 고지대인 해발 194미터에 위치한 카스타네토 카르두치Castagneto Carducci, 푸른 지중해를 바라볼 수 있는 사세타Sassetta까지 연결된다.

볼게리가 석양으로 물들 때 나는 테누타 산귀도 와이너리를 안내해주었던 엘레나 부라키니 여사의 추천으로 아우렐리아 가도를 따라 남쪽으로 20킬로미터 떨어진 아름다운 해안 마을 산 빈첸조San Vincenzo에 있는 유명한 라 페를라 델 마레La Perla Del Mare 레스토랑을 찾았다. 내가 묵었던 호텔도 긴 백사장과 푸른 파도가 넘실거리는 마리나 디 비보나Marina di Bibbona라는 해양 리조트였는데, 이곳에서 감상한 산 빈첸조의 저녁 풍경도 일품이었다. 붉게 물들어가는 티레니아해의 저녁놀을 감상하면서 전통 해산물 요리에 향기로운 수퍼 투스칸 와인을 즐길 수 있는 이 시간의 행복은 전적으로 와인이 가져다준 선물이었다.

◀ 어둠이 깃든 언덕배기에 길게 늘어선 사이프러스의 행렬이 마치 설치 미술품 같다.(위)
산 빈첸조의 유명한 레스토랑 라 페를라 델 마레의 테라스에서 바라본 지중해의 환상적인 저녁노을.(아래)

이탈리아의 녹색 정원 움브리아

움브리아의 대표 와이너리 룽가로티

움브리아Umbria 주는 토스카나 주와 쌍벽을 이루는, 유명한 와인과 올리브의 생산지이지만, 아직은 우리에게 생소한 아탈리아의 숨은 보석이다. 로마의 북동쪽 이탈리아 반도의 심장부에 위치한 움브리아는, 흔히 토스카나를 갈색의 대지라고 한다면 이곳은 이탈리아의 녹색 심장부The green heart of Italia라고 할 수 있다. 이탈리아에서 유일하게 바다에 면하지 않은, 우리의 충청북도에 해당하는 주이다. 움브리아를 대표하는 룽가로티Lungarotti 와이너리를 방문하기 위해 로마를 출발, A1번 고속도로를 따라 170킬로미터를 달려 토르지아노Torgiano에 도착하였다. 토르지아노는 움브리아 주의 주도인 페루지아Perugia와 아시시의 성 프란치스코Sanctus Franciscus Assisiensis의 출생지이자 고대 유적지로 유명한 아시시Assisi 사이에 위치한, 작지만 아름다운 중세풍 와인마을이다. 룽가로티 와이너리가 운영하는 5성급 호텔 르트레 바젤레Le Tre Vaselle에 도착하니 와인 박물관과 올리브 박물관으로 안내해줄 직원이 기다리고 있었다.

룽가로티 와이너리는 1962년 농업경제학자이자 포도재배학자인 조르지오 룽가로티Giorgio Lungarotti 씨에 의해 설립되었으며, 이탈리아에서는 비교적 신생 와이너리에 속한다. 룽가로티 씨는 처음부터 이곳 토양의 잠재력을 믿고 가족 소유의 오래된 농토를 포도원으로 교체하였다. 와인과 문화 그리고 접객hospitality의 시너지 효과를 통해 무명이던 움브리아 와인을 세계적인 와인으로 발전시키는 것이 룽가로티 씨의 최종 목표였다. 룽가로티는 현재 토르지아노와 몬테펠코Montefelco

룽가로티 포도원 너머 아름다운 중세풍 마을 토르지아노가 있다.

토르지아노 언덕에서 바라본 티베르 계곡. 포도원 너머에 있는 도시가 움브리아의 주도인 페루지아다.

에 있는 두 곳의 와이너리에 총 250헥타르의 포도원을 소유하고 있다. 세계적인 와인 박물관 및 올리브 박물관과 더불어 격조 있는 5성급과 3성급 호텔을 운영하고 있다. 룽가로티 씨의 정신은 그의 사후에도 부인 마리아 그라치아Maria Grazia 여사, 두 딸 마리아 세베르니Maria Severny 여사 및 키아라 룽가로티Chiara Lungarotti 여사에 의해 계승되어 발전하고 있다. 이러한 노력의 결과 룽가로티는 이 지역 최초의 DOCG 등급(최고 등급)을 획득한 세계적인 와이너리로 발돋움하였으며, 이탈리아 와인 명가 클럽인 그란디 마르키Grandi Marchi의 회원이 되었다.

올리브와 와인 박물관, 부티크 호텔로 유명한 룽가로티 와이너리

호텔에서 마을 중심에 있는 와인 박물관까지 시간여행을 하듯 중세풍의 거리를 느리게 걸었다. 룽가로티 와인 박물관은 와인이 바로 문화라는 창업자의 경영철학에 따라 1974년에 문을 열었다. 소장품의 양과 질에서 세계 최고 수준으로, 연전에 내가 방문했던 유명한 샤토 무통 로칠드Château Mouton Rothschild의 박물관을 능가하였다. 17세기의 그라치아니 발리오니Graziani Baglioni의 여름궁전을 개축한 유서 깊은 건물로, 두 개 층에 19개의 크고 작은 전시실로 이루어졌다. 3,000여 점의 방대한 유물들과 자료들이 고대에서 현대까지 테마별로 잘 전시되어 있었다.

토르지아노에 있는 룽가로티 와이너리.

유서 깊은 중세건물을 개조한 룽가로티의 올리브 박물관

고대 그리스 시대의 암포라amphora(고대 지중해 지역에서 사용된 커다란 항아리)가 어떻게 선적되고 운송되었는가를 잘 볼 수 있었다. 소장품 중에는 바카날Bacchanal(바커스 신을 위한 축제)을 묘사한 파블로 피카소Pablo Picasso의 판화와 프랑스 시인 장 콕토Jean Cocteau의 와인을 찬미하는 도자기 그림이 인상적이었다. 박물관 관람이 끝날 때쯤 우리를 안내해주던 직원이 "와인은 소통Communication과 접객Hospitality문화입니다"라고 말했다. 그러면서 그것이 룽가로티 가문의 모토라고 하였다.

와인 박물관 방문을 마치고 룽가로티의 또 다른 열정의 산물인 올리브 박물관으로 이동하였다. 2000년에 문을 연 올리브 박물관 역시 중세 시대의 건물을 개축하여 열 개의 전시실을 갖추었다. 수천 년간 서양 문명에서 중요한 위치를 차지해온 올리브와 올리브유에 대한 체계적인 전시가 이루어지고 있다. 내가 세계의 유명한 와이너리를 여행할 때마다 느낀 것은 좋은 포도원은 항상 올리브 농원과 함께 있다는 것이다. 10여 년 전 셰리Sherry 와인의 고향 헤레스Jerez를 방문하기 위해 스페인의 안달루시아Andalusia 지방을 지날 때 붉고 황량한 대지 위에 보이는 것은 오로지 올리브나무와 포도나무가 전부였던 기억이 새롭다. 포도나무와 올리브나무가 자라는 환경과 토양이 유사하기 때문이다. 올리브유 역시 그 품종과 생산지(토양)에 따라 맛과 향이 다르고, 와인처럼 원산지 명칭과 등급제도도 가지고 있다.

저녁시간은 룽가로티 씨의 큰딸인 세베르니 여사의 초청으로 호텔 내 레스토랑에서 가졌다. 2009년 서울에서 만난 이후 3년만의 재회였는데, 오랜 친구처럼 반겨주었다. 세베르니 여사는 보르도 대학에서 양조학을 전공한 이탈리아 최초의 여성 와인 메이커다. 특히 2011년에 저술한 와인 입문서 『유리잔 속의 포도Grapes in the Glass』를 읽어보면 그녀가 와인 문화의 전파를 위해 얼마나 노력하는지를 알 수 있다.

룽가로티 와인 박물관에 전시된 그리스 시대의 암포라(와인을 담은 항아리). 당시 배에 선적되던 모습을 재현했다.(위)
2009년 서울에서 가졌던 만찬. 왼쪽 가운데가 마리아 세베르니 여사다.(아래)

"와인은 대화와 접객이다."–룽가로티 가문의 모토

마리아 여사는 저녁 늦게까지 나에게 문화로서의 와인을 정의한 룽가로티 가문의 모토를 대화와 접객을 통해 몸소 실천해주었다. 아침에 일어나 마리아 여사의 권고에 따라 호텔 내부와 부대시설을 둘러보았다. 창문을 여니 부드러운 구릉에 푸른 포도원과 은빛의 녹색을 띤 올리브 농원의 평화로운 장관이 구름 한 점 없는 파란 하늘 아래 끝없이 펼쳐져 있다. 내부는 현대적인 시설로 개조되었지만, 티베르Tiber강의 계곡을 전망할 수 있는 호텔은 중세의 성벽을 끼고 고색창연한 모습을 그대로 간직하고 있다. 특히 호텔이 자랑하는 비노테라피Vinotherapy 스파는 항산화 작용과 피부 회복 능력이 탁월한 포도와 와인을 물 대신 사용한다. 몇 년 전 내가 방문한 적이 있는, 오스트리아 바하우Wachau 계곡 크렘스탈Kremstal에 있는 로이지움Loisium 와인 테마 호텔 이상의 시설을 갖추었다. 비록 와인 공부를 하지 않는 사람일지라도 두 박물관과 호텔을 방문해보기를 권한다.

본격적인 와인 투어는 홍보 담당인 그라지아 케치니Grazia Checini 여사의 안내로 해발 210~300미터에 위치한, 토르지아노와 브루파Brufa 사이 구릉에 위치한 포도밭을 방문하면서 이루어졌다. 티베르강이 생성되기 전에는 호수였던 이곳은, 침전물에서 탄생한 다공질의 탄산석회 토질로 이루어진 덕에 배수가 잘되어 포도 재배에 이상적인 곳이다. 대륙성 기후로 겨울에는 눈이 내리고, 여름에는 무덥지만 바람이 많아 건조하고, 낮과 밤의 기온차도 커 룽가로티의 최고급 포도 재배지다. 높은 지역에서는 주로 레드와인 품종인 산지오베제Sangiovese, 카나올로Canaiolo, 메를로, 카베르네 소비뇽, 시라를 재배한다. 기온이 낮고 토질이 깊은 낮은 구릉 경사지에서는 화이트와인 품종인 트레비아노Trebbiano, 샤르돈느, 베르멘티노, 피노 그리지오Pinot Grigio 등을 재배한다. 230헥타르의 광활한 녹색 포도밭과

룽가로티 와이너리 소유의 고색창연한 부티크 호텔 르트레 바세르의 내부.

티베르강 계곡 너머 멀리 언덕 위에 아스라이 보이는 주도 페루지아의 풍경이 아름다웠다. 와인을 시음하고 와인 제조 과정을 보기 위해 마을 어귀에 있는 와이너리로 이동하였다. 셀러를 구경하는 동안 현대적인 제조시설과 프랑스산 오크통에서 익어가는 와인의 향기를 느끼면서 룽가로티의 와인을 만드는 철학을 알 수 있었다. 가장 현대적인 기술에 전통적인 제조 방법을 융합하기를 중시한다는 법고창신法古創新의 모토!

룽가로티의 아이콘 루베스코 리세르바 비냐 몬티키오 와인

셀러 도어는 와인 숍과 함께 현대적인 인테리어가 인상적이었는데, 이곳에서 총

셀러 도어 앞에서 활짝 웃는 룽가로티 와이너리 소유주 마리아 세베르니 여사.

다섯 종류의 와인을 시음하였다. 룽가로티의 대표적인 레드와인 중 하나인 루베스코 리세르바 비냐 몬티키오Rubesco Riserva Vina Monticchio는 산지오베제 70퍼센트와 카나올로Canaiolo 30퍼센트의 비율로 배합하여 만든다. 오크통에서 1년, 병에서 다시 수년 동안 숙성하여 출하하지만 30년 이상 보관할 수 있다. 짙은 루비색, 체리·블랙베리·제비꽃의 향과 스파이시하고 단단한 구조감 속에서도 벨벳처럼 부드러운 타닌의 풍미가 느껴졌다. 시음을 끝낼 때쯤 세베르니 여사가 도착하여 하루 더 묵고 가기를 권하였다, 나는 다음 일정 때문에 토르지아노의 아름다운 자연과 룽가로티의 와인철학을 가슴에 안고 떠나겠다고 하였다.

시칠리아 섬(Sicily)

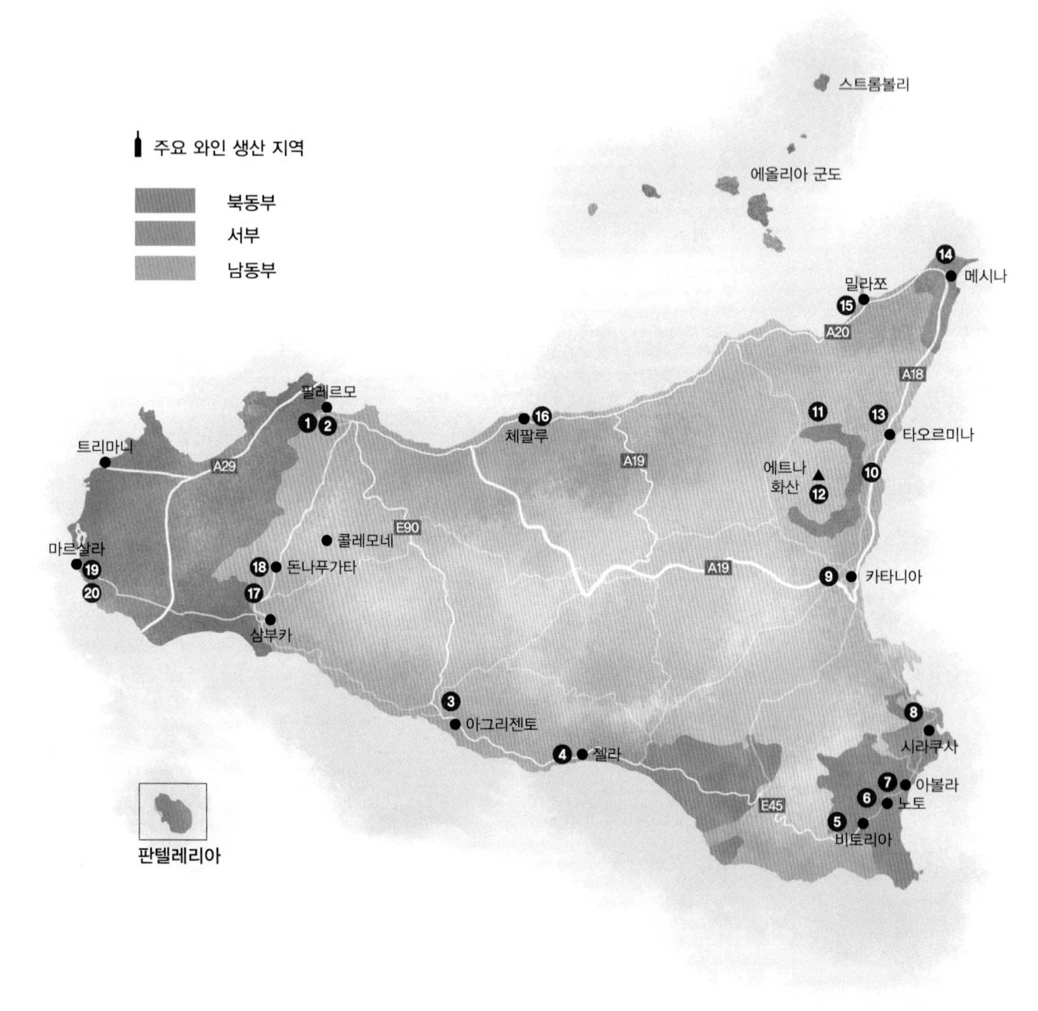

주요 방문지

1. 팔레르모
2. 몬레알레
3. 아그리젠토
4. 젤라
5. 비토리아
6. 노토
7. 아볼라
8. 시라쿠사
9. 카타니아
10. 베난티
11. 테레 네레
12. 에트나화산
13. 타오르미나
14. 메시나
15. 밀라쪼
16. 체팔루
17. 플라네타 울모
18. 콘테사 엔텔리나
19. 마르살라
20. 돈나푸가타

지중해에 떠 있는 다문화의 보물섬 시칠리아

영화 〈대부3The Godfather Part III〉의 비극적 라스트신에 나오는 OST 〈카발레리아 루스티카나Cavalleria rusticana〉의 슬픈 멜로디가 시칠리아를 배경으로 하는 동명 오페라의 간주곡이라는 것을 아는 이는 많지 않다. 추억의 영화 〈시네마 천국Nuovo cinema Paradiso〉, 아름다운 이오니아Ionia해를 배경으로 한 〈그랑 블루Le Grand Bleu〉, 파블로 네루다Pablo Neruda를 주인공으로 한 〈일 포스티노Il postino〉, 알랭 드롱Alain Delon의 초기 데뷔작 〈레오파드Il gattopardo〉, 그리고 시칠리아가 낳은 거장이자 〈시네마 천국〉의 감독 주세페 토르나토레Giuseppe Tornatore의 2000년작 〈말레나Malena〉에 이르기까지 우리의 기억 속에 남아 있는 명작 영화들이 많다. 시칠리아를 배경으로 하는 영화들은 공통적으로 아름다운 자연을 통해 한과 슬픔, 운명, 그리고 젊은 날의 추억을 회상시키는 서정적인 작품들이다.

시칠리아 주의 주도 팔레르모Palermo에 있는 동명의 국제공항에서 내리면 삭막한 회색 빛 바위산이 우리를 맞이하지만, 시칠리아를 본격적으로 여행하다 보면 비로소 영화의 배경을 이해하게 된다. 눈부신 태양과 코발트색 바다, 독특한 지형과 소박한 시칠리아 사람들, 해안선 길이 1,500킬로미터, 면적은 경상북도의 1.3배인 2만 5,700제곱킬로미터, 인구는 그 두 배인 500만이 넘는 시칠리아는 지중해에 떠 있는 찬란한 다문화의 보물섬이다. 시칠리아는 동서양이 만나는 지정학적 위치로 인해 불행한 역사마저 가지고 있다.

영화 〈대부〉의 코를레오네 가문의 고향

시칠리아 사람들은 페니키아·그리스·카르타고·로마·사라센·아랍뿐만 아니

영화 〈대부〉에서 본 듯한 장면인 양 떼의 이동.
목초지와 구릉이 많은 시칠리아는 목축업도 발달되어 있다.

라, 노르만·프랑스·스페인의 지배를 차례로 받으면서도 그들만의 독특한 문화를 꽃피워왔다. 침략과 지배의 역사 속에서 생존과 자기방어, 섬 지역의 특징인 폐쇄성을 기반으로 시칠리아의 토착 문화가 형성되고 가족 중심의 조직 문화의 소산인 마피아가 탄생하지 않았을까? 〈대부The Godfather〉에 등장하는 코를레오네Corleone 가문의 시조가 임진왜란 때 이탈리아의 메디치Medici 가문에 팔려가 시칠리아에 정착한 조선인이라는 일부 주장이 사실일지 모른다고 상상해보는 것만으로도 나는 흥분하고야 말았다. 외지인이 시칠리아에서 마피아를 보기는 쉽지 않다. 그러나 마피아는 여전히 시칠리아의 경제나 사회에 영향을 미치고 있다고 한다. 한때 시칠리아 와인산업을 위기로 몰았던 독극물 스캔들도 바로 마피아가 개입한 사건이었다.

과일·채소·해산물의 천국

시칠리아는 과일·채소·해산물의 천국이다. 길거리 노점상에서 2~3유로면 잘 익은 수박, 멜론, 사과, 오렌지, 무화과, 살구가 한 보따리다. 뿐만 아니라 우리나라의 여느 포구의 풍경처럼 싱싱한 생선을 파는 노점상이 즐비하다. 생선 중에는 오징어, 주꾸미뿐만 아니라 문어, 성게, 홍합도 쉽게 볼 수 있다. 올리브, 토마토, 양젖으로 만든 페코르니Pecorini 치즈도 유명하다. 풍부한 식재료는 시칠리아를 자연히 먹을거리의 천국으로 만들었다. 본토와는 달리 해산물 위주의 파스타나 싱싱한 생선살을 이용한 주 요리가 발달해 있다. 스파게티나 스차르바트Sciarbat(오늘날의 셔벗)의 원조가 이곳이라고도 한다. 특히 레몬·딸기·라임주스 등에 샴페인과 함께 잘게 부순 얼음을 넣은 그라니타Granita는 35도를 웃도는 여행 중에 즐겼던 가장 환상적인 음료였다.

시칠리아 요리는 이탈리아 중북부의 요리와는 달리 맵고, 달고, 향이 강한 전형

시칠리아의 관문 팔레르모 국제공항.(위)
지중해 해산물 위주의 토속적인 시칠리아 음식은 우리 입맛에도 잘 맞는다.(아래)

눈부신 모자이크 장식으로 유명한 몬레알레 대성당 언덕에서 바라본 팔레르모 전경.(위)
쓸쓸하면서도 풍요로운 아름다움을 자아내는 시칠리아 대자연 풍광.(아래)

적인 지중해 음식으로, 우리나라의 음식과 유사하여 시칠리아 여행 동안 식사로 인한 어려움은 전혀 없었다.

토착 문화와 지리적 특성이 반영된 시칠리아 와인

시칠리아의 와인에는 이러한 토착 문화와 지리적 특성이 잘 반영되어 있다. 시칠리아 땅의 70퍼센트가 산악지대이고, 제주도처럼 화산 활동으로 만들어진 화산섬이다. 용암이 녹아 굳어진 라바lava(용암대지)가 부식되어 형성된 토양, 강렬한 지중해의 태양, 겨울엔 따뜻하고 비가 많으며, 여름엔 덥고 건조한 지중해성 기후 덕분에 고대 그리스 시대부터 와인산업이 발전하였고, 다양한 토착 품종으로 오늘날까지 개성 있는 와인을 생산하고 있다. 섬의 중북부 지역을 제외하고 대부분 지역에서 연간 약 10억 병의 와인을 생산하고 있다. 여전히 질보다는 양 위주로 와인을 생산하고 있는 것이 현실이다. 다양한 종류와 저품질의 대중와인이 과거 시칠리아 와인을 대표했다.

현재는 플라네타Planeta, 돈나푸가타Donnafugata 그리고 아직도 활동 중인 에트나Etna 화산의 비탈에 위치해 있는 베난티Benanti, 테레 네레Terre Nere와 같은 와이너리를 중심으로 새로운 양조기술과 국제적인 포도 품종을 도입하여 양질의 와인을 성공적으로 생산하고 있다. 특히 18세기 후반 영국에서 개발된 강화 와인인 마르살라Marsala를 시작으로, 영화 〈일 포스티노〉의 배경으로 유명한 섬인 살리나Salina의 말바지아Malvasia, 아프리카의 튀니지에 더 가까운 섬인 판텔레리아Pantelleria의 지비보Zibibbo(모스카토Moscato 품종의 지역명)로 만든 스위트 와인이 유명하다. 70퍼센트 이상이 화이트와인이고, 레드와인용으로는 시칠리아의 토착 품종으로 우리나라에 많이 소개되어 있는 네로 다볼라Nero d'Avola가 유명하다.

값싸고 맛 좋은 인졸리아 토착 화이트와인

시칠리아의 와이너리 여행 중에는 항상 다양한 유적과 문화적 유산, 그리고 독특한 자연을 맞이하게 된다. 내륙 지방을 달리다 보면 이곳이 지중해 상에 떠 있는 섬이라기보다는 하나의 대륙으로 착각하게 된다. 광활한 대지와 산악, 그리고 어디에서나 풍부한 고대 헬레니즘 문화와 로마 제국의 유적을 만날 수 있다는 것은 시칠리아 여행의 또 다른 즐거움이다. 기원전 8세기에 건설된 주도 팔레르모 시는 인구가 70만에 육박한, 이탈리아에서도 비교적 큰 도시이다. 페니키아·로마·비잔틴·아랍의 지배를 받은 도시이기도 하다. 11세기에는 정복자 노르만 사람들에 의해 성립된 시칠리아 왕국의 수도로 상당한 번영을 누리던 곳이며, 아랍Arab풍과 노르만Norman풍 건축 양식 등 다양한 문화를 한곳에서 볼 수 있는 유적이 많다. 팔레르모 시내에서 남서쪽으로 약 8킬로미터 떨어진 구릉을 향해 달리다 보면 몬레알레Monreale라는 아름다운 수도원마을을 만날 수 있다. 수도원의 대성당은 비잔틴·아랍·노르만의 건축 양식이 한 건물에 혼재하고 있는데, 특히 섬세하고도 화려한 황금빛 모자이크 장식이 옛 영광을 떠올리게 한다.
팔레르모 근교는 섬의 남쪽 지역보다는 비교적 온화한 기후와 지리적 위치로 인해 와인산업보다는 경공업이 발달하고, 농수산물의 수출항 겸 행정의 중심지로 기능하고 있다. 그러나 팔레르모 남동쪽 15킬로미터 지점에는 1824년 설립된 시칠리아를 대표하는 세계적인 와이너리 두카 디 살라파루타Duca di Salaparuta가 위치해 있다. 토착 품종인 인졸리아Inzolia를 카타라토Catarratto 품종 및 그레카니코Grecanico 품종과 배합하여 만든 코르보Corvo라는 브랜드의 화이트와인이 유명하다. 가볍지만 상큼하며 캐주얼한 음식에 부담 없이 곁들일 수 있다. 100퍼센트 인졸리아는 미네랄·레몬 향과 함께 적절한 산도가 있어 현지 생선 요리와 잘 어울린다. 가격 면에서도 병당 10~15유로로 품질 대비 합리적인 가격이었다. 와이

팔레르모 근교에 있는 아름다운 수도원마을 몬레알레(위)
황금빛 모자이크 장식으로 유명한 대성당의 내부 모습.(아래)

너리 여행 때마다 바라는 소박한 꿈, 언젠가 우리나라에서도 이런 가격으로 양질의 와인을 실컷 마실 수 있는 날이 올 것이라는 꿈을 꾸었다.

신전의 계곡 아그리젠토

몬레알레를 뒤로 하고 시칠리아의 내륙을 관통하는 SS121번과 SS189번 도로를 따라 남쪽 지중해 연안의 고대 헬레니즘의 도시이자 신전의 계곡the Valley of the Temples이 있는 아그리젠토Agrigento 시까지 150킬로미터를 달렸다. 고속도로지만 대부분 산악 지역을 통과하는 2차선 도로로 두 시간 이상을 달려야 한다. 보통 유료 고속도로인 아우토스트라다Autostrada(노선번호 앞에 A가 붙음)와 달리 무료 고속도로인 수퍼스트라다Superstrada(노선번호앞에 SS가 붙음)는 굴곡이 심하고 도로 폭이 좁아 위험하다. 시칠리아의 여름철, 내륙 산악 지역의 풍경은 갈색으로 물든 목초지와 푸른 초목이 강렬하게 대비되는 그로테스크한 이국적 풍경이었다. 그러나 한편으로는 양들이 한가로이 풀을 뜯고 있는 완만한 구릉지를 볼 때마다 왠지 고향에 온 것 같은 친밀감도 함께 느낄 수 있는 평화로운 풍광이다. 영화 〈대부〉에서 젊은 알 파치노가 뉴욕을 떠나 잠시 고향에서 도피생활을 할 때의 바로 그 풍경이다.

고대 그리스의 도시 아그리젠토는 열사의 아프리카와 마주하는 시칠리아 섬의 남부 끝자락, 지중해를 향해 나즈막하게 펼쳐진 구릉에 자리하고 있다. 이곳에 위치한 신전의 계곡은 그리스 본토를 제외하고는 최대 규모의 헬레니즘 유적지다. 1997년 유네스코에 세계문화유산으로 등록되었으며, 대부분 기원전 5~6세기 그리스의 황금 시대에 건설된 곳으로, 헤라의 신전을 포함하여 열 개의 신전과 당시의 생활상을 엿볼 수 있는 유적이 있는 고고학의 보고이다. 특히 대부분

아그리젠토의 '신전의 계곡'에 있는 웅장한 콘코르디아 신전의 야간 전경.(위)
신전의 계곡에 거대한 도리아식 기둥만 남아 있는 헤라클레스 신전.(아래)

세월의 흔적을 보여주는 아그리젠토 유적지에 있는 수령 1,000년이 넘은 올리브나무.(위)
아그리젠토 근교의 나로 평원에 있는 포도밭. 토착 품종으로 주로 드라이한 레드와인과 신선한 화이트와인을 생산한다.(아래)

의 지붕은 붕괴되었지만, 34개의 웅장한 도리아식 열주列柱의 위용을 보여주는 콘코르디아Concordia 신전을 보노라면, 인구가 30만 명이 넘었던 전성기 아그리젠토의 영광과 부를 느낄 수 있다.
여름밤 신전을 비추는 조명은 또 다른 신비감을 연출한다. 유적지의 가장 높은 지역에 위치한 헤라 신전의 언덕에 서면 장엄하게 펼쳐진 코발트색 지중해 너머에서 금방이라도 카르타고 제국의 함대가 파도처럼 밀려올 것 같다. 실제로 아그리젠토는 시라쿠사Siracusa · 젤라Gela와 연합하여 기원전 480년에 카르타고군을 격파하였으나, 기원전 406년 전투에서는 카르타고에 패배한다. 이후 1 · 2차 포에니 전쟁에서 승리한 로마 제국의 속국이 된 이래 아그리젠토는 찬란한 헬리니즘 문화를 신전의 계곡에 남기고 역사 속으로 사라지고 만다. 고대 그리스의 음유시인 핀다르Pindar는 이를 두고 "가장 아름다운 도시의 임종the most beautiful city of the mortals"으로 묘사하였다. 아그리젠토의 유적지를 걸으면 새삼 역사의 흥망성쇠의 무상함을 누구나 절감하게 된다.

이카루스의 전설이 있는 헬레니즘 문화의 꽃 아그리젠토

시칠리아 남동쪽 끝에 있는 아그리젠토의 자매 도시국가였던 시라쿠사가 위대한 수학자 아르키메데스Archimedes의 고향이라면, 아그리젠토는 만물의 기원이 흙 · 공기 · 불 · 물 등 4원소라고 주장한 철학자 엠페도클레스Empedocles의 고향이다. 콘코르디아 신전 앞에는 날개가 꺾인 채로 추락해 있는 이카루스Icarus의 청동상을 볼 수 있다. 이카루스 동상 앞에서 나는 부질없는 인간의 탐욕과 야망을 경고하는 그리스 신화 속으로 잠시 빠져들었다. 사실 이카루스는 아버지 다이달로스Daedalus의 충고를 듣지 않고 너무 높이 날아 밀랍으로 된 날개가 햇볕에 녹아 바다에 추락하였지만, 날개를 달아준 아버지는 시칠리아에 무사히 착륙하였다는

아그리젠토의 유적지 '신전의 계곡'에 있는 콘코르디아 신전.
탄연한 표정으로 누워 있는 청동상은 하늘에서 추락한 이카루스이다.

시칠리아 남부 해안 어디서나 볼 수 있는 유적지와 지중해의 쪽빛 바다.
아치 너머 해수욕을 즐기는 모습이 평화롭다.

아볼라 시의 해변 유적지에서 한가로이 카드놀이를 하고 있는 노인들.
지중해의 축복 받은 햇빛에 그을린 피부색이 먼저 보인다.

그리스 신화 속의 장소가 바로 아그리젠토다.

1934년 노벨 문학상에 빛나는 쾌락주의 재현자인 극작가 루이지 피란델로Luige Pirandello도 바로 이 아그리젠토 출신이다. 아마도 그리스와 로마의 풍부한 문화적 유산이 이런 역사적인 인물을 배출하는 토양이 되지 않았을까 한다. 아그리젠토 근교는 아프리카에서 불어온 열풍과 높은 온도로 인해 질 좋은 와인보다는 식용 포도Table grapes 생산으로 유명하다. 다만 해발 500~700미터에 위치한 나로Naro 평원을 중심으로 탄산석회 토질과 선선한 기후로 인해 람브루스코Lambrusco, 바르베라, 네로 다볼라 같은 품종을 재배하여 양질의 드라이한 레드와인을, 트레비아노Trebbiano, 인졸리아 같은 품종을 재배하여 신선하고 맛좋은 화이트와인을 생산한다.

네로 다볼라의 고향 아볼라

아그리젠토에서 시라쿠사까지의 여행은 시칠리아의 다양한 풍광들을 볼 수 있는 긴 여정이다. 시라쿠사로 가는 데는 시칠리아의 와인 생산지 중 가장 높은 지대에 있는 엔나Enna를 경유하는 길이 있지만, 나는 고대 그리스인들이 이주해 와서 세운 도시국가 젤라Gela 시와 주요 와인 생산지인 비토리아Vittoria, 라구사Ragusa, 노토Noto, 아볼라Avola를 경유하는 남쪽 해안선 길을 택했다. 비토리아 지역은 SS115번 도로를 따라 아그리젠토 동쪽 약 140킬로미터 지점으로, 가는 데 두 시간 30분 이상이 소요된다. 메마른 평원과 낮은 구릉으로 이루어진 비토리아와 아카테Acate 지역은 네로 다볼라와 프라파토Frappato 품종을 배합하여 체라수올로 디 비토리아Cerasuolo di Vittoria라는 최고 등급의 레드와인을 생산한다.

나는 비토리아에 있는 플라네타의 도릴리Dorilli 와이너리를 방문하기로 예약을

비토리아 지역 포도밭 풍경. 포도나무 뒤 현란한 유도화가 뜨거운 지중해 날씨를 잘 나타낸다.

했었으나 끝내 그 장소를 찾지 못하였다. 주소를 입력한 아이패드가 신호가 약해 구글 지도를 활성화할 수 없었고, 네비게이션도 제대로 작동하지 않았기 때문이다. 이렇듯 주소에 번지가 없어 아무도 없는 황량한 벌판에서 와이너리를 찾아 헤맨 적이 한두 번이 아니었다. 35도를 웃도는 열기와 배고픔에 지쳐 식당을 찾았으나 오후 2시, 시에스타Siesta 시간이라 모든 상가와 레스토랑이 문을 닫은 상태였다. 30분을 헤매다 겨우 문을 연 바Bar 하나를 발견하고 마치 사막에서 오아시스를 발견한 것처럼 환호하였다. 이탈리아에서는 아침식사뿐만 아니라 간단한 요기도 하는 곳이 바로 바다. 샌드위치와 커피 한 잔이 전부였지만 그래도 감지덕지했다.

스위트 와인 모스카토 디 노토

비토리아에서 동쪽으로 약 80킬로미터 지점에 있는 노토 마을은 스위트 와인인 모스카토 디 노토Moscato di Noto 생산지로 유명하다. 노토 근교의 포도원은 한낮에 38도를 웃돌 정도로 온도가 높고, 사진을 찍는 동안에 피부가 타고 있다는 느낌이 들 정도로 햇빛이 작렬하였다. 황혼녘 건너편 언덕에서 바라본 황토색의 노토 마을은 한 폭의 유화처럼 유난히 강렬해 보였다. 노토와 시라쿠사 사이에 있는 아볼라 시는 토착 포도 품종인 네로 다볼라의 원산지로 유명하다.

네로 다볼라는 뜨거운 날씨에도 산도가 강하고 과일 향이 풍부하며 부드러운 질감이 특징이다. 다만 타닌이 적어 레드와인을 만들 때는 다른 품종과 배합하지만, 단일 품종으로도 최고 품질의 와인을 만들 수 있는 시칠리아의 진정한 대표 품종이라 할 수 있다. 아볼라 시에서 나는 도시 자체에서 풍기는 묘한 매력에 빠져들었다. 중세에 건설된 아름다운 해변도시는 1693년의 대지진 이후 방사상으로 뻗어 있는 도로의 끝에 항상 아름다운 지중해가 나타나도록 다시 설계되었

노토 근교의 네로 다볼라 포도원. 한여름 38도를 웃도는 높은 온도에서 포도가 영글어간다.(위)
스위트 와인 모스카토 디 노토로 유명한 노토 마을이다.(아래)

다. 해수욕을 즐기는 가족들, 폐허가 된 유적지에서 한가로이 카드놀이를 즐기는 은퇴 노인들, 그리고 해변의 고깃배들. 좀 더 머물고 싶은 평화로운 도시였다.
아볼라를 떠나 마지막 종착지 시라쿠사로 향했다. 평소 10분 거리인데 관광철인 여름 교통 체증으로 한 시간이 지나서야 헬레니즘의 도시 시라쿠사에 도착하였다. 시칠리아 남동부 해안에 위치한 시라쿠사는 아그리젠토·젤라와 함께 기원전 8세기에 세워진 그리스계 도시국가로, 유네스코에 등록된 세계문화유산이자 헬레니즘 문화의 꽃이다. 아폴로 신전과 그리스식 극장 등 유적도 풍부하다. 그래서 이 시라쿠사에서는 특별히 고대 유적지 위에 새워진 고색창연한 호텔에서 여장을 풀었다. 고대 로마의 대문호 마르쿠스 키케로Marcus Cicero가 "가장 위대하고 아름다운 그리스 도시"라고 칭송한 시라쿠사의 호텔 창밖으로 지중해에 떠 있는 달빛이 유난히 고고해 보였다.

화산재를 품은 에트나화산의 와인들

시칠리아는 아폴로 신전과 그리스식 극장 등 풍부한 유적을 가지고 있다. 나는 아침 일찍 시라쿠사의 구시가에 있는 바로크풍의 아름다운 두오모Duomo를 감상하고 그리스계 고대 도시 타오르미나Taormina로 가기 전에 북쪽 에트나Etna화산을 향해 출발하였다. 하루 동안에 에트나화산 기슭에 있는 유명한 베난티 와이너리와 테누타 테레 네레 와이너리를 방문해야 했기 때문이었다.
베난티 와이너리의 와인은 미국의 저명한 와인 전문 잡지 《와인앤스피릿Wine & Sprits》에 의해 2012년 올해의 와인으로, 2007년에는 이탈리아를 대표하는 와인과 요리 전문 잡지 《감베로 로소Gambero Rosso》에 의해 그 해의 와인으로 선정되었다. 테누타 테레 네레 와이너리는 와인 전문가 휴 존슨Hugh Johnson이 죽기 전에 마셔봐야 할 와인 중에 하나로 꼽은 와이너리이다. A18번 고속도로를 따라 약 70킬

고대 헬레니즘 시대의 찬란했던 영광을 그대로 간직한 시라쿠사의 아름다운 두오모 성당.

로미터를 달리니 오른쪽에 인구 50만의 시칠리아 제2도시 카타니아Catania 시가 보였다. 수차례에 걸친 에트나화산의 폭발과 1693년의 대규모 지진으로 고대 그리스의 유적은 대부분 파괴되었지만, 아직도 로마 시대의 극장과 근세에 재건된 우아한 바로크 양식의 건축으로 유명하다. A18번 고속도로를 빠져나와 SP8번 지방도로를 따라 비아그란데Viagrande로 향하였다. 아직도 흰 연기를 내뿜으며 활동 중인 유럽 최고 높이 해발 3,328미터의 활화산인 에트나의 장엄한 모습이 눈앞에 다가왔다.

성골의 포도나무로 만든 베난티 와인

에트나화산이 가까워질수록 주변의 풍광이 연녹색을 띠면서 더욱 풍요롭게 느껴졌다. 실제로 아프리카에 가까운 시칠리아 섬 서쪽보다는 그리스나 이탈리아 본토에 가까운 동쪽에 사는 주민들의 생활 수준이 더 높다고 한다.

카타니아에서 약 20킬로미터 떨어진 에트나화산 언덕배기의 아름다운 비아그란데 마을에 위치한 베난티 와이너리는 1800년대에 세워진 오랜 전통의 와이너리이다. 와이너리를 찾느라고 30분 이상을 헤맸는데, 역시나 정문에는 여느 집처럼 조그마한 간판과 번지수가 전부였다. 오랜 세월의 흔적을 느낄 수 있는 회색빛 건물로 들어서자 기다리고 있던 수출 담당 이사 A. M. 파일라Failla 씨가 반갑게 맞아주었다. 먼저 베난티 와이너리의 뒷동산에 해당되는 몬테세라Monte Serra 포도밭을 방문했다. 포도밭은 에트나화산의 남쪽에 위치한 이오니아해를 바라보는 경사지에 위치해 있는데, 초입에 있는 두 그루의 감나무가 정겨웠다. 19세기 말 미국에서 건너온 필록세라Phylloxera가 창궐하여 유럽 대부분의 포도밭이 황폐화될 때도 이곳은 아무 피해가 없었다고 한다. 뜨거운 지중해의 날씨와 강한

몬테세라에서 바라본 베난티 와이너리. 앞쪽 포도나무가 필록세라의 피해를 입지 않은 성골 포도나무다.

화산재 성분의 부드러운 토양 속 2미터까지 뿌리가 뻗어 이곳 포도나무에는 필록세라가 기생할 수 없었기 때문이라고 일부 전문가들은 추측하고 있다.
근대 와인산업에서 재앙에 가까운 필록세라 문제는 필록세라에 강한 미국의 포도 품종의 뿌리에 유럽의 포도나무 줄기를 접목시켜 해결했다. 따라서 오늘날 대부분의 유럽 포도나무는 진골眞骨이고, 이곳 에트나화산 일대나 칠레와 같이 피해를 입지 않은 포도나무Prephylloxera vines를 성골聖骨이라고 할 수 있지 않을까? 그런 의미에서 이곳 에트나화산 일대의 와인은 원래 포도의 품종의 특질을 나타내는 순수한 혈통의 와인이라 할 수 있겠다.
아직도 이곳에서는 유럽이나 미국과는 달리 다른 품종을 접목하지 않고 땅 위에서 자연적으로 칡넝쿨처럼 뻗은 어미 줄기에서 새로운 새끼 포도나무가 자라게 하고 있다. 포도나무의 나이가 80살이 보통이며, 100살이 넘은 포도나무에서 건강하게 익어가고 있는 포도송이를 보면 새삼 와인산업에서 테루아의 중요성을 깨닫게 된다. 100년이 넘은 그루터기의 주름살이 마치 우리 인간의 인생 역정이 반영된 것처럼 느껴지고, 와인도 그만큼 다양하고 복합적인 풍미를 가지고 있을 것이다.
부속 와인 박물관 구경을 마치고, 200년이 넘은 고색창연한 셀러 도어에서 간단한 식사와 함께 준비된 총 아홉 종의 와인을 시음하였다. 나에게 가장 인상적이었던 와인은 피에트라마리아Pietramaria와 세라 델라 콘테사Serra della Contessa였다. 에트나화산 동쪽 기슭 해발 950미터에 위치한 밀로Milo 포도밭에서 재배된 100퍼센트 카리칸테Carricante로 만든 피에트라마리아 화이트와인은 오랜지 향을 품은 노란색에, 열대 과일 아로마와 미네랄의 풍미를 복합적으로 느낄 수 있는 매혹적인 와인이다. 시칠리아의 일반 화이트와인과는 달리 오래 숙성하면 더욱 좋은 맛을 낼 수 있다. 세라 델라 콘테사는 네렐로 마스칼레제Nerello Masealese 80퍼센트와

100년의 흔적이 새겨진 베난티 와이너리의 포도나무. 그루터기 아래가 에트나화산의 화산석으로 덮여 있다.(위)
셀러 도어에서 테이스팅한 베난티 와인과 수출을 담당하는 이사 파일라 씨.(아래)

죽기 전에 마셔야 할 100대 와인 중의 하나를 생산하는 테레 네레 와이너리.(위)
배럴 샘플을 테이스팅 하고 있는 알렉산드로 씨.(아래)

네렐로 카푸치오Nerello Cappuccio 20퍼센트의 비율로 배합하여 만든 레드와인이다. 포도는 바로 베난티 와이너리 뒷산 해발 450~500미터에 위치한 몬테세라에서 재배한다. 아름다운 루비색에 붉은 과일 향과 올리브 향, 연기 냄새와 스파이시한 풍미에 부드러운 타닌과 우아한 뒤끝이 일품이다. 인간이 느끼는 와인의 맛은 와인의 속성이 가지고 있는 물성Physical과 인간이 가지고 있는 감성Psychological의 상호작용이라고 한다. 그런 의미에서 이곳 와인들에서 에트나화산이 뿜어낸 화산재의 잔향들을 느낄 수 있는 사람은 나만이 아닐 것이다. 마치 백악질 토양의 샴페인에서 하얀 거품의 향미를 상기하듯이, 와인은 분명 자기가 자란 테루아의 모든 것을 품는다고 할 수 있다.

죽기 전에 마셔야 할 100대 와인 중 하나인 테레 네레

베난티 와이너리 방문을 마친 나는 에트나화산의 북쪽 기슭에 위치한 테레 네레 와이너리를 향해 산악도로를 따라 달렸다. 인적도 없고, 35도를 웃도는 숨이 헉헉거리는 한낮이었다. 왼쪽에서는 여전히 에트나화산이 연기를 뿜어내고, 도로 오른쪽 아래로는 에트나화산의 허리를 도는 순환열차가 이름 모를 산간 역에 멈춰 있다. 간간이 화산암이 부식되면서 생겨난 검은 토양의 포도원을 지나, 번지수도 없고 간판도 쉽게 찾을 수 없는 좁은 비포장도로를 따라 어렵게 테레 네레 와이너리에 도착했다. 나를 기다리던 귀도 알렉산드로Guido Alessandro 씨는 내가 걱정되어 서울에까지 전화를 했다고 한다.

테레 네레 와이너리는 와인에 대한 특별한 열정을 가진 농업경제학자인 마르코 그라지아Marco Grazia 씨가 에트나 지역 와인의 잠재력을 파악하고 2002년에 설립했다. 이곳의 포도밭 역시 에트나화산의 영향으로 모래와 화산암이 섞여 있는 검은 화산질 토양으로 이루어져 있다. 그래서 와이너리 이름의 어원도 '검은 대지Terre nere'라고 한다. 재배 품종은 다른 에트나 지역처럼 레드와인용으로는 네렐로 카푸치오와 네렐로 마스칼레제를, 화이트와인용으로는 카리칸테를 생산한다. 와인 시음장에서는 셀러에서 산로렌조San Lorenzo 2011과 산토 스피리토Santo Spirito 2010을 배럴 샘플 테이스팅했다.

이곳 포도원은 에트나화산 북쪽 기슭(해발 950미터)에 위치하고 있어, 기온이 서늘하고 일교차가 크다. 따라서 와인 스타일도 부르고뉴의 피노 누아나 피에몬테의 네비올로와 같이 부드럽고 우아했다. 테레 네레의 2016년산 와인은 2018년 《와인 스펙테이터》가 선정한 세계 100대 와인 중 당당하게 9위에 선정되기도 하였다.

불의 신 헤파이토스의 대장간 에트나화산

테레 네레 와이너리에서 멀리 에트나화산의 흰 연기를 바라보던 나는 문득 저물기 전에 신비스러운 에트나화산에 가보고 싶었다. 에트나화산의 등정은 링구아글로사Linguaglossa를 거쳐 피아노 프리벤차Piano Privenza의 북사면Etna Nord으로 가는 길과, 니콜로Niccolo 시를 거쳐 리푸지오 사피엔자Rifugio Sapienza의 남사면Etna Sud으로 가는 두 길이 있는데, 자동차로 해발 2,000미터까지 접근할 수 있다. 나는 보다 장엄한 풍경과 최근에 분화한 용암을 보기 위해 북사면 길을 택했다. 정상을 향해 무성한 숲길을 따라 약 한 시간을 달리니 갑자기 기이한 검은 벌판이 눈앞에 전개되었다. 마치 홍수가 할퀴고 간 흔적처럼, 뜨거운 용암이 흐를 때 껍질이 타버린 하얀 나목들이 검은 용암대지lava plateau 위의 여기저기서 뒹굴고 있고, 한편에서는 이름 모를 작은 식물들이 막 태어나고 있는 충격적인 장면이었다.

에트나 화산은 기원전 4세기경부터 1983년까지 90여 차례나 분화하고도 아직

용암이 식어서 생긴 라바지에서 자라고 있는 에트나화산의 야생초. 폐허에서도 생명을 피우려는 자연의 위대함을 느낀다.(위) 유럽에서 가장 높은 활화산인 에트나화산의 폭발로 인한 흔적이 아직도 남아 있다.(아래)

쪽빛 이오니아해와 활화산인 에트나가 보이는 타오르미나에 있는 고대 그리스 원형 극장의 장관.
기원전 3세기에 이를 건설한 그리스인들의 숨결이 전해진다.

도 그 분화를 멈추지 않고 있다.

4원소설을 주장했던 엠페도클레스는 불의 신 헤파이토스Hephaestus의 대장간이기도 한 에트나화산의 불을 실험하기 위해 분화구에 자신의 몸을 던졌다. 에트나화산은 분화를 통해 인간에게 엄청난 재앙을 가져다주었지만, 동시에 비옥한 토양을 제공하여 풍요로운 농산물과 와인도 선물했다. 용암이 식어 용암대지인 라바가 되고, 라바가 세월에 분해되어 흙으로 변한 이곳에 막 피어난 아름다운 야생화를 보면서, 나는 만물의 근원이 어쩌면 불일 수도 있다는 몽상에 잠겼다. 정상 트래킹을 하지 못했다는 아쉬움을 간직한 채, 어둠이 내린 에트나화산을 뒤로 하면서 꿈의 도시 타오르미나Taormina로 향했다.

모파상이 머물고 싶어했던 그리스의 고도 타오르미나

시칠리아 최고의 휴양지 타오르미나는 일찍이 프랑스의 대문호 기 드 모파상Guy de Maupassant이 극찬했던, 시칠리아에 이주해왔던 그리스인들이 건설한 아름다운 도시이다. 에트나화산에서 북쪽의 메시나Messina를 향해 A18번 고속도로를 따라 30여 분을 달리면 해발 200미터가 넘는 깎아지른 절벽 위에 건설된 타오르미나 구시가에 도착할 수 있다. 구시가에 위치한 호텔까지는 꼬불꼬불한 좁은 바위산의 도로를 따라 오른쪽 바다를 끼고 위험한 곡예 운전을 해야 했다.

타오르미나의 상징인 고대 그리스인들이 만든 노천극장으로 가기 위해 낭만적인 중세의 움베르토Umberto 1세 거리를 따라 아름다운 상점들을 천천히 구경하면서 10여 분을 걸었다. 기원전 3세기 그리스인들이 건설한 극장은 후에 로마인들

고대에 그리스인들이 지은 타오르미나 극장에서 바라본 이오니아해의 아름다운 해안선. ▶
아래는 영화 〈그랑 블루〉의 배경인 타오르미나의 지아르디니 낙소스 해변으로 많은 이들이
투명하기 그지없는 이오니아해에 몸을 던진다.

이 재건하면서 지름이 109미터나 되는 웅장한 반원형 극장이 되었다. 지금도 여름철에는 각종 공연이 열린다. 맨 위쪽 스탠드를 오르는 순간 나는 잠시 숨을 멈추었다. 찬란한 태양 아래 선홍색 부겐빌레아, 분홍색 유도화의 현란함, 흰빛 아라비안 재스민꽃의 향기가 바람에 날리는 담장 너머 펼쳐진 아름다운 해안선, 코발트색의 이오니아해, 멀리 흰 연기가 뭉게뭉게 피어오르는 에트나화산과의 완벽한 조화를 이룬 파노라마! 일찍이 요한 볼프강 폰 괴테Johann Wolfgang von Goethe는 이 장면을 "이 지상에서 가장 아름다운 장관"이라 부르며 감탄하였다. 극장 방문을 마치고 비토리오 에마누엘레Victor Emmanuel 광장과 그리스식 아치를 지나 영화 〈그랑 블루〉의 배경이었던 아름다운 두 해변인 마차로Mazzaro와 지아르디니 낙소스Giardini Naxos를 보기 위해 케이블카를 탔다.

케이블카는 해발 200미터에서 바다로 내려간다. 해변에 도착하니 눈에 들어온 백사장에 설치된 화려한 색깔의 파라솔, 구름 한 점 없는 푸른 하늘, 투명한 쪽빛 바다에서 해수욕을 즐기는 관광객의 모습 등은 한 폭의 그림이었다. 나는 잠시 영화 속의 주인공이 되어 동화 같은 벨라Bella 섬을 바라보면서 며칠 전 에트나화산에서 맛보았던 베난티의 피에트라마리아 한 병을 주문하였다.

밤의 타오르미나는 여행객에게 또 다른 낭만을 선사한다. 아련한 중세풍 거리를 따라 '4월 9일 광장Piazza 9 Aprile'에 도착하면 고깃배와 요트에서 흘러나온 불빛이 보석처럼 반짝이는 이오니아해를 볼 수 있다. 저녁에 시칠리아의 전통 음식을 맛보기 위해 광장 인근에 있는 다 로렌조Da Lorenzo 식당을 소개 받았다. 식당이 자랑하는 성게알 파스타를 주문했는데, 기대했던 것만큼은 아니었다. 그러나 와인 리스트에 있는 수퍼 투스칸 사시카이아 2005의 파격적인 가격을 보고 주저 없이 한 병을 주문하였다. 와인의 색깔과 향을 관찰하고 테이스팅하자 주위 테이블의 유럽인들이 호기심 어린 눈으로 이 동양인을 보고 있었다.

이오니아해를 배경으로 신랑·신부가 기념사진을 찍고 있다.

영화 〈시네마 천국〉의 배경지 체팔로

말바지아 와인과 영화 〈일 포스티노〉의 배경으로 유명한 에올리안 군도

타오르미나를 떠나 이탈리아 본토의 칼라브리아Calabria가 지척에 보이는 시칠리아 섬의 북동쪽 끝 메시나 항을 향해 달렸다. 본토와 연결해주느라 분주한 선박들을 보면서 왜 아직도 연육교를 건설하지 않았는지 궁금하였다. 메시나에서 북부 해안의 A20번 고속도로를 타고 밀라초Milazzo라는 조그마한 항구에 도착하였다. 페리를 이용하여 말바지아Malvasia로 유명한 에올리안Aeolian 군도를 방문할 계획이었지만 다음 일정 때문에 아쉬워도 포기하기로 하였다.

말바지아는 그리스인이 전파한 고대 포도 품종이다. 스위트 와인인 말바지아 파시토Malvasia Passito는 햇빛에 말바지아를 건포도에 가까운 상태로 말려 만든다. 은은한 호박색 빛깔에 살구와 레몬의 풍미가 매혹적인 최고의 와인이다. 에올리안 군도에 있는 살리나Salina 섬은 와인뿐만 칠레작가 안토니오 스카르메타Antonio Skarmeta의 소설 『네루다의 우편배달부El Cartero De Neruda』를 영화화한 〈일 포스티노〉의 로케 현장으로도 유명하다. 이오니아해의 쪽빛 바다를 배경으로 펼쳐지는 젊은 우편배달원과 노벨문학상에 빛나는 칠레의 시인이자 사회운동가였던 네루다의 우정이 눈앞에 선하다. 그뿐만 아니라 활화산으로 유명한 이곳의 스트롬볼리Stromboli 섬은 1950년 동명의 영화 〈스트롬볼리〉와 2019년 프랑스 영화 〈시빌Sibyl〉을 통해서도 우리에게 잘 알려져 있다.

밀라초에서 다시 A20번 고속도로를 타고 팔레르모 방향으로 150킬로미터를 달려 체팔루Cefalu에 도착하였다. 팔라조 아드리아노Palazzo Adriano와 함께 영화 〈시네마 천국〉의 배경지로 유명한 이 작은 해안도시는 고대 그리스 시대부터 존재했다. 라 로카La Rocca라는 거대한 바위산이 시 전체에 왕관을 씌운 듯한 모습이 흥미로

〈시네마 천국〉의 배경지인 체팔루의 노르만 양식의 두오모 광장.(위)
체팔루의 바다까지 돌출해 있는 낭만적인 해변 레스토랑.(아래)

웠다. 자동차 출입이 금지된 중세의 골목과 두 개의 탑을 가진 12세기 노르만 양식의 두오모 광장을 거쳐 해변까지 가는 데는 도보로 10분이면 충분하다. 좁은 골목 베란다에 빨래가 널려 있는 모습, 결혼 전 예비 신랑·신부가 해변을 배경으로 사진 촬영하는 것을 보니 우리나라에서도 본 듯한 풍경이라서 정겨웠다.
저녁을 테라스가 바다 위에까지 돌출해 있는 특이한 식당에서 했다. 하얀 포말을 일으키며 밀려오는 파도가 발밑에서 출렁이는 테라스에서 노을을 바라보며 풍성한 해물 요리와 함께한 저녁은 매우 환상적이었다. 좀 더 머무르고 싶었지만 내일 오전 플라네타 와이너리와 돈나푸가타 와이너리 방문 일정 때문에 밤늦게 팔레르모로 향했다. 서쪽의 마르살라를 제외하고 해안을 따라 섬을 거의 한 바퀴 돈 셈이다.

플라네타 와이너리 와인의 뿌리는 500년 이상을 이어온 농업

아침 일찍 팔레르모를 출발하여 SS624번 내륙도로를 따라 삼부카 디 시칠리아Sambuka di Sicilia에 있는 플라네타 와이너리를 찾았다. 네비게이션의 안내와 지도가 일치하지 않아 몇 번을 헤매다, 운 좋게 플라네타에서 일한다는 노인을 만나 입구까지 안내받았다. 계획보다 늦은 방문이었지만 플라네타 가문의 딸인 키아라 플라네타Chiara Planeta 여사가 직접 반갑게 맞아주었다.
플라네타는 1995년에 설립된 비교적 신생 와이너리다. 와인 제조에는 전통과 혁신, 친환경 농업을 강조하고 있다. 지금은 시칠리아 전 지역 중 여섯 군데에 총 350헥타르의 포도원을 소유하고 있는 국제적인 와이너리가 되어 명성을 얻고 있다. 그러나 그 뿌리는 삼부카와 멘피Menfi를 중심으로 17대 500년 이상 농업에 종사해온 플라네타 가문이다. 내가 방문한 와이너리는 플라네타의 본사에

플라네타 울모 와이너리의 500년 된 농가를 개조한 와인 박물관(위)과
고색창연한 와이너리 입구(아래)의 모습에서 오랜 세월의 흔적을 느낄 수 있다.

아란치오 인공호수에 수몰된 로마 시대 유적과 마주한 채 자라나는 플라네타 와이너리의 포도나무들.

해당하는 울모Ulmo 와이너리로, 93헥타르의 포도원에서 토착 품종인 그레카니코Grecanico와 피아노Fiano, 그리고 샤르돈느로 화이트와인, 네로 다볼라와 메를로로 레드와인을 생산한다.
와이너리는 아름다운 인공호수 아란치오Arancio의 언덕에 위치해 있는 단층의 주황색을 띤 오랜 농가 건물을 개조한 것이다. 올리브나무가 인상적인 포도원과 호수 가까이에 있는 와인셀러를 구경하고 준비된 와인을 시음하였다. 총 일곱 종류의 와인이었는데, 이 중 울모에서 재배한 그레카니코 100퍼센트로 만든 알라스트로Alastro는 옅은 밀짚색, 열대 과일 향에 미네랄과 적절한 산도가 가미되어 청량감이 일품이었다. 그러나 일과시간이 지나 피곤해 보였지만 미소를 잃지 않고 진지하게 와인을 설명하는 키아라 플라네타 여사의 열정이 더 향기로웠다. 내가 집필했던 『와인 & 와이너리』를 방문 기념으로 증정하자 플라네타 가문이 줄곧 머물었던 500년 된 농가를 개조하여 만든 와인 박물관에 진열하겠다고 한다. 로마 시대의 유적이 수몰되어 있는 아란치오 인공호수를 뒤로하고 플라네타를 떠날 때 기온은 여전히 37도를 웃돌았지만, 마음은 시원하였다.

자연과 예술로 빚어낸 돈나푸가타 와이너리

돈나푸가타 와이너리 본사와 셀러가 있는 마르살라 항구로 가기 전에 SS644번 도로를 따라 팔레르모에서 60킬로미터 지점 교차로에 있는 콘테사 엔텔리나Contessa Entellina 포도밭을 방문하였다. 섭씨 35도를 웃도는 뜨거운 날씨에도 마르살라 본사에서 온 안나 루이니Anna Luini 씨가 반갑게 맞아주었다.
4륜구동차로 갈아타고 농장장의 안내로 260헥타르의 포도원을 방문하였다. 황량하면서도 묘한 아름다움을 자아내는 광활한 포도원이 파노라마처럼 펼쳐졌

콘테사 엔텔리나에 전시된 레이블로 사용된 그림들.
왼쪽 아래는 돈나푸가타의 딸이자 재즈 뮤지션인
호제 랄로 양의 MUSIC & WINE CD 음반이다.

작열하는 지중해의 태양과 시칠리아의 풍요로운 토양을 느낄 수 있는
콘테사 엔텔리나 근교의 돈나푸가타 포도밭의 장관.

다. 황토와 검은 점토, 흰 모래로 구성된 포도밭의 구릉이 파도처럼 이어지는, 시칠리아에서만 느낄 수 있는 이국적인 풍경이었다. 돈나푸가타 와이너리는 이곳 외에도 판텔레리아Pantelleria 섬에 있는 68헥타르를 포함하여 총 328헥타르의 포도원을 소유하고 있다.

돈나푸가타는 랄로Rallo 가문이 160년 전에 설립한 유서 깊은 와이너리다. 1983년부터 랄로 가문의 4세대인 아버지 지아코모 랄로Giacomo Rallo와 아들인 안토니오Antonio, 딸 호제José에 의해 현대적인 와인 제조 기법과 새로운 경영철학을 통해 세계적인 와이너리로 발전하였다. 1800년대에 나폴레옹 보나파르트Napoléon Bonaparte가 이탈리아를 침공하자 나폴리Napule 왕국의 왕비 마리아 카롤리나Maria Carolina(프랑스의 왕 루이Louis 16세의 부인 마리 앙투아네트Marie Antoinette 왕비의 세 살 위 언니)가 시칠리아로 망명한 뒤 3개월 동안 은둔한 곳이 바로 이곳이다.

돈나푸가타는 팔레르모 귀족 출신이던 소설가 주세페 토마시 디 람페두사Tomasi di Lampedusa의 소설 『레오파드』에서 왕비 가족의 망명을 받아들였던 살리나Salina 왕자의 소설 속 장원 이름이다. 소설은 프랑스 대혁명 이후 유럽에서 몰락해가던 귀족들의 시대상을 잘 묘사한 걸작이다. 후에 영화로 제작되어 칸 영화제에서 황금종려상을 수상하였다. 버트 랭커스터Burt Lancaster, 젊은 시절의 알랭 드롱Alain Delon과 매력적인 클라우디아 카르디날레Claudia Cardinale의 연기를 볼 수 있다. 아직도 나폴레옹 전쟁 당시의 궁전이 남아 있다.

이곳 포도밭에서는 토착 품종인 안소니카Ansonica, 카타라토Catarratto, 그레카니코와 네로 다볼라뿐만 아니라 국제적 품종인 샤르돈느, 비오니에, 카베르네 소비뇽, 메를로, 시라 등도 재배한다.

콘테사 엔텔리나 와이너리 방문을 마치고 서쪽으로 80킬로미터 거리에 있는 돈나푸가타 와이너리의 본사와 셀러를 방문하기 위해 마르살라Marsala로 향했다. 마

돈나푸가타의 판텔레리아 섬에서 재배되고 있는 지비보 포도나무. 아침 이슬을 머금고 자란다.(위)
오른쪽에서 세 번째 병이 지비보로 만든 리게아 와인이다.(아래)

돈나푸가타 마르살라 본사에 있는 지하 와인셀러. 160년 역사의 셀러를 새로 개축하여 현대화했다.

르살라 와이너리에 도착하니 수출 마케팅 책임자인 마르타 가스파리Martha Gaspari 여사가 1851년에 세워진 역사적인 와인셀러로 안내하였다. 160년의 역사를 자랑하는 전통 셀러는 리모델링을 통해 현대적인 시설로 개조되었다. 거대한 셀러에 저장된 오크통에서 익어가고 있는 와인의 향기가 잠시 나를 취하게 하였다.

아프리카의 열풍이 만들어낸 리게아 와인

본격적인 와인 시음을 위해 별도로 나를 위해 마련한 시음장에 들어갔다. 시음은 돈나푸가타의 소유주인 안토니오 랄로Antonio Lalo 씨가 직접 설명하면서 진행하였는데, 총 아홉 종류의 와인을 시음하였다. 국내에 잘 알려진 앙겔리Angheli도 와이너리에서 시음하니 매우 신선했지만, 가장 인상적인 와인은 리게아Lighea라는 화이트와인이었다. 리게아 와인은 판텔레리아 섬에서 재배한, 북아프리카에서 아랍인들을 통해 들어온 지비보Zibibbo(모스카토 달렉산드리아Moscato d'Alessandria) 품종으로 만든다. 그래서 리게아는 진정한 아프리카 와인일지도 모른다.

이곳의 지비보는 가지치기를 전혀 하지 않은 자연 상태의 보통 100년 이상 된 나무들이 석회암으로 이루어진 해안 급경사지에서 자란다. 강렬한 태양과 아프리카에서 불어오는 열풍 그리고 건조한 사막성 기후로 인해 마치 분재와 같은 작은 몸집으로 염분과 아침 이슬을 머금고 자란다. 옅은 녹색을 띤 해맑은 밀짚색에 백장미 향과 아카시아 향, 서양배와 유자 껍질의 복합적인 풍미는 정말 매혹적이었다. 오직 좋은 와인을 만들겠다는 돈나푸가타의 열정이 혹독한 기후와 척박한 토양을 이겨내고 빚어낸 진정한 예술품이라고 할 수 있다.

돈나푸가타 와이너리가 초청한 저녁 약속까지 시간이 남아서 호텔에서 나와 마르살라 항구의 해변을 산책하였다. 마르살라는 '신의 항구' 혹은 '알라의 항구'라는 뜻의 아랍어에서 유래한 지명이기도 하지만, 이 지방의 토착 품종인 카타라

돈나푸가타 와이너리 소유주 안토니오 랄로 씨와 시음한 와인들.(위)
독일 단체관광객들에게 와인 시음회를 열고 있다.(아래)

토Catarratto, 그릴로Grillo, 인졸리아로 만든 강화 스위트 와인의 이름이기도 하다. 원래 마르살라는 고대 카르타고 제국의 난공불락의 요새였으며, 지중해 상의 전략적 요충지였다. 1차 포에니 전쟁으로 로마 제국의 영토가 되었고, 1860년 주세페 가리발디Giuseppe Garibaldi 장군이 상륙하여 이탈리아 통일의 첫발을 내디딘 역사적인 항구도시다. 그러나 지금은 몇 척의 고깃배와 요트가 투명한 쪽빛 바다 위에 한가로이 떠 있는 평화로운 곳이었다. 마르살라는 한때 조리용 와인으로 더 잘 알려져 있지만, 현재는 품질 향상을 통해 포트Port 와인 및 셰리Sherry 와인과 어깨를 나란히 하고 있다.

마르살라에서 우연히 탄생한 강화 스위트 와인 마르살라

마르살라 역시 셰리 와인이나 포트 와인처럼 우연과 역사가 만들어낸 산물이다. 1587년 영국의 프랜시스 드레이크 경Sir Francis Drake이 스페인의 무적함대Armada를 격파하고 헤레스의 카디즈Cádiz 항구에서 선적을 기다리던 2,900배럴의 와인을 전리품으로 가져간 것이 셰리('헤레스'의 영어식 발음) 와인이다. 1750년대에 프랑스와의 7년 전쟁으로 영국에 프랑스 와인의 수입이 금지되자 대체 와인으로 값싼 포르투갈 와인을 수입하게 된 것이 포트(수출항 '오포르투Oporto'의 지명에서 유래)와인이다. 1756년에 셰리 와인과 포트 와인의 가격이 폭등하자 영국의 상인 존 우드하우스John Woodhouse가 풍랑으로 우연히 정박한 마르살라에서 이곳 와인에 알코올을 첨가하여 영국에 수입한 것이 오늘날의 마르살라와인의 시발점이 되었다.
호텔에서 저녁을 약속한 라 보테가 델 카르미네La Bottega del Carmine 레스토랑까지 돌로 포장된 오래된 골목길을 걸었다. 그 골목길에서는 낮시간에만 차량의 통

행이 허용되고, 저녁에는 테이블이 놓인 낭만적인 식당 거리로 변신했다. 간단한 식전주를 마치니 지배인이 오늘 요리할 각종 신선한 생선을 직접 가져와 선택하게 해주었다. 우리나라에서도 인기 있는 금태와 참치를 선택하고 요리 방법은 식당에 맡겼다. 와인은 당연히 돈나푸가타의 리게아를 골랐는데, 각종 생선 요리뿐만 아니라 파스타와도 환상적인 궁합을 이루었다. 행복한 저녁시간을 마치고 호텔로 돌아오면서 다시 한 번 돈나푸가타 와이너리 성공의 원동력이 무엇일까를 생각해보았다.

선택한 재료로 만들어진 음식들은 와인과 함께 미감味感을 자극한다.(위) 마르살라의 식당에서는 손님 앞으로 신선한 생선을 가져와 직접 선택하게 한다.(아래)

라 보테가 델 카르미네 레스토랑이 있는 골목길.
밤이 되면 골목길은 식당으로 변한다.

신화·문학 작품 속의 주인공과 음악의 장르가 와인의 이름이 되다

많은 와인 애호가들이 와인을 인생이고 사랑이라고들 한다. 그것은 포도나무의 일생이나 와인을 만드는 과정을 비유한 말이다. 다른 한편으로 와인의 속성은 가장 전형적인 문화상품이다. 그런 의미에서 와인은 예술 마케팅 전략이 필요하다.
돈나푸가타는 와이너리 이름뿐만 아니라 와인 레이블에도 예술가의 그림, 문학 작품 속의 인물, 신화적 스토리텔링Storytelling을 적용한다. 고대 청동기 시대의 이 지역 이름인 안틸리아Anthilia, 도주逃走를 의미하는 음악의 한 장르인 라 푸가La Fuga, 한 나라의 왕비가 은신하였던 산타 마르게리타 디 벨리체Santa Margherita Di Belice 궁전의 모습과 『아라비안 나이트Arabian Nights』를 상징하는 밀레 에 우나 노태Mille e una Notte, 영화 〈레오파트〉의 여주인공 이름인 세다라Sedara, 그리고 또 『아라비안 나이트』의 모든 이야기를 전개하는 지혜로운 왕비의 이름을 딴 세라자드Sherazade 와인 등등…….
돈나푸가타 소유주의 딸이자 재즈 뮤지션인 호세 랄로 양이 보컬을 담당한 〈돈나푸가타의 와인과 음악Donnafugata Music & Wine〉 CD는 뉴욕의 유명한 재즈 클럽 블루 노트Blue Note에서도 히트했던 음반이다. 음악과 와인을 페어링pairing한 내용의 CD 판매와 공연에 따른 수입은 지역의 심장병 어린이 재단에 전액 기부하고 있다.
돈나푸가타는 피사 대학과 공동으로 포도원 근교의 고대 유적을 발굴·보존하고, 야간에 포도를 수확하며 태양광 발전 시설을 이용하여 에너지 절약에 앞장서고 있다. 탄소 배출을 줄이고 자원의 재활용을 위해 코르크 참나무를 식재하며, 코르크 마개 회수 100개당 와인 한 병을 무료로 주는 캠페인도 벌이고 있다.
사라져가는 시칠리아 토착 품종을 보존하기 위해 지역 대학과 공동으로 시험 묘목장도 운영하고 있다. 자연과 예술을 사랑하고 기업의 사회적 책임을 통해 빚어낸 돈나푸가타의 와인들은 그래서 더욱 향기로운지도 모른다.

호프부르크 왕궁 정원에 있는 모차르트 상. 오스트리아 와인에서는 음악이 들린다!

Austria

오스트리아(Austria)

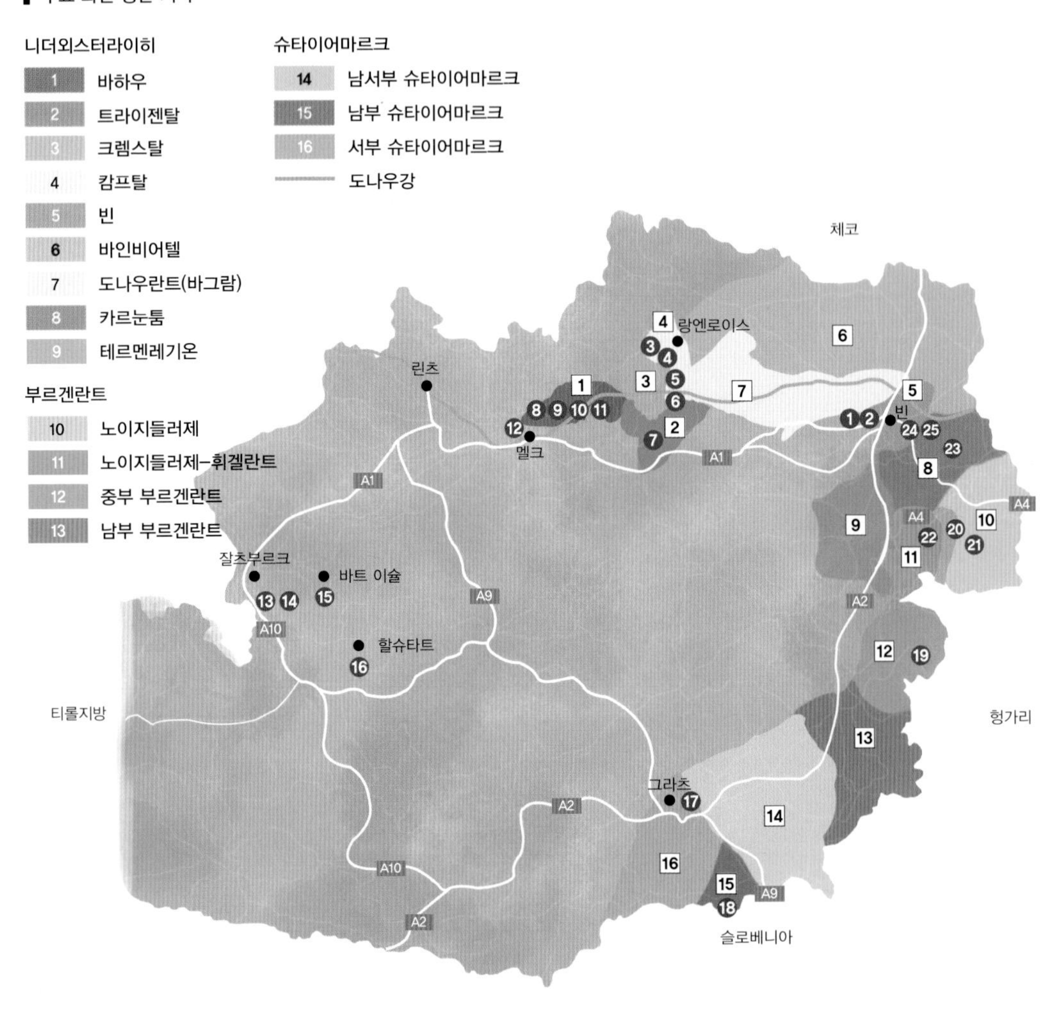

주요 방문지

❶ 빈	❽ 뒤른슈타인	⓯ 바트 이슐	㉒ 파일러-아르팅거
❷ 와인 박람회	❾ 뒤른슈타인 성	⓰ 할슈타트	㉓ 마르코비치
❸ 랑엔로이스	❿ 도멘 바하우	⓱ 그라츠	㉔ 호이리게
❹ 로이지움 와인 박물관	⓫ F. X. 피쉴러	⓲ 테멘트	㉕ 마이어 암 파르플라츠
❺ 레트	⓬ 멜크 수도원	⓳ 베닝거	
❻ 유르취치-존호프	⓭ 잘츠부르크	⓴ 노이지들러호수	
❼ 마르쿠스 후버	⓮ 이카루스 레스토랑	㉑ 치다	

예술과 자연의 하모니로 빚어낸 오스트리아의 와인

650년 간 이어진 합스부르크Habsburg 가문의 찬란한 문화와 예술을 자랑하는 빈Vienna은 도시 전체가 살아있는 거대한 문화유산이다. 많은 여행객이 슈테판Stefan 대성당, 호프부르크Hofburg 왕궁, 오페라하우스 등 오스트리아의 중근세에 지어진 화려한 건축물에 감동한다. 세기말 새로운 예술 창조를 위해 시작된 분리파 운동의 거점 제체시온Sezession의 황금빛 올리브 잎 모티브의 돔을 보면 현대에도 오스트리아인은 창조적인 예술 실험을 계속하고 있다는 것을 느낄 수 있다. 그곳은 우리에게 〈키스Der Kuss〉라는 그림으로 잘 알려진 분리파의 창시자 구스타프 클림트Gustav Klimt의 유명한 〈베토벤 프리즈Beethoven Frieze〉라는 프레스코화가 있는 건물이다.

오스트리아의 포도원 풍경은 눈으로 듣는 교향곡이다

영화 〈사운드 오브 뮤직The Sound of Music〉으로 유명한 음악도시 잘츠부르크Salzburg, 알프스Alps산맥의 빙하와 유리알처럼 맑고 깨끗한 할슈타트Hallstatt호수, 도나우Danube강가를 따라 바로크풍의 마을과 포도원이 펼쳐진 낭만적인 바하우Wachau 계곡, 아름다운 전원 풍경을 볼 수 있는 남부 슈타이어마르크Steiermark, 유네스코에

빈 분리파 운동의 거점인 제체시온 건물.
황금색 올리브 잎 모티브의 돔이 화려한 장식적 요소를 보여준다.

등록된 세계자연유산 노이지들러Neusiedler 호수가 있는 동부 부르겐란트Burgenland. 오스트리아의 어디에서든 볼 수 있는 장엄한 자연과 어우러진 포도원 풍경은 눈으로 듣는 하나의 교향곡이다.
나는 그동안 잘 알려지지 않은 오스트리아의 와인을 찾아 많은 여행을 했다. 심지어 다른 나라들보다도 말이다. 특히 2002년과 2010년 세계적인 와인 박람회 중 하나인 비에비눔VieVinum 와인 박람회에 초청받아 주요 와인 생산지를 집중적으로 방문한바 있다.
오스트리아 와인은 스위스 와인처럼 생산량이 적어 우리나라에 크게 소개되지 않았지만, 세계 최고급 레스토랑의 와인 리스트에 항상 포함되어 있는 고급 와인이다. 오스트리아 와인의 총 생산량은 연간 약 2억 5,000만 리터로 세계 총 생산량의 1퍼센트에 불과하고 국내 소비량도 많아서 수출이 극히 제한되어 있다. 프랑스의 부르고뉴Burgundy 및 샹파뉴Champagne 지방과 유사한 기후와 테루아를 가지고 있어 전체 생산량의 70퍼센트가 화이트와인이다. 레드와인도 강렬한 보르도Bordeaux 타입보다는 부르고뉴, 이탈리아 피에몬테 지방의 피노 누아나 네비올로처럼 부드러운 맛의 와인 스타일을 가지고 있다.

전체 생산량의 70퍼센트가 화이트와인

오스트리아의 와인 생산지는 알프스산맥이 있는 서부 고원지대보다는 저지대인 남동쪽과 도나우강가를 따라 발달되어 있다. 오스트리아 와인의 등급체계는 오랫동안 독일의 영향으로 와인의 당도에 따라 구분해왔지만, 현재는 프랑스의 AOC에 해당되는 원산지 명칭 통제제도인 DACDistrictus Austriae Controllatus로 일반화되어가고 있다. 오스트리아는 크게 네 곳의 와인 생산지로 구분된다. 3만 500헥타르에서 오스트리아 총 생산량의 60퍼센트 이상을 생산하는 니더외스터라이히Niederöstereich(저지대 오스트리아) 지방의 포도원은 드넓은 평원과 아름다운 도나우강가의 계곡을 따라 형성되어 있다. 이곳에서 재배되는 리슬링Riesling은 모젤Mosel 와인을 생산하는 독일과는 달리 서늘한 기후로 최상의 드라이한 화이트와인을 생산한다. 오스트리아가 자랑하는 토착 화이트와인 품종인 그뤼너 벨트리너Grüner Veltriner도 이곳에서 가장 많이 재배하고 있다.

이곳은 와이너리와 함께 유람선을 타고 아름다운 도나우강의 풍광을 즐길 수 있는 관광지로도 유명하다. 경비행기를 타고 도나우강 상공을 비행하면서 보았던 바하우 계곡의 계단식 포도밭은 잊을 수 없는 풍경이다.

슬로베니아와의 접경 지대인 남부 슈타이어마르크는 추운 날씨 때문에 주로 소비뇽 블랑, 샤르돈느, 피노 블랑을 재배하여 드라이하면서도 상큼하고 섬세한 고급 화이트와인을 생산하고 있다. 슬로베니아와 국경을 사이에 두고 구릉에 펼쳐진 이곳 포도원 전경은 오스트리아의 가장 아름다운 전원 풍경으로도 유명하다.

기온이 높고 유네스코에 등록된 세계자연유산인 노이지들러호수가 있는 동부 부르겐란트 지방은 주로 레드와인과 스위트 와인을 생산한다. 이곳에서 재배된 토착 품종 블라우프랭키쉬Blaufränkisch와 츠바이겔트Zweigelt로 만든 레드와인은 섬세하면서도 과일 향이 풍부하고 타닌이 부드러워 마시기에 좋다. 마지막으로 빈 근교의 와인 생산지는 700헥타르의 비교적 작은 규모지만 수도로의 접근성과 햇와인을 즐길 수 있는 오스트리아의 전통 선술집인 호이리게Heurige로 유명하다.

문화와 예술 상품으로서의 와인의 정체성은 빈에서 2년마다 열리는 비에비눔 와인 박람회에 참석하면서 확실하게 느낄 수 있다. 우선 전시 장소가 합스부르크 가문의 화려한 호프부르크 왕궁이다. 전야제를 포함해 5일에 걸쳐 진행된 와인 박람회는 전 세계의 유명한 와인 메이커들이 참가하는, 와인과 문화가 어우러진 하나의 예술 축제이다. 전야제는 빈의 최고급 레스토랑인 슈타이르에크Steirereck에

빈의 유명한 레스토랑 슈타이르에크에서 개최된 와인 박람회 전야 시음회.

서 전 세계의 와인 관련 사업가, 저널리스트 등 100여 명이 참가한 대규모 와인 시음회로 시작되었다. 유리 지붕의 테라스에서 수백 종의 오스트리아 대표 와인과 음식이 함께 서빙되는 만찬이다.

누군가가 와인은 커뮤니케이션이라고 했다. 와인이라는 하나의 매개체로 처음 만난 사람들이 이렇게 스스럼없이 대화하고 즐길 수 있다는 것은 소통의 도구인 와인만이 가지고 있는 속성 때문일 것이다.

왕궁에서 열리는 와인 박람회와 테이스트 컬처 운동

다음 날 공식적으로 개장한 박람회를 둘러보기 위해 호프부르크 왕궁을 찾았다. 합스부르크 제국의 번영과 몰락의 자취를 한눈에 볼 수 있는 호프부르크 왕궁은 13세기부터 역대 군주들이 필요에 의해 계속 증축하여 왕궁 전체를 관람하

호프부르크 왕궁 후원 잔디밭에서 휴일 오후를 즐기는 빈 시민들.

빈 와인 박람회 기간 중 아우어스페르크 궁에서 재즈와 함께 즐기는 와인 파티.

는 데 하루가 모자랄 정도로 엄청난 규모다. 박람회는 합스부르크 최후의 왕궁인 신왕궁Neue Burg에서 열렸다. 높은 천장과 화려한 샹들리에 불빛 아래서 개최된 와인 박람회는 장소만으로도 관람자들을 감동하게 한다. 전 세계 주요 와인 메이커들과 저널리스트, 수입업자, 레스토랑 대표 등 1,000여 명이 참석한 와인 박람회는 눈부시게 찬란했던 합스부르크 제국의 영광을 재현하듯 화려하고 성대했다.

빈 여행 계획이 있는 사람이라면 짝수 연도의 6월에 개최하는 와인 박람회에 반나절이라도 꼭 참여해볼 것을 권한다.

저녁에 개최된 리셉션은 아우어스페르크Auersperg 궁의 정원에서 현악 사중주단의 연주와 함께, 만찬은 궁전 안에서 재즈 연주와 함께 진행되었다. 행사 기간에는 각 지역 생산자 협회가 주관하는 개별 와인 파티가 있었지만, 고색창연한 빈 시청의 중정에서 있었던 와인 파티는 아주 인상적이었다. 빈 필하모니 오케스트라의 은은한 연주가 울리는 가운데 참석자들이 자연스럽게 짚단 위에 앉아 대화하고 와인과 음식을 즐기는 색다른 와인 문화도 체험할 수 있었다.

이러한 문화에서 그림과 음악 그리고 맛있는 음식과 좋은 와인은 필수였을 것이다. 그런 의미에서 최근 오스트리아 와인 마케팅 협회가 오스트리아 와인의 다양성

빈의 화려한 호프부르크 왕궁에서 2년마다 열리는 비에비눔 국제 와인 박람회

LEITHABERG
VITIKULT
260
PANNOBILE
PANNOBILE

빈 시청의 중정에서 개최된 와인 파티. 빈 필하모니의 연주를 들으며 짚단 위에 앉아 음식과 와인을 즐기는 모습이 정겹다. 오스트리아 사람들은 일상을 음악과 와인으로 채운다.

과 함께 와인과 음식에 문화적으로 접근한 '테이스트 컬처Taste Culture' 운동을 벌이는 것도 세계 와인산업에 새로운 패러다임이 될 수 있을 것이다.

세계자연유산 바하우 계곡

유럽에서 두 번째로 긴 도나우강변 포도원

빈에서 북서쪽으로 도나우강 우안을 달리는 A22번과 S5번 고속도로를 이용하여 니더외스터라이히 지방의 랑엔로이스Langenlois로 향했다. 오스트리아 와인 수출 협회의 주선으로 랑엔로이스에 있는 로이지움Loisium 와인 박물관을 방문하기 위해서다.

랑엔로이스는 니더외스터라이히 지방의 대표적인 와인 생산 도시이며, 로이지움은 와인 호텔과 박물관이 있는 와인 테마 리조트다. 니더외스터라이히가 오스트리아 와인 생산량의 60퍼센트 이상을 담당할 수 있는 것은 전적으로 도나우강이 가져다준 천혜의 선물 덕분이다. 위도상으로 비교적 북쪽에 위치하고 있지만, 겨울에 온난하고 여름에 서늘하여 리슬링과 그뤼너 벨트리너 등 화이트와인 품종 재배에 적합하다. 특히 도나우강 양안의 가파른 계곡과 테라스에 형성된 그림 같은 포도원 풍경은 관광자원으로도 훌륭하다. 우리에게 요한 슈트라우스Johann Strauss 2세가 작곡한 〈아름답고 푸른 도나우

전망대와 예술가의 설치미술 작품이 인상적인 바그람 지역의 포도밭.

로이지움 와인 박물관 호텔 후원에 있는 분수. 와인 병에서 뿜어내는 분수의 아이디어가 놀랍다.(위)
로이지움 와인 박물관에 있는 호텔 전면. 가운데 입구를 통해 와인 박물관을 볼 수 있다.(아래)

An der schönen blauen Donau〉 덕분에 더 친밀하게 느껴지는 이 강은 독일 남부에서 발원하여 흑해로 흘러가는, 유럽에서 두 번째로 긴 강이다. 총 길이 2,860킬로미터 중 360킬로미터가 오스트리아를 지난다. 지금은 독일의 라인강과 운하로 연결되어 북해까지 유럽 대륙을 관통하는 주요 운송 수단으로 기능하고 있다.

세계적인 와인 박물관 로이지움

한적한 시골 마을이 세계적인 와인 관광지로

2003년에서 2005년, 2년에 걸쳐 미국의 세계적인 건축가 스티븐 홀Steven Holl의 설계로 지어진 로이지움은 와인 박물관, 호텔, 레스토랑, 와인 스파와 컨퍼런스룸을 갖추고 있다. 청동기 시대부터 포도를 재배해온 역사적인 랑엔로이스의 포도밭 한가운데 위치한 로이지움은 와인 관련 세미나 개최와 와인 투어 등의 접객hospitality을 통해 와인 문화를 전파하고 있다.

랑엔로이스 지역 포도밭 한가운데 있는 로이지움 호텔.
미국 건축가 스티븐 홀이 설계한 와인 테마 호텔로, 수영장 너머 와인 박물관이 보인다.
와인 애호가들에게는 꿈 같은 호텔이다.

안락의자에 누워 아름다운 포도원을 바라보며 사색할 수 있는 호텔 후원, 겨울에도 이용할 수 있도록 히팅 시스템을 갖춘 야외 수영장, 와인을 이용한 사우나와 온천 시설이 인상적이었다. 모든 시설이 미국적인 디자인 콘셉트에 노출 콘크리트나 알루미늄 등의 자재를 사용한 가장 현대적인 건축물이다. 수천 년의 세월을 품은 중세풍 포도 마을과 극명하게 대비된다. 특히 와인 박물관은 900년의 역사를 가지고 있는 와인셀러와 현대적인 건축물인 비지터센터를 지하 터널로 연결해 '히스토리History와 모더니즘Modernism'을 절묘하게 공존시킨 건축가의 빛나는 아이디어 덕분에 감동적이다. 로이지움이 들어선 이후 한낱 한적한 시골마을이었던 이곳이 세계적인 와인 관광지로 새롭게 태어나고 있다고 한다.

총 3만 500헥타르의 광활한 포도밭을 가지고 있는 니더외스터라이히 지방은 도나우강 유역과 빈 근교에 여덟 개의 와인 생산지를 가지고 있다. 레드와인을 주로 생산하는 빈 남동쪽의 카르눈툼Carnuntum 지역, 로이지움이 위치한 캄프탈Kamptal 지역, 아름다운 중세풍 마을 크렘스Krems가 있는 크렘스탈Kremstal 지역, 고대 로마 제국 시대부터 발달한 와인산업의 요람인 빈 남쪽의 테르멘레기온Thermenregion 지역, 고대부터 오랜 와인 역사를 가지고 있는 트라이젠탈Traisental 지역, 유네스코에 등록된 세계자연유산과 멜크Melk 수도원으로 유명한 바하우Wachau 지역, 체코 및 슬로바키아와의 국경 지대이며 가장 넓은 재배 면적을 가진 바인비어텔Weinviertel 지역, 그리고 화이트와인인 그뤼너 벨트리너로 유명한 도나우란트Donauland 지역 등이 그것이다.

그뤼너 벨트리너의 대표 와인 메이커 레트 와이너리

도나우란트 지역에 있는 레트Leth 와이너리를 방문하기 위해 로이지움 호텔을 떠

미국의 건축가 스티븐 홀이 설계한 와인 박물관 로이지움 입구. 로이지움 간판과 구름이 하늘에 떠 있는 듯하다.

지움 전시실에 있는 현란한 분수쇼.
의 문자는 포도에서 알코올이 생성되는 화학분자식이다.

레트 와이너리의 그뤼너 벨트리너 포도나무. 50년이 넘은 수령이다.

레트 와이너리의 셀러 도어에서
시음한 그뤼너 벨트리너 와인.
뒤에 앉아 있는 이가 프란츠 레트 씨다.

나 도로 양편으로 펼쳐진 5월의 싱그러운 포도밭을 감상하며 펠스Fels 마을로 향했다. 3대째 가업을 계승하고 있는 레트 와이너리의 오너인 프란츠 레트Franz Leth 씨가 반갑게 맞아주었다.
이 지역은 도나우강 양안 30킬로미터 지역에 펼쳐진 2,700헥타르의 포도밭에서 주로 화이트와인 품종인 그뤼너 벨트리너와 리슬링, 레드와인 품종인 블라우어 츠바이겔트Blauer Zweigelt와 피노 누아를 재배한다. 레트 씨는 다른 와인 메이커에 비해 역사가 오래되지는 않았지만, 투자와 기술 혁신을 통해 와인의 이상을 달성하는 데는 충분한 시간이라고 했다.

밤낮의 기온차가 심한 판노니아 지방의 기후가 그뤼너 벨트리너 탄생에 기여

와인셀러를 간단하게 둘러보고, 이곳의 테루아가 왜 그뤼너 벨트리너 생산에 적합한지를 알아보기 위해 포도밭으로 향했다. 남쪽을 향해 해발 240~300미터의 구릉 중간에 위치한 샤이븐Scheiben 포도밭은 빙하기에 도나우강의 암반층이 풍화되어 오랜 세월 동안 바람에 날려 쌓인 퇴적층이다. 이 퇴적층은 황토, 모래, 백악질로 이루어졌으며, 깊이가 20미터나 되어 별도의 퇴비나 관개시설이 필요 없는 이상적인 토양이다. 또한 지하 암반층까지 포도나무의 뿌리가 쉽게 뻗어나가 수분과 다양한 미네랄을 흡수할 수 있다. 특히 밤낮의 기온차가 심한 이곳 판노니아Pannonian 지방의 기후 영향으로 과숙 기간 동안 포도에 독특한 과일 향의 아로마와 적절한 산도가 형성된다.
이러한 천혜의 자연 조건을 갖춘 테루아 덕분에 오스트리아가 자랑하는 토착 품종 그뤼너 벨트리너가 탄생했을 것이다. 광활하게 펼쳐진 포도밭과 야생화가 피어 있는 언덕에 설치된 전망대와 예술가의 조형물은 또 다른 감동을 주었다. 오스트리아인의 예술 사랑을 이곳에서도 확인할 수 있다.

레트 와이너리의 오너 프란츠 레트 씨가
그의 샤이븐 포도밭에서 그뤼너 벨트리너 포도나무의 새싹을 관찰하고 있다.

바그람 지역의 토양. 빙하기에 도나우강의 암반이
풍화되어 오랜 세월 동안 바람에 날려와 쌓인 퇴적토다.

오스트리아의 대표 품종인 그뤼너 벨트리너의 고향이 어디인지는 정확히 밝혀진 바 없지만, 이곳이 과거 로마 제국의 속주였다는 사실을 통해 이름이 비슷한 이탈리아 북부 발텔리나Valtellina 계곡에서 로마군에 의해 전파되었을 것이라고 추측된다. DNA 분석을 통해 어머니는 스파이시한 맛의 알자스 대표 품종인 트라미너Traminer라는 것이 확인되었지만, 아버지가 누군지는 아직 밝혀지지 않았단다.

화이트 아스파라거스 요리와 환상적인 궁합

포도밭 구경을 마치고 와이너리에서 준비한 이 지방 전통 돼지고기 요리를 곁들여서 본격적으로 와인을 시음했다. 레트는 화이트와인뿐만 아니라 피노 블랑으로 스위트 와인, 피노 누아로 스파클링 와인, 그리고 블라우어 츠바이겔트와 피노 누아 등으로 양질의 레드와인을 생산한다. 그러나 내가 시음한 와인 중에 샤이븐 포도밭에서 생산한 2009년산 그뤼너 벨트리너가 단연 돋보였다.

이 와인은 그뤼너 벨트리너만이 가지고 있는 모든 개성을 함축하고 있다. 옅은 녹색을 띠지만 오히려 무색에 가까워 청순함이 느껴진다. 게뷔르츠트라미너처럼 스파이시하지만 풍부한 미네랄에서 오는 신선한 청량감과 활기찬 산도가 균형을 갖춘 풀 보디 와인이다. 생선 요리뿐만 아니라 닭고기 요리나 야채 요리와도 잘 어울릴 것 같았다. 레트 씨는 생선 초밥과 같은 동양 요리에도 잘 어울린다고 하였다.

저녁에 로이지움 호텔 식당에서 한참 시즌인 화이트 아스파라거스 요리에 그뤼너 벨트리너를 곁들여 마셨는데, 지금까지 경험하지 못했던 완벽한 페어링이었다. 신토불이身土不二는 어쩌면 와인과 음식의 세계에 더욱 적합한 말일지도 모른다.

새로 조성한 바그람 근교의 포도밭. 야생동물이나 새로부터 묘목을 보호하기 위해 플라스틱 원통을 세운다.

캄프탈의 대표 와이너리 유르취치-존호프

지하 14미터의 수도원 와인셀러

오스트리아의 대표적인 와인 산지 중의 하나가 캄프탈Kamptal 지역이다. 빈보다 넓은 총 4,070헥타르의 광활한 포도원은 캄프Kamp강이 발트비어텔Waldviertel 고원 지대를 관통하면서 생긴 캄프 계곡에 펼쳐져 있다. 강은 갈색이지만, 오염되어서가 아닌 상류의 비옥한 땅과 화강암이 깎여 나타나는 현상이다.

700년의 역사를 가지고 있는 이 지역의 대표적인 와이너리인 유르취치-존호프Jurtschitsch-Sonnhof를 방문했다. 14세기부터 18세기까지 프란치스코Francis 수도원의 농장이었던 이곳을 1868년에 소유하게 된 유르취치 가문은 150년 동안 70헥타르의 포도밭에서 전통과 혁신을 통해 세계적인 와인 메이커로 성장했다.

와이너리 오너의 아들인 알빈 유르취치Alwin Jurtschitsch 씨의 안내로 한때 수도원이 사용했던 지하 14미터의 와인셀러를 구경했다. 연중 섭씨 11도의 온도와 최적의 습도를 유지할 수 있는 자연 조건이 경이로웠다. 셀러 도어에서 시음하면서 가장 관심이 있었던 것은 1987년에 소개한 혁신적인 와인 레이블 그뤼베Grüve였다. 와인 문화에서 초보자가 직면하게 되는 첫 번째 문제는 복잡한 와인 매너보다는 우선 와인 이름을 기억하고 발음하는 것이리라. 특히 독일어나 프랑스어로 된 긴 와인 이름은 더욱 어렵다. 그래서 우리나라에서 꾸준히 인기를 끌고 있는 보르도 와인 탈보Talbot나 최근에 많이 팔리고 있는 캘리포니아 와인 한Hahn은 시사하는바가 크다.

탈보는 100년 전쟁 당시 보르도에서 싸웠던 영국군 장군의 이름이며, 한은 독일어로 수탉을 의미할 뿐이지만 둘 다 우리에게는 발음하기 쉽다는 공통점이 있다. 이러한 문제점을 해결하여 마케팅 포지셔닝을 가장 성공적으로 한 것이 바

와인 박물관 로이지움에서 주문한 그뤼너 벨트리너 와인과 환상적인 궁합을 이룬 화이트 아스파라거스 요리.
화이트 아스파라거스는 '화이트골드'라고도 하며, 4~6월이 제철이다.(위)
전통과 모더니즘, 혁신적인 마케팅 전략으로 태어난 유르취치-존호프 와이너리의 컨템포러리 그뤼베 와인 레이블.
기존 와인 레이블에서는 보기 힘들었던 과감한 디자인이 눈에 들어 온다.(아래)

HAVS
AM
KLOSTER
ANNO
1541
WEINGUT
SONNHOF
37

로 그뤼베 와인이다. 우선 그뤼너 벨트리너Grüner Veltliner를 줄여 만든 합성어 그뤼베는 누구나 발음하기 쉽다. 제품의 포지셔닝 전략은 '영young & 라이트light, 프레시fresh & 드라이dry 그뤼베'로 정했다고 한다. 또한 그뤼베의 메시지를 소비자에게 전달하기 위해 1987년부터 오스트리아의 유명한 화가 크리스티안 루트비히 아르터제Christian Ludwig Attersee로 하여금 매년 화려하고도 역동적인 컨템포러리Contemporary 레이블을 그리게 했다. 그뤼베는 오스트리아 와인산업이 추구해온 모더니즘 운동의 가장 성공한 모델이 되었고, 현재 그뤼베 와인은 누구나 부담 없이 즐길 수 있는 대중적인 화이트와인으로 자리 잡았다.

스타일리시한 마케팅 전략, 젊은 마르쿠스 후버 와이너리

유르취치-존호프 와이너리와 함께 혁신을 통해 10년이란 짧은 기간에 세계적인 와인 메이커로 성장한 마르쿠스 후버Markus Huber 와이너리를 보기 위해 도나우강 남쪽에 위치한 트라이젠탈 지역을 찾았다. 이 지역은 721헥타르의 작은 포도재배 지역이지만 청동기 시대인 4,000년 전부터 포도를 재배해온, 오스트리아에서 가장 오래된 와인 역사를 가진 곳이다.
서울에서 만난 적이 있는 젊은 와인 메이커 마르쿠스 후버 씨가 여전히 미소년의 앳된 표정으로 반겼다. 10여 년 전 아버지로부터 물려받은 포도밭에서 나온 와인은 단지 전통 선술집인 호이리게에서 주전자로 판매하는 싸구려였다고 한다. 새로운 셀러를 만들고 농축된 와인을 생산하기 위해 포도 수확량을 줄이며 테루아의 특성을 살리기 위한 발효 과정 개발 및 오크통 숙성 방식 도입 등 뼈를

◀ 700년의 역사를 자랑하는 랑엔로이스 지역의 유명한 유르취치-존호프 와이너리의 고색창연한 정문.(위)
지하 와인셀러에 보관되어 있는 역사 깊은 와인 병들.(아래) 와인에 담겨 있을 그 깊이와 무게를 차마 가늠하기조차 힘들다.

깎는 혁신이 10년 만에 최고 품질의 와인을 탄생시켰다. 마케팅 전략으로 소비자가 그의 와인을 기억할 수 있도록 스타일리시한 레이블을 붙였고, 마신 후 백레이블을 쉽게 떼어 내어 보관할 수 있도록 했다.

후버 씨는 미네랄과 산도가 풍부하면서 상큼하고 드라이한 그뤼너 벨트리너가 한국 · 일본 음식과 궁합이 맞아 잠재력이 크다고 확신했다. 최근에 나는 서울에 있는 어느 레스토랑에서 지인과 점심을 하였는데, 와인리스트에서 우연히 이 와인을 발견하고 마셨었다. 그후에도 그 상큼한 청량감을 잊을 수 없어 다시 찾았지만 더이상 재고가 없다고 하여 아쉬움을 달랜 적이 있다.

도나우강의 절경은 유네스코에 등록된 세계자연유산에 빛나는 바하우 계곡이다. 도나우강 북안의 아름다운 강변도시 크렘스Krems에서 멜크Melk까지의 36킬로미터에 펼쳐진 바하우 계곡은 유람선을 타거나 양쪽 강변도로를 따라 자동차로 구경할 수 있다. 유람선 관광은 크렘스에서 출발하여 뒤른슈타인Dürnstein, 슈피츠Spitz, 멜크까지 서쪽 상류로 가거나 반대로 하류로 가는 코스를 택할 수도 있다. 그러나 포도밭과 마을을 둘러보려면 강변도로를 따라 자동차로 이동하는 것이 좋다.

나는 남쪽 강변도로를 따라 멜크로 향했다. 출발지인 크렘스는 한때 빈에 버금가는 상업과 교통의 중심지였지만 지금은 크렘스탈Kremstal 지역의 와인과 도나우 유람의 중심 마을이다. 자동차 통행이 금지된, 돌로 포장된 중세의 고즈넉한 골목을 걸으며 잠시 시간을 망각할 정도로 평화로움을 느꼈다. 멜크까지 가는 동안 만나는 도나우강가의 연녹색을 띤 계단식 포도밭과 바로크풍의 마을이 펼쳐지는 파노라마는 동화 속에 나온 풍경처럼 아름다웠다.

현대적으로 꾸민 시음실에서의 젊은 와인 메이커 마르쿠스 후버 씨. 앳된 얼굴이지만 새로운 와인산업을 향한 아이디어가 가득한 청년이다.

바하우 계곡에 있는 아름다운 와인마을 뒤른슈타인.
가운데 산꼭대기에 있는 성채가 사자왕 리처드 1세가 유폐되었던 뒤른슈타인 성이다.

크렘스와 멜크 사이를 흐르는 도나우강. 양안이 오스트리아의 대표적인 포도 산지인 바하우 계곡이다.
바하우 계곡의 대표적인 와이너리인 아름다운 도멘 바하우.(아래)

도나우강의 비경 바하우 계곡

사자왕 리처드 1세가 유폐되었던 뒤른슈타인 성

크렘스를 지나면 강 건너의 뒤른슈타인Dürnstein이라는 마을이 나타난다. 교회당 너머 산꼭대기에 전설적인 영웅담의 주인공인 영국의 사자왕 리처드Richard 1세가 유폐되었던 뒤른슈타인Burgruine Dürnstein 성이 있다. 제3차 십자군 원정에 참여했던 리처드 1세가 본국의 반란을 진압하기 위해 귀국하는 도중 오스트리아의 공작 레오폴드Leopold 5세에게 붙잡힌 1192년부터 다음 해까지 유폐되었던 곳이다. 왕의 행방을 찾던 음유시인 블롱델Blondel이 노래를 불러 그를 구했다는 전설이 있지만, 실제로는 막대한 몸값을 주고 풀려났다고 한다.

고색창연한 쉴로스 뒤른슈타인Schloss Durnstein 호텔에 짐을 풀고, 다음 날 아침 일찍 전설의 뒤른슈타인 성을 찾았다. 폐허가 된 성곽에서는 누구나 인생의 무상함을 느낄 것이다. 그러나 고개를 돌려 아침 햇살에 빛나는 강 건너편에 펼쳐진 바하우 계곡의 포도원 풍경을 바라보고 있자니 새로운 에너지가 솟아났다. 뒤른슈타인을 떠나기 전 바하우 지역을 대표하는 유명한 도멘 바하우Domaine Wachau 와이너리와 새로운 트렌드로 현대적인 와인을 추구하는 F. X. 피쉴러F. X. Pichler 와이너리를 방문한 후 멜크 수도원으로 향했다.

북쪽 강변의 와인마을 슈피츠를 지나 멜크에 가까워지면 남쪽 강변 절벽의 중세 요새 위에 놓인 쇤뷔엘Schönbühel 성이 보인다. 양파 모양의 청동 돔과 연한 황토색의 성채가 아름다움을 뽐냈다. 지난 번 방문 때 경비행기를 타고 이곳 바하우 계곡을 비행했을 때는 푸른 도나우강이었는데, 오늘은 한바탕 소나기 때문인지 흙탕물이어서 아쉬웠다.

10만 권의 장서를 보유하고 있는 멜크 수도원의 화려한 도서관.
바로크 건축의 한 정점으로, 발을 내딛는 순간 화려했던 시절의 분위기가 절로 느껴진다.

도나우강가의 바하우 계곡의 멜크에 있는 바로크 건축물의 진수 멜크 수도원. 소설 『장미의 이름』의 실제 배경이다.

멜크 수도원에서 바로크 건축의 진수를 만나다

바하우 계곡 여행의 백미는 멜크 수도원이다. 오스트리아에서 가장 크고 화려한 이 성이 수도원이라는 것은 역사적으로 흥미로운 일이다. 멜크 수도원은 로마 시대의 요새로 출발하여 11세기 합스부르크 왕가 이전의 바벤베르크Barbenberg 왕가의 레오폴드 2세 때부터 베네딕트Benedict 수도회의 수도원으로 사용되었으며, 자치권도 인정받았다.

멜크 수도원이 유명한 이유는 오랜 역사와 함께 18세기에 재건된 바로크 건축물의 진수이기 때문이다. 특히 도서관에는 10만 권이 넘는 장서와 2,000점이 넘

멜크 수도원의 기념품 매장에 있는 와인들. 이 와인들은 중세 때부터 수도원이 자체 생산하는 와인들이다.

는 필사본이 소장되어 있다.

200미터나 되는 복도에 진열된 각종 보물과 아름다운 천장 프레스코화, 예배당 내부를 금도금으로 장식한 화려한 로코코 양식의 인테리어를 보면서 당시의 세속적인 종교 권력의 부패상도 새삼 느낄 수 있다. 한편으로는 기념품 가게에서 판매하고 있는 멜크 수도원의 와인들을 보면서 와인 역사에도 빛과 그림자가 있다면 수도원은 분명 빛이라고 생각되었다.

중세 시대 수도원들 중 대부분은 자체적으로 와인을 생산했으며, 새로운 포도 재배와 양조기술이 수도승들에 의해 끊임없이 발전되었기 때문이다. 아랍이 남유럽의 대부분을 통치할 때도 수도원에는 종교적인 이유로 와인 생산을 허용했다.

음악과 문화유산의 도시 잘츠부르크

잘츠부르크Salzburg는 고대 로마 시대부터 건설된 역사 깊은 도시지만, 우리에게는 천재 음악가 볼프강 아마데우스 모차르트Wolfgang Amadeus Mozart와 영화 〈사운드 오브 뮤직〉을 통해 음악의 도시로 더 잘 알려져 있다. 중세에는 암염 채굴을 통해 막대한 부를 축적했고, 한때 종교 권력의 중심이었던 이 도시가 지금은 음악과 문화유산으로 관광 수입을 창출하며 또 다른 풍요를 구가하고 있다는 것은 흥미로운 역사의 아이러니다.

잘츠Salz는 독일어로 소금, 부르크Burg는 도시, 그리고 베르크Berg는 언덕을 의미한다는 것만 알아도 독일어권 여행에서 많은 도움을 받을 수 있다.

잘츠부르크는 주변의 잘츠카머구트Salzkammergut에서 채굴한 소금의 경제력으로 건설된 소금도시다. 7세기 말 독일의 바바리아Bavaria 지역을 관장하는 대교구로 출발했으며, 이곳 대주교는 1803년까지 도시와 주변을 통치하는 실질적인 군주였다. 지금은 이해할 수 없지만 당시는 신성로마제국과 로마교황청이 전 유럽을 사실상 통치하고 있었던 중세 암흑기였다.

잘츠부르크의 랜드마크, 호엔잘츠부르크 성

유네스코에 등록된 세계문화유산인 잘츠부르크의 구시

유네스코에 세계문화유산으로 등록된 잘츠부르크 구시가.
게트라이데가세의 철제 간판들은 그 하나하나가 모두 예술품이다.

베르나르 브네의 아크 조각 너머 언덕 위에
소금처럼 하얀 호엔잘츠부르크 성의 아름다운 모습이 보인다.

가를 거닐다 보면 누구나 중세의 시간 속에 있다는 착각을 하게 된다. 특히 가게마다 예술품 같은 철제 세공 간판들이 개성을 뽐내는 낭만적인 게트라이데가세Getreidegasse를 지나 모차르트의 생가에서 어린 시절 그가 사용했던 각종 악기와 악보를 보노라면 감동하기 마련이다.

바로크 양식의 대성당과 대주교가 살았던 화려한 주교관을 보면 다시 한 번 당시의 세속적인 종교 권력의 힘을 느끼게 된다. 그러나 잘츠부르크의 랜드마크는 120미터 높이의 깎아지른 듯한 언덕 위에 우뚝 서 있는 웅장한 호엔잘츠부르크Hohensalzburg 성이다. 11세기에서 15세기까지 황제와 교황 간의 패권 싸움에서 대주교가 자치권을 지키기 위해 세운 견고한 요새로, 유럽에서 가장 크고 보존이 잘 되어 있는 성이다. 실제로 함락된 적이 없는 이 성채 안에서는 대주교가 거주했던 화려한 궁전, 극장, 무기고, 도서관과 감옥 등을 볼 수 있는데, 감옥에 있는 각종 고문 시설은 참으로 끔찍했다.

박물관을 통해 성채의 전망대에 오르면 잘츠부르크 시와 알프스의 아름다운 전원 풍경을 360도로 감상할 수 있다. 신시가지의 미라벨Mirabell 궁전 정원에서 바라보면 소금처럼 하얀 빛깔의 성채는 회색빛 바로크풍의 구시가지와 함께 더할 나위 없이 아름다운 자태를 뽐내는 게 느껴진다. 기하학적으로 꾸며진 미라벨 정원은 베르

호엔잘츠부르크 성에서 내려다본 잘츠부르크 구시가지의 모습.

사이유Versailles 궁전의 정원보다는 작은 규모지만, 그 아름다움은 결코 뒤지지 않는다. 17세기 볼프 디트리히Wolf Dietrich 대주교가 비련의 연인 살로메 알트Salome Alt를 위해 만든 정원이기에 더 아름다운지도 모른다.

브네의 작품을 마음껏 감상할 수 있는 곳

그러나 가장 멋있는 장면은 유명한 베르나르 브네Bernar Venet의 작품을 원 없이 감상할 수 있는 야외 조각 공원에서 바라본 풍경이다. 푸른 벌판에 설치된 녹슨 철제 아크 조각품 너머 900년의 세월을 품고 있는 하얀 소금의 성을 보고 있노라니 과거와 현재가 공존하며 연출해 내는 묘한 아름다움에 자리를 뜰 수가 없었다.

모차르트와 함께 오늘날 잘츠부르크를 음악도시로 알린 것은 할리우드의 영화 〈사운드 오브 뮤직〉이다. 실화를 배경으로 한 할리우드의 영화산업 덕택이지만, 여전히 촬영지를 순회하는 패키지 투어는 이곳에서 가장 인기 있는 프로그램이다. 〈도레미 송Do Re Mi SONG〉을 불렀던 미라벨 정원, 게오르크 폰 트라프Georg von Trapp 대령의 저택으로 묘사됐던 레오폴츠크론Leopoldskron 성과 호수, 주인공들이 노래하며 춤춘 아름다운 정자가 있는 여름 궁전 헬브룬Hellbrunn, 마리아Maria와 트라프 대령의 결혼식을 촬영한 교회가 있는 몬트제Mondsee의 아름다운 호수와 알프스의 산록山麓을 방문하는 코스다. 그중 몬트제

17세기 볼프 디트리히 대주교가 연인 살로메 알트를 위해 만든 기하학적으로 꾸며진 미라벨 정원. 멀리 호엔 잘츠부르크 성이 보인다.(위) 몬트제 마을의 카페거리는 동화 속에서 막 튀어나온 것 같다. 부지런히 생활을 가꾸는 상인들과 따듯하게 인사를 건네는 행인들이 함께 거리를 만든다.(아래)

〈사운드 오브 뮤직〉의 결혼식 장면을 촬영한 장소로 유명한 달의 호수 몬트제 마을의 입구.
말괄량이 수녀 마리아와 일곱 아이들이 어디선가에서 지켜보고 있을 것 같다.

마을의 카페 거리에는 당시의 건축물들이 동화 속의 장면처럼 펼쳐져 있는 아름다운 모습을 볼 수 있다.

비행접시를 닮은 이카루스 레스토랑

알프스산록에 위치한 잘츠부르크는 와인 산지가 아니다. 그럼에도 굳이 이곳을 방문한 것은 오스트리아에서 어떤 와인 산지보다도 평생 잊을 수 없는 와인과 음식의 특별한 체험을 위해서였다. 오스트리아 와인 마케팅 협회의 전 회장이며, 내 와인 MBA 동창인 마이클 터너Michael Turner 씨의 주선으로 잘츠부르크 공항 내 행가-7Hangar-7에 있는 이카루스Ikarus 레스토랑을 찾았다. 유리와 철골로 이루어진 비행접시UFO 외형을 한 현대적인 건물은 보는 이를 압도하기에 충분하다. 행가-7은 역사가 있는 비행기와 초기 경주용 포뮬러Formula 1을 수집·전시한 오스트리아의 음료회사 레드불Red Bull의 격납고로 식당, 전시장, 바와 공연장을 갖춘 최첨단 문화공간이다.

이카루스 레스토랑은 미슐랭 가이드에 랭크된 유명 레스토랑이다. 높이 날고자 하는 인간 욕망의 허망함을 시사하는 그리스 신화 속 인물 이카루스는 비행기를 격납하는 행가-7과 잘 어울리는 이름이라고 생각했다. 레스토랑에서는 세계적인 스타셰프 에카르트 비치히만Eckart Witzigmann의 주도 아래 국제적인 주방장들이 매월 돌

초현대적인 건축물 행가-7. 역사적인 비행기, 포뮬러 1의 전시뿐만 아니라 갤러리,
공연장과 유명한 이카루스 레스토랑이 있는 종합 문화공간이다.

이카루스 레스토랑의 셰프테이블에서 음식과 함께 마셨던 와인들과 서빙을 담당한 소믈리에.

아가며 요리를 선보이고 있다.

입구에서 안내를 받고 간 곳은 놀랍게도 홀이 아닌 주방이었다. 예약을 잡기 어렵다보니 임시로 마련한 테이블인가 싶었는데, 얼마 후 그곳이 요즈음 우리나라에도 유행하고 있는 '더 셰프테이블The Chefstable'(키친테이블이라고도 하며, 미식가나 VIP를 위해 주방 안에 특별히 마련한 테이블에 주방장이 직접 음식을 서빙하고 설명하기도 한다)이라는 것을 알고 놀랐다. 음식과 예술을 접목시킨 패션 푸드로 유명한 스타 수석셰프 롤랜드 트레틀Roland Trettl 씨가 손수 만든 요리를 직접 서빙했다. 트레틀 씨가 준비한 요리는 전채를 포함하여 총 아홉 종류, 그리고 요리와 페어링을 맞춘 와인도 아홉 가지나 특별히 선택해 전속 소믈리에가 서빙하게 했다. 두 시간 넘는 식사시간에 우리는 음식과 와인을 주제로 즐거운 대화를 나눴

이카루스 레스토랑에서 나를 위해 요리했던 주방 사람들. 맨 오른쪽이 수석셰프 롤렌드 트레틀 씨다.

다. 그러다가 내가 쓴 『와인 & 와이너리』와 그가 집필한 『패션 푸드Fashion Food』 등 여러 요리책을 주고받기도 했다.

트레틀 씨는 일본에서도 수년 동안 요리를 배워서인지 참치 타다키, 훈제 장어, 중국산 루바브를 사용한 재료나 음식의 디스플레이 등에서 매우 섬세하고 동양적인 모습을 보였다. 특히 푸아그라와 모렐버섯을 곁들인 루바브 피제타Pizzetta(미니 피자)에 1990년산 그뤼너 벨트리너 솔리스트Grüner Veltliner SOLIST의 페어링은 완벽 그 자체였다. 20년이 넘었지만 아직도 균형을 잃지 않고 살아있는 화이트와인을 맛볼 수 있다는 것은 행운이었다.

황제(?)의 만찬을 끝낸 후 가격과 팁이 어느 정도일까 생각하면서 계산서를 요청하니 "컴플리멘터리Complimentary(무료)!"라고 했다. 트레틀 씨는 나를 특별한 손

이카루스 레스토랑이 있는 행가-7의 내부 모습.
천정 꼭대기에 바가 걸려 있고, 아래에는 포뮬러-1 자동차들과 비행기들이 있다.

행가-7의 이카루스 레스토랑 키친테이블에서 서빙받은 총 아홉 가지 코스 요리.
첫 번째 사진은 버터이고, 맨 마지막 사진이 디저트다.

행가-7의 이카루스 레스토랑에서 셰프들이 장인정신으로 정성들여 요리를 준비한다.

님으로 대접한 것이라면서 한국의 요리사가 필요할 때 도와달라고 했다.
그와 헤어진 후 아직까지 한국 요리사를 구해달라는 요청을 받지 못했지만 언젠가 그날이 오기를 기대하고 있다. 와인과 음식은 각기 다른 세계와 문화를 이어주는 커뮤니케이션이라는 것을 다시 한 번 절감하면서…….
얼마 전 그의 제자가 현재 우리나라의 유명한 특급 호텔의 수석셰프로 일하고 있다는 뉴스를 들었다.

HALLSTATT
WEHRT
SICH!
Julius Meinl
Wien 1862

유네스코에 등록된 세계자연유산인 할슈타트호수.
그 옆에는 그림같이 아름다운 호반마을이 있다. 고대의 와인 생산지 유적이 발견된 곳이다.

환상의 드라이브코스 잘츠부르크–바트 이슐–할슈타트–그라츠

오늘은 잘츠부르크를 떠나 바트 이슐Bad Ischl, 할슈타트를 거쳐 오스트리아에서 가장 아름다운 전원 풍경을 연출하는 남부 슈타이어마르크의 주도 그라츠Graz까지 280킬로미터를 달리는 일정이다. 할슈타트는 유네스코에 등록된 세계자연유산으로 호수와 호반마을 풍경이 그림같이 아름다웠다. 유리알처럼 맑은 호수는 너무 맑아서인지 오히려 검게 보였다. 지금은 와인을 생산하지 않지만 소금 광산이 많은 이곳에서 고대에 와인 생산지 유적이 발견되었다는 것이 흥미로웠다.
할슈타트에 도착하기 전 알프스산록에 자리 잡은 아름다운 휴양도시 바트 이슐에 들렀다. 유럽인들이 지금도 열광하는 엘리자베트 폰 비텔스바흐Elisabeth von Wittelsbach 황후(이하 '엘리자베트 황후')의 생애를 볼 수 있는 황제의 별장이 있는 마을이다.

엘리자베트 황후의 드라마틱한 일생

'시씨Sissi'라는 애칭으로 불렸던 엘리자베트 황후는 오스트리아 합스부르크 제국의 최후의 황제 프란츠 요제프Franz Joseph의 부인으로, 그녀의 일생은 한 편의 드라마처럼 아름답고 비극적이다. 독일 바이에른Bayern 공국의 비텔스바흐Wittelsbach 공작의 둘째 딸로, 언니 헬레나Helena가 요제프 황제와 선보는 자리에 따라갔다가 그녀의 미모에 반한 황제가 언니 대신 동생을 선택하여 16세의 어린 나이에 황후가 되었다.
천성이 자유분방하였던 엘리자베트 황후는 궁중 생활에 따른 압박감에 더해 유일한 아들인 황태자 루돌프Rudolph마저 애인과 자살한 이후 우울증과 허무주의에 빠져 유럽의 여러 지역을 여행하다 1898년 레만Léman호숫가에서 이탈리아의 무

오스트리아의 최후기 황후 엘리자베트가 머물렀던 이슐의 별장.(위)
아름다운 정원에는 엘리자베트 황후의 초상화가 있다.(아래)

정부주의자에 의해 암살당했다. 1914년 황제 계승자인 엘리자베트 황후의 조카 페르디난트Ferdinand 황태자 역시 사라예보에서 세르비아 청년에게 암살당하자 제1차 세계대전이 발발하였고, 1918년에는 600여 년 동안 중부 유럽을 호령하였던 합스부르크 제국이 역사 속으로 사라졌다.

엘리자베트 황후의 드라마틱한 일생은 빈에 있는 황제의 아파트먼트Apartment와 시씨 박물관에 잘 전시되어 있다. 한때 유럽의 사교장이었던 이곳 알프스의 작은 마을 바트 이슐의 별장에 전시되어 있는 암살 직전 시씨의 유품을 보면서 당시 유럽을 울렸던 황후 부부의 사랑과 비극, 인생의 무상함을 생생하게 느낄 수 있었다.

낭만적인 와인가도 슈타이어마르크

슈타이어마르크 주의 주도이자 오스트리아의 제2 도시인 그라츠는 빈에서 남쪽으로 200킬로미터에 위치한 역사적인 도시다. 중세 시대의 유적이 많아 유네스코에 세계자연유산으로 등록된 관광 명소이기도 하다. 슈타이어마르크의 포도 재배 면적은 총 4,400헥타르로, 비교적 넓은 와인 산지다. 그라츠를 중심으로 블라우어 빌트바허Blauer Wildbacher 포도 100퍼센트로 만든 쉴허Schilcher 와인으로 유명한 서부, 화산재로 형성된 테루아

슈타이어마르크 주의 주도이며 오랜 역사를 가지고 있는 그라츠 시의 아름다운 모습.

로 인해 스파이시한 트라미너Traminer 와인을 생산하는 남동부, 그리고 소비뇽 블랑 으로 화이트 와인을 주로 생산하는 남부 등 세 지역으로 분류된다.
그중 남쪽에 있는 슬로베니아와의 국경지역 구릉에 펼쳐진 2,350 헥타르의 남부 슈타이어마르크 지역이 세계 최고 품질의 소비뇽 블랑 와인 생산지다. 이곳에서는 소비뇽 블랑 이외에도 이곳 테루아의 특징을 반영한 벨슈리슬링Welschriesling, 모리용Morillon(샤르돈느), 뮈스카텔러Muskateller, 트라미너Traminer 등 다양한 품종의 포도를 재배한다. 이곳의 토양은 사암砂岩, 혈암頁巖, 점토 그리고 조개화석 등으로 이루어져 있다. 또한 남쪽 아드리아해의 영향을 받아 온난한 지중해성 기후이며, 밤 기온이 시원해 풍부한 아로마와 우아한 과일 향을 만들어낼 수 있는 소비뇽 블랑 재배에 최적인 기후 조건을 가지고 있다.
이 지역은 도나우강가의 바하우 계곡과 함께 그림같이 아름다운 전원 풍경을 자랑하는 오스트리아 최고의 와인 관광지로 유명하다. 특히 슬로베니아와의 국경지역을 따라 동쪽 에렌하우젠Ehrenhausen에서 감믈리츠Gamlitz, 라이프니츠Leibnitz의 서쪽 소살Sausal 지역까지 경사진 구릉 위로 꼬불꼬불하게 연결되어 있는 낭만적인 와인가도를 달리는 것이 이곳 여행의 백미다. 왼쪽은 슬로베니아, 오른쪽은 오스트리아 영토 내의 포도밭이 파노라마처럼 펼쳐진 장관을 볼 수 있다. 포도밭 어디에서나 볼 수 있는 목재바람개비는 삐걱거리며 돌아가면서 요란한 소리를 내어 새를 쫓는 장치인데, 이 지방의 상징이기도 하다.

소비뇽 블랑으로 유명한 테멘트 와이너리

남부 슈타이어마르크 최고 품질의 소비뇽 블랑 와인을 생산하고 있는 테멘트Tement 와이너리를 방문했다. 와인가도에 있는 치어렉Zieregg 마을에 위치한 테멘

테멘트 와이너리에서 시음한 세계 최고 품질의 화이트와인들.
맨 왼쪽이 대표 와인 소비뇽 블랑 치어렉 STK-라겐, 크리스탈 병마개가 보인다.(위)
오스트리아와 슬로베니아 양쪽 국경에 포도밭을 가지고 있는 테멘트 와이너리.(아래, 오른쪽 건물)

슈타이어마르크 근교 슬로베니아 영토에서 테멘트 와이너리가 새로 개발한 척박한 땅에 포도 묘목을 심고 있다.(위)
포도나무 묘목.(아래) 심은 후 3년부터 포도가 열리지만, 그 포도로는 와인을 만들 수 없다.

트는 남쪽의 슬로베니아 영토를 내려다보는 구릉 위에 현대적인 양조시설을 갖추고, 75헥타르의 포도원에서 소비뇽 블랑을 55퍼센트 이상 재배하고 있다. 먼저 오스트리아와 슬로베니아 양쪽에 포도밭을 소유하고 있는 테멘트의 포도밭을 이웃집 드나들듯 자유롭게 양국의 국경을 넘나들며 구경했다. 또한 테멘트는 슬로베니아 영토 내에서 새로운 포도밭을 조성하고 있었다. 암반에 가까운 땅에서 트랙터로 포도 묘목을 심는 것을 보면서 풀 한 포기 자랄 수 없는 저 척박한 토양에서 어떻게 포도나무가 자라고, 그렇게 향기로운 와인이 탄생할 수 있는지 생각하면서 새삼 인간의 도전정신과 자연의 소중함을 절감했다.

테멘트는 오스트리아에서 일곱 개 와이너리만이 가지고 있는 품질 인증 마크를 부착한 와인을 생산하고 있다. 스티리아 클래식Steyrische Klassik은 신선한 과일 향이 풍부하도록 스테인리스 탱크에서 숙성하고, 한 단계 높은 품질의 STK-라겐Lagen 와인은 잘 익은 포도를 수확한 뒤 저온 장기 발효가 이루어지도록 대형 오크통에서 숙성해 복합적이고 스파이시한 맛을 낸다.

이곳의 토양을 잘 알 수 있도록 땅을 절개하여 만든 지하 와인셀러를 구경한 뒤 와이너리 오너의 아들 아민 테멘트Amin Tement 씨의 설명을 들으며 와인을 시음했다. 소비뇽 블랑 이외에도 여러 종류의 와인을 시음했지만, 테멘트의 대표 와인 소비뇽 블랑 치어렉 STK-라겐Sauvignon Blanc Zieregg STK-Lagen 2006년 빈티지는 지금도 잊을 수 없는 최고의 와인이다. 짙은 녹색 병과 검은 바탕 위의 심플한 황금색 레이블의 로고가 현대적이다. 특히 코르크 대신 특별히 제작한 크리스탈 마개에만 1유로의 추가 비용이 발생한다고 한다.

엷은 녹색이 감도는 노란 빛깔에 구스베리·벌꿀과 민트 향, 입안을 감도는 미네랄과 약간 스파이시하고 부드러운 바닐라 향이 비단결처럼 산도와 절묘하게 복합된 풍미가 일품이었다. 나에겐 소비뇽 블랑의 정석이라고 하는 뉴질랜드 와인

와인가도에서 바라본 최고 품질의 소비뇽 블랑을 생산하는
슈타이어마르크 부르크하우젠 지역의 아름다운 포도밭 전경.

슈타이어마르크의 포도밭에서는 어디서나 목재바람개비를 볼 수 있다. 삐걱거리며 돌아가면서 요란한 소리를 내어 새를 쫓는다.(위)
오스트리아에서 가장 아름다운 전원 풍경을 연출하고 있는 슈타이어마르크의 와인가도. 구릉 아래 왼편은 슬로베니아의 영토다.(왼쪽)

은 포도의 맛을 너무 정직하게 표현해 신비감이 떨어지고, 소비뇽 블랑의 원조격인 프랑스의 보르도 와인은 우아하지만 무거워 신선함이 부족하다고 느껴졌다. 어쩌면 슈타이어마르크의 와인이 이 두 와인의 부족한 부분을 보완한 소비뇽 블랑의 새로운 와인 스타일이 될지도 모르겠다고 생각하였다.

도나우강가의 토양을 품은 그뤼너 벨트리너가 현재 오스트리아의 자랑이라면, 이곳 슈타이어마르크의 소비뇽 블랑은 오스트리아를 빛낼 미래의 와인이 되지 않을까?

음악가 프란츠 리스트의 고향인 중부 부르겐란트 지방의 전원 풍경. 가운데 나무가 뽕나무로 마리아 테레지아 여황제 때부터 비단을 만들기 위해 심기 시작했다고 한다.

프란츠 리스트의 고향, 부르겐란트

아름다운 슈타이어마르크를 떠나 오스트리아에서 두 번째로 큰 와인 생산지인 부르겐란트 지방으로 향했다. 오는 도중 다음 와이너리 방문 약속 때문에 1854년 완공되어 기차가 처음으로 알프스산맥을 넘게 해준, 유네스코에 등록된 세계문화유산 젬머링Semmering산악지대의 철도를 보지 못한 것이 못내 아쉬웠다.

그러나 알프스산맥의 동쪽 끝자락에 해당하는 이 지역의 정겨운 농촌 풍경들을 볼 수 있어 위로가 되었다. 이곳은 교향시 〈전주곡Les préludes〉으로 유명한 음악가 프란츠 리스트Franz Liszt의 고향이기도 하다. 리스트는 헝가리 음악가로 알려져 있는데, 이곳은 그가 태어날 때에는 헝가리였으나 제1차 세계대전 후 오스트리아 영토로 편입되었다.

중부 부르겐란트의 와인마을인 호리존Horitschon에 있는 베닝거Weninger 와이너리에 도착하니 늦은 오후가 되었다. 베닝거는 이 지역에서 최고 품질의 블라우프랭키쉬Blaufränkisch 와인을 생산하고 있는 대표적인 와이너리이다.

와인 애호가들이 와인을 마실 때 어려운 포도 품종 이름 때문에 스트레스가 많다고들 한다. 나 역시 오스트리아를 방문하기 전에는 블라우프랭키쉬 와인을 잘 몰랐다. 암펠리데과Ampelidaceae科(넝쿨식물)에 속하는 포도나무는 은행나무처럼 원래 암수가 따로 있었고, 그중 99퍼센트 이상을 차지하는 유럽 품종인 비티스 비니페라Vitis vinifera 종만 오늘날과 같은 와인을 만들 수 있었다. 이러한 원시적인 포도나무는 인간의 육종 기술에 의해 암수가 하나가 되었고, 재배지의 테루아에 적합한 새로운 품종들로 끝없이 개발되어왔다.

따라서 현재 모든 양조용 포도 품종에는 반드시 아버지와 어머니가 있다는 것이 흥미로운 일이다. 물론 아직 부모를 찾지 못한 고아 포도나무도 있지만……. 대표적인 레드와인 품종 카베르네 소비뇽Cabernet Sauvignon의 부모가 카베르네 프랑Cabernet Franc과 소비뇽 블랑Sauvignon Blanc이라는 것도 DNA 검사를 통해 1996년에 밝혀졌다. 그래서 영어로 포도 품종은 변종Variety이라고 표현한다. 현재 전 세계에 양조용 포도나무 변종은 8,000여 종에 달하며, 이 중 실제로 상용화된 품종이 1,000여 종으로, 전문가에게도 이를 모두 이해하는 것은 결코 쉬운 일이 아니다. 오스트리아가 자랑하는 레드와인 품종 블라우프랭키쉬 역시 아직 부모의 뿌리를 찾지 못했다. 다만 어원이나 기록을 통해 깨끗하고 섬세한 레드와인 품종으로 수백 년 동안 오스트리아에서 재배된 토착 품종이라는 사실만이 알려져 있다.

베닝거 와이너리의 지하 와인 셀러. 현대적인 외부 건축물 안에서 오랜 전통이 마법처럼 공존하고 있다.(위)
부르겐란트 지방에 있는 베닝거 와이너리의 셀러 도어.(아래) 유기농보다 엄격한 바이오다이나믹 농법으로 와인을 생산한다.

Weningers
Flaschenpost
Jahresabo
€ 160,00
franz
2008
franz
2008

바이오다이나믹 와이너리 베닝거

시골마을 골목길을 따라 베닝거 와이너리에 도착하니 오너인 프란츠 베닝거Franz Weninger 부부와 아들 라인하르트Reinhard 등 가족 모두가 기다리고 있었다. 가족 중심의 소규모 와이너리가 오스트리아 와인산업의 특징인데, 소유주의 와인철학과 정신을 구현할 수 있다는 장점이 있다. 베닝거 와이너리는 30헥타르의 포도원에서 2006년부터 유기농有機農, organic farming과 바이오다이나믹Biodynamic 농법을 통해 자연친화적인 와인을 생산하고 있다. 지난 수세기 동안 와인 업계는 화학비료와 농약을 사용하여 포도를 재배하고, 과학적인 양조 방법과 장비의 개발을 통해 양질의 와인을 생산했다. 또한 숙성을 위해 병 속 와인에 보존제(방부제)를 첨가하는 것이 당연시되었다.

그러나 최근 웰빙 시대를 맞아 신세계 와이너리를 중심으로 앞다투어 유기농와인을 생산하는 것이 하나의 트렌드가 되었다. 유기농와인은 화학비료, 살충제나 제초제 등을 사용하지 않고 재배한 포도로 만든 와인을 말한다. 「프랑스편」에서도 소개했던 바이오다이나믹 농법은 유기농보다 더 엄격한 자연친화적 농법으로 1920년대 오스트리아의 철학자이자 농학자인 루돌프 슈타이너Rudolf Steiner 박사가 제창하였다.

유기농보다 엄격한 바이오다이나믹 농법

베닝거 부자의 안내를 받으며 바이오다이나믹 농법을 적용한 포도밭을 방문했는데, 새들이 해충을 잡아먹도록 군데군데 새집을 설치해놓은 것이 인상적이었다. 수령이 80년 이상 된 블라우프랭키쉬 포도나무가 아직도 어려 보이는 이유는 바이오다이나믹 농법 덕택일까?

베닝거 와이너리에서 바이오다이나믹 농법에 사용하고 있는 퇴비. 분쇄한 허브, 소뿔, 쇠뜨기 등을 섞어 뿌려준다.(위) 블라우프랭키쉬 품종으로 유기농 명품 와인을 생산하고 있는 베닝거 와이너리의 뒤라우 포도밭. 사진 속의 새집과 무성한 풀들이 바이오다이나믹 농법이 어떤 것인지를 보여준다.(아래)

weninger
Sopron · Balf
Sperrn Steiner
Kékfrankos
Sopron 2006
weninger
Sopron · Balf
Kékfrankos
Balf 2007
weninger
Sopron · Balf
Kékfrankos
Sopron
2008
weninger
Pinot Noir
Kalkofen 2008
weninger
Alte Reben
2007
weninger
Hochäcker
Blaufränkisch
2008
weninger
Blaufränkisch
2008

1998년에 재건축되어 현대 건축 관련 상을 여러 차례 수상한 와이너리 건물은 셀러, 병입 시설, 시음장, 사무실 등이 개방형으로 설계되었고, 자연 채광을 최대한 살린 자연친화적인 건축물이다. 바이오다이나믹 농법을 상징하는 현대적인 병 레이블 디자인과 함께 고즈넉한 농촌마을에서 과거와 현재가 공존하며 묘한 아름다움을 연출해냈다. 베닝거 와이너리는 1995년에는 '올해의 와인 메이커'로, 2008년에는 미국의 저명한 와인 전문지인《와인 앤 스피릿*Wines & Spirits*》으로부터 '올해의 와이너리'로 선정된바 있다.

브루넬로 디 몬탈치노 와인을 개발한 이탈리아의 전설적 와인 메이커 비온디 산티는 생전에 "아름다움을 창조할 수 있는 자연의 능력을 믿고 기다려라"라고 했다. 베닝거 씨는 "포도나무가 원래의 자연으로 돌아가 그 자연 속에서 균형을 찾을 수 있도록 인간의 영향력을 최소화해야 한다"라는 철학을 가지고 와인을 만들고 있다고 말한다.

와인 시음을 곁들인 저녁식사에 초대받았는데, 부인이 직접 요리한 헝가리 전통 음식이 메인 요리였다. 보르도의 샤토Château나 이탈리아의 카스텔로Castello에서처럼 화려한 디너와는 달리, 직원들과 온 가족이 함께한 저녁식사는 시골집 잔치처럼 즐거웠다. 수령 40~80년생 포도로 만든 뒤라우 블라우프랭키쉬Dürrau Blaufraenkisch 2006 와인을 메인 요리에 곁들여 마셨는데, 세상의 어떤 와인과도 비교할 수 없는 독특한 스타일이었다.

오스트리아의 대표 레드와인, 블라우프랭키쉬

뒤라우의 포도원은 석회질이 적은 대신 철분 함유량이 높고 점토질인의 비옥한

◀ 베닝거 와이너리에서 시음한 와인들. 오른쪽 병에 사용한 유기농와인을 상징하는 현대적인 레이블 디자인이 인상적이다.(위) 베닝거 와이너리의 포도밭은 모래, 자갈, 철분이 포함된 이회토로, 전형적인 중부 부르겐란트의 토양이다.(아래)

유네스코에 등록된 세계자연유산이며 오스트리아의 국립공원인 노이지들러호수의 전경. 물새들의 천국이다.

토양이 두껍게 퇴적되어 있어 포도나무의 뿌리가 깊게 뻗어나가 풍부한 수분과 무기질을 흡수할 수 있다. 또한 판노니아Pannonian 지역은 위도가 높은데도 대륙성 기후의 영향으로 여름은 덥고 겨울은 온난하여 블라우프랭키쉬 재배에 최적의 테루아다.

블라우프랭키쉬 와인은 짙은 루비색을 띤 석류 색깔에 농축된 블랙베리, 살아 있는 체리, 연기, 흙, 나무, 후추 등 복합적인 향기와 우아한 타닌, 적절한 산도가 균형을 이룬 풀 보디 와인이지만 전체적으로 부르고뉴 와인과 보르도 와인의 중간 스타일이라고 생각되었다. 도나우강가의 와인인 그뤼너 벨트리너가 오스트

리아를 대표하는 화이트와인이라면, 머지않아 이곳 부르겐란트의 블라우프랭키쉬도 세계의 와인 애호가들을 감동시킬 또 다른 오스트리아의 명품 레드와인이 될 것이 분명하다.

세계자연유산 노이지들러호수

블라우프랭키쉬 와인의 고향인 중부 부르겐란트를 떠나 부르겐란트의 심장부라 할 수 있는 노이지들러호수로 향했다. 호리존에서 노이지들러호수 남쪽을 돌아 호

노이지들러 국립공원에서는 어디를 가나 이런 환상적인 장면을 볼 수 있다.

수 동쪽의 와인마을 일미츠Illmitz로 가기 위해서는 헝가리의 영토 소프론Sopron 지방을 통과해야 한다. 이곳도 오스트리아의 부르겐란트처럼 레드와인 생산지로 유명하다. 아침 햇살을 받은 녹색 포도원이 오스트리아와는 달리 왠지 시골스럽고 순박해 보이는 것은 선입견 탓일까?

노이지들러호수를 중심으로 한 1만 4,500헥타르 면적의, 오스트리아에서 두 번째로 큰 부르겐란트 와인의 산지는 전적으로 이 호수의 영향으로 발달해왔다. 노이지들러호수는 오스트리아와 헝가리가 공유하고 있는 유네스코에 등록된 세계자연유산이며 국립공원이다. 중앙 유럽에서 두 번째로 큰 315제곱킬로미터 면적에 남북 길이가 36킬로미터, 폭이 6~12킬로미터이나 수심은 최대 1.8미터일 정도로 낮아 늪지대와 갈대숲이 우거져있으며 각종 동식물, 특히 새들의 천국이다.

노이지들러호수는 지하에서 솟아오르는 용천수와 빗물로 이루어져 염도가 다소 높은 일종의 솔트레이크salt lake로, 무려 1만 8,000년 전에 형성되었다. 현재까지 8,000년 동안 자연과 인간이 공존하면서 만들어낸 다양한 문화와 아름다운 호반마을, 야생동물이 뛰어노는 초원, 습지와 갈대숲 그리고 포도밭이 어우러져 순수하고 원시적인 자연의 아름다움을 연출한다. 특히 황새가 많은 이곳은 국제습지조약으로 보호받고 있으며, 유럽인들의 인기 있는 관광지로 각광받고 있다.

유네스코에 등록된 세계자연유산인 노이지들러호수의 동쪽 제빙켈 국립공원 지역의 갈대호수.
국립공원의 토종 식물들과 포도나무가 호수와 함께 공존하는 세계 유일의 포도원이다.

바람과 습도, 온도가 만드는 최고의 스위트 와인 산지

노이지들러호수의 동쪽 7,850헥타르의 노이지들러-제빙켈Neusiedl-Seewinkel 지역은 염분이 포함된 바람과 아침의 높은 습도, 밤낮의 기온차가 심한 대륙성 기후의 영향으로 최고 품질의 스위트 와인과 부드러운 츠바이겔트 레드와인 생산지로 유명하다.

스위트 와인은 국가마다 차이가 있지만 와인 1리터당 30~100그램 이상의 당분이 포함되어 있는 와인을 말한다. 단순히 테이블와인을 드라이·미디엄·스위트로 분류할 때의 스위트 와인은 아니고, 주로 식사 후 디저트나 달콤한 케이크나 치즈 등과 함께 마시는 와인이며, 보통 375밀리리터짜리 작은 병으로 생산한다. 우리에게 잘 알려진 보르도의 소테른Sauternes 지역의 샤토 디켐Château d'Yquem, 헝가리의 토카이Tokaji, 독일의 아이스바인Ice wine이 대표적인 스위트 와인이다.

「프랑스편」에서 이미 언급한 바 있는 스위트 와인을 만드는 방법은 보통 수확한 포도송이를 1~2주 말려 인위적으로 당도를 높인 스트로 와인Straw wine(오스트리아는 쉴프바인Schilfwein), 수확 시기를 늦춰 포도의 당도를 높인 레이트 하비스티드 와인Late harvested Wine, 서리를 맞게 하여 포도 알갱이 속 수분을 얼게 해 당도를 최대한 높인 아이스바인 그리고 황금에 비유되는 최고의 스위트 와인인 귀부貴腐 와인Noble Rot으로 나뉜다.

'귀부貴腐곰팡이'라 불리는 보트리티스 시네레아Botrytis Cinerea 곰팡이에 감염된 포도로 만든 귀부 와인에 대해서는 「프랑스편」에서 이미 설명하였다. 곰팡이가 우리 인류에게 많은 재앙을 주고 있지만, 페니실린penicillin을 만든 푸른곰팡이나 귀부곰팡이는 자연이 인류에게 보상하는 귀한 선물일지도 모른다.

노이지들러호수의 동편 제빙켈 지역은 광활한 초원과 습지, 염분을 포함하고 있는 아침 안개와 따듯한 대륙성 기후의 자연환경이 세계 어느 곳과도 비교할 수

노이지들러 국립공원에 있는 스위트 와인의 명가 치다와이너리의 정원이 단순하지만 아름답다.
츠바이겔트로 만든 치다의 레드스위트 와인.(아래)

없는, 귀부포도가 자랄 수 있는 천혜의 테루아를 제공하고 있다.

최고의 스위트 와인 메이커 치다 와이너리

이 지역을 대표하는 세계적 스위트 와인 생산자인 한스 치다Hans Tschida 씨의 와이너리를 찾았다. 제빙켈 지역의 와인마을 일미츠에 위치한 아담한 와이너리에는 한스 치다 씨가 부인과 함께 기다리고 있었다. 노이지들러호수에 면해 있는 국립공원 제빙켈의 중심 지역에 있는 36헥타르의 포도밭에서 다양한 스타일의 스위트 와인과 츠바이겔트 레드와인을 생산하고 있다.

지난 2002년에 이곳의 자연 생태 보호 지역 안에 있는 포도원을 방문했을 때는 마차를 이용했는데, 이번에는 출입 허가 절차 없이 치다 씨의 사륜 구동차를 이용해 그림 같은 호반의 갈대숲과 늪지대를 따라 이동하면서 포도원뿐만 아니라 각종 물새와 사슴을 가까이서 관찰할 수 있었던 것은 또 다른 행운이었다. 치다 씨는 자신의 포도원이 갈대·호수·포도나무가 공존하는 세계 유일의 '유네스코에 등록된 세계자연유산 포도밭'이라고 자랑했다. 포도원 방문 중에 한가롭게 낚시질을 하고 있는 노인을 만났는데, 바로 치다 씨의 아버지였다.

이곳에서 서식하는 각종 야생동물이 박제되어 있는, 갈대 지붕의 토속적인 레스토랑으로 점심 초대를 받았다. 아직 학생인 치다 씨의 아들도 동석했는데, 학업을 마치면 가업을 이어받을 것이라고 했다. 낚시를 하며 한가로이 여생을 즐기는 아버지, 가업을 이을 젊은 아들, 이렇게 3대가 함께 와이너리를 지키는 가족 중심의 전통이 아름답고 부러웠다.

치다 와이너리가 생산한 스위트 와인의 노란색을 띤 황금빛이 영롱하다.(위)
츠바이겔트 품종으로 만든 치다의 스위트 와인. 어떠한 물감으로도 흉내낼 수 없는 색채가 현란하다.(아래)

자신의 포도원에서 노이지들러호수가 생성한 토양을 보여주고 있는 한스 치다 씨.(위)
유네스코에 등록된 세계자연유산인 노이지들러호수 동쪽, 와인마을 일미츠에 있는 토속 음식점 모습. 치다 와이너리의 오너 한스 치다 씨가 아들과 함께 걸어나오고 있다.(오른쪽 위)
노이지들러 국립공원에서 한가로이 먹이를 뜯고 있는 야생 사슴.(오른쪽 아래)

황금빛으로 전해지는 황홀한 향기

점심을 마치고 귀부병에 걸린 포도 사진들로 장식되어 있는 셀러 도어에서 치다 와이너리의 대표적인 스위트 와인 네 종을 시음했다. 대부분의 스위트 와인은 소비뇽 블랑, 세미용Semillon, 리슬링 품종으로 만드는 데 비해, 이곳 노이지들러호숫가에서 재배한 젬믈링Sämling 품종으로 만든 2005년산 스위트 와인에서는 다른 지역의 어떤 와인과도 비교할 수 없는 개성이 느껴졌다.

노란색을 띤 영롱한 황금빛에 살구, 열대 과일, 벌꿀, 오렌지 껍질에서 아몬드 향까지 미묘하고도 복합적인 향기가 우러나왔다.

die-fahrschule.at
BÖHM-JUHASZ
Eisenstädterstrasse 4a
7100 NEUSIEDL / SEE, Tel 02167/2196
SCHNELLKURSE
21.JUNI 5.JULI
26.JULI 11.AUG.
3 WOCHENKURSE
3.MAI 7.JUNI
5.JULI 2.AUG.
Zigeuner-
musik ab
18°° Uhr

특히 당도가 높은 스위트 와인의 묵직한 유질성에도 적절한 산도가 균형을 이뤄 우아한 보디감과 신선한 풍미의 잔향이 오랫동안 입안에서 맴돌았다.
치다 와이너리는 세계적인 와인 경연에서 매해 빠지지 않고 스위트 와인 부문의 금메달을 수상하고 있다. 젬믈링은 리슬링과 야생포도의 교배종으로, 주로 독일과 오스트리아에서 성공적으로 재배되고 있는데, 특히 부르겐란트 지역에서 노블 스위트 와인용으로 가장 많이 재배하고 있다. 따라서 젬믈링은 토양의 성격보다는 귀부병에 걸리기 쉬운 자연환경이 필요한 품종이다.
젬믈링 스위트 와인은 분명 8,000년 동안 노이지들러호수를 보살피고 보존하여 세계자연유산이 되게 한 이 지역 주민들에게 자연이 선사한 황금의 선물일 것이다.

세계적인 레스토랑 타우벤코벨

유네스코에 등록된 세계자연유산인 노이지들러호수의 서쪽에 있는 작은 와인마을 쉬첸Schützen에는 오스트리아뿐만 아니라 세계적으로도 유명한 레스토랑 타우벤코벨Taubenkobel이 있다.
미슐랭 가이드 2스타 레스토랑인 이 식당 겸 호텔에 여

◀ 와이너리의 지붕 위에 보호새인 노이지들러호수의 황새 한 쌍이 둥지를 틀고 있다. 이곳에서는 어디서나 볼 수 있는 풍경이다.

장을 풀었다. 2002년 이곳을 방문했을 때는 점심만 먹었는데, 음식뿐만 아니라 고즈넉한 시골 호텔의 아름다움을 잊을 수 없어 이번 여행에서는 아예 이 호텔에서 숙박을 하고 음식도 제대로 음미하기로 하였다. 호텔은 이 지방의 전통 가옥을 리모델링하여 마치 우리의 한옥처럼 고유의 주거 문화를 체험할 수 있도록 했다. 이 호텔의 레스토랑 역시 아주 유명하다. 독학으로 유럽 최고의 요리사로 성공한 오너 셰프 발터 에젤뵉Walter Eselboeck 씨는 요리뿐만 아니라 자신의 셀러에 세계의 유명한 와인을 수집해놓고 메뉴에 맞는 와인 리스트를 작성하여 방문객에게 판매하기도 한다.

그곳의 음식에는 그곳의 와인을!

유럽 대부분의 유명 레스토랑들은 자신들의 전용 셀러에 수천수만 병의 와인을 수집 · 저장하고 와인과 어울리는 메뉴를 개발한다. 19세기 미국 시인 올리버 홈스Oliver Holmes는 "와인은 음식"이라고 표현했고, 현대 와인의 아버지라고 할 수 있는 루이 파스퇴르Louis Pasteur는 "와인 없는 식사는 태양 없는 낮과 같다"고 했다. 이는 음식과 와인의 상호 관계의 중요성을 강조한 말이다. 와인처럼 아페리티프Apéritif(식전주)부터 디저트까지 음식과 함께하는 술의 종류는 많지 않다. 이러한 특성이 시공과 문화를 초월하여 와인이 오늘날 세계의 술 문화에

미슐랭 가이드 2스타 레스토랑이 있는 타우벤코벨 호텔은 이 지방의 전통 농가를 개조해 손님을 맞는다.

정착하게 된 이유일지도 모른다.

현재 음식과 와인의 궁합에 대한 다양한 용어들이 사용되고 있다. 프랑스에서는 음식과 와인이 결혼한다고 하여 마리아주Mariage라 하고, 영어에서는 매칭Matching이나 페어링Pairing이라고 표현한다. 음식을 먹을 때 와인은 음료수 역할과 함께 입안의 기름기를 씻어내 청량감을 유지하는 등 요리와 상호 작용하여 시너지 효과를 낸다.

육류에는 레드와인, 생선에는 화이트와인!

프랑스에는 음식과 와인의 궁합에 관련해 “육류에는 레드와인, 생선에는 화이트와인!”이라는 격언이 있다. 아울러 “차가운 와인에는 차가운 요리”라는 격언도 있는 것에서 보듯이 음식의 색깔 · 재료 · 온도라는 세 가지 간단명료한 원칙에 따라 와인을 선택하면 무난하다. 요즈음에는 다양한 요리가 개발되고 새로운 스타일의 와인이 탄생하므로 소믈리에나 요리를 개발한 조리사의 조언이 필요하다. 물론 정답은 언제나 마실 사람의 선택이다.

비즈니스 디너를 위한 와인 선택에 있어 기본은 신토불이身土不二의 원칙이다. 특정 지역 음식에는 같은 지역의 와인이 어울린다. 프랑스 루아르Loire강 하구의 해산물에는 그곳에서 생산하는 산도가 강하고 상큼한 상세르Sancerre 와인이 좋다. 다음은 주종관계主從關係다. 만약 음식이 주인이라면 요리의 풍미를 능가하는 보르도 스타일의 강한 와인을 주문해서는 안 된다. 반대로 좋은 와인을 마시기 위한 모임에서라면 와인의 맛을 보완해줄 수 있는 담백한 요리를 주문해야 한다. 디저트나 푸아그라 요리가 아니라면 스위트 와인은 배제해야 한다. 스위트 와인은 쉽게 혀에 침투해 음식 고유의 맛을 느끼지 못하게 하기 때문에 테이블와인은 드라이한 와인이어야 한다. 그 밖에 갈비 등 일부 육류 요리를 제외한 대부분

미슐랭 가이드 2스타 레스토랑인 타우벤코벨 레스토랑에서 서빙되는 메인 요리와,(위) 타우벤코벨에서 마신 불라우프 랭키쉬 2000.(아래)

세계적인 레스토랑 타우벤코벨이 비치하고 있는 구트오가우의 와인들.

의 한식 요리에는 화이트와인이 잘 어울린다.

오스트리아의 세계적인 작가 아르눌프 라이너Arnulf Rainer와 마르쿠스 프라헨스키Markus Prachensky의 작품이 걸려 있는 동굴 모양의 레스토랑에서 저녁을 주문했다. 어린 사슴고기와 쇠고기를 각각 메인으로 하는 두 종류의 메뉴가 준비되어 있었다. 특별한 점이 있다면 마치 와인의 빈티지처럼 요리마다 에젤뵉 씨가 개발한 연도를 표시하였다는 점이다. 테이블 보에는 내 이름의 이니셜이 새겨져 있었는데, 특별한 손님임을 강조한 세심함이 돋보였다. 식사 중 메인 요리에 서빙된, 이 마을에서 생산된 블라우프랭키쉬 2000 그리고 디저트와 함께 마신 타우

구트오가우에서 생산한 게뷔르츠트라미너 화이트와인. 레이블은 이 와인을 직접 만든 에젤뷕 씨의 둘째 아들 에메람의 이름과 캐리커쳐이다.

벤코벨 자체 브랜드 아이스바인인 벨슈리슬링 1999의 궁합은 완벽한 신토불이의 사례였다.

다음 날 아침 앤디 워홀Andy Warhol의 그림이 걸려 있는 테라스에서 역시 코스 요리로 서빙되는 아침을 먹었다. 식당 하나가 이 작은 마을에 그렇게도 많은 관광객이 오게 한다고 생각하면서 문화산업의 중요성을 느꼈다.

루스트의 대표 와이너리 파일러-아르팅거

루스트를 독립시킨 아우스부르크 와인

아침을 마치고 노이지들러호수 서쪽 부르겐란트 지방의 와인 생산지인 노이지들러제-휘겔란트Neusiedlersee-Hügelland에 있는 역사적인 와인마을 루스트Rust를 찾았다. 이 마을은 노이지들러호수의 영향으로 다양한 스위트 와인을 생산하는데, 특히 루스터 아우스부르크Ruster Ausbruch 와인이 유명하다. 아우스부르크 와인은 헝가리의 토카이와 유사하며, 이 지역에서만 생산되는 스위트 와인이다.

루스트 마을의 주민들이 아우스부르크 와인 1만 리터를 금화 6만 길더와 함께 1681년 헝가리 황제 레오폴드Leopold 1세에게 지불함으로써 루스트가 자치도시로 독립했고, 그 덕분에 아우스부르크 와인은 더욱 유명해졌다. 인구가 겨우 1,900명에 불과하지만 와인산업으로 부유했던 루스트는 1921년 오스트리아 영토로 편입되었다.

루스트의 가장 대표적인 아우스부르크 와인 메이커인 파일러-아르팅거Feiler-Artinger 와이너리를 방문했다. 고색창연한 와이너리의 지붕에 노이지들러호수의 보호새인 황새 한 쌍이 보였다. 1953년에 이 지역의 전통 와인 아우스부르크를 재현한 이 와이너리는 설립자 구스타프Gustav · 한스Hans · 커트Kurt 파일러Feiler 3대에 걸쳐 세계적인 와인 메이커로 성장했다. 대학에서 양조학을 전공하고, 보르도 지방의 전설적인 와인 메이커 샤토 슈발 블랑Château Cheval Blanc에서 훈련받은 젊은 와인 메이커 커트 씨의 안내로 포도원을 둘러본 후 이 지역이 자랑하는 아우스부르크 와인을 시음했다.

노이지들러호수를 향해 마치 고대 그리스의 야외 경기장처럼 펼쳐져 있는 28헥타르의 포도원에서는 연간 15만 병의 와인을 생산하고 있다. 특히 영화 〈더 킹

영화 〈더 킹 오브 와인그로워즈〉에 출연했던 파일러-아르팅거 와이너리의 개가 주인을 기다리고 있다.(위)
파일러-아르팅거 와이너리에서 시음한 와인들. 오른쪽 맑은 색깔의 와인들이
이 지방의 유명한 루스터 아우스부르크 스위트 와인이다.(아래)

오브 와인그로워즈The King of Winegrowers〉의 실제 배경이기도 한 이 와이너리 덕분에 루스트에는 자연과 와인을 사랑하는 많은 방문객들이 방문하고 있다. 루스터 아우스부르크 와인은 귀부병에 걸려 농축되고 쭈그러진 포도를 직접 손으로 수확하여 만든, 황금액에 비유되는 귀한 와인이다. 와인 1리터당 잔당이 140~240그램이며, 스파이시하고 농축된 과일 향과 매혹적인 달콤함, 적절한 산도에 의한 균형감 등 어떤 스위트 와인과도 비교할 수 없는 자신만의 스타일을 가지고 있다. 루스트 마을이 왕관이라면, 아우스부르크 와인은 그 왕관의 보석이다.

파일러-아르팅거의 와인들은 현재 로버트 파커나 《와인 스펙테이터》로부터 90점 이상의 높은 점수를 받고 있으며, 2013년 런던 국제 와인 경연 대회에서 '올해의 스위트 와인 메이커Late Harvest Winemaker of the Year'로 선정되었다. 자유를 살 수 있었던 황금의 와인이기에 루스터 아우스부르크의 향기는 더욱 빛나는지도 모른다.

루스트는 스위트 와인인 루스터 아우스부르크의 생산지로 알려져 있지만, 최고의 와인 관련 교육기관인 오스트리아 국립 와인 아카데미로도 유명하다.

1991년 비영리 교육기관으로 설립된 이래 2만 명 이상의 학생을 배출했으며, 2년 정규 과정부터 단기 코스까지 다양한 프로그램을 운영하고 있고, 크렘스에는 분교

고색창연한 파일러-아르팅거 와이너리의 모습. 이 지방의 전형적인 건축 양식을 보여준다.

도 있다. 고풍스러운 건물들로 이루어진 캠퍼스를 둘러보며 유럽 와인 문화의 뿌리와 깊이를 다시 한 번 확인할 수 있었다.

음악으로 와인을 숙성시키는 마르코비치 와이너리

츠바이겔트 와인으로 유명한 카르눈툼

빈으로 돌아가는 도중 니더외스터라이히 지방의 유명한 레드와인 생산지 카르눈툼Carnuntum을 방문했다. 노이지들러호수를 뒤로하고 A4번 고속도로를 따라 북쪽으로 가다 보면 빈 국제공항까지 얼마 남지 않은 곳에 이 지역의 와인 중심지 괴틀스브룬Göttlesbrunn 마을이 있다. 비록 이곳은 노이지들러호수와 빈의 중간에 위치하지만 빈 북쪽 니더외스터라이히 지방의 테루아에 속한다. 950헥타르라는 비교적 적은 면적이지만, 오스트리아에서는 가장 깊은 맛의 풀 보디 레드와인 생산지로 유명하다.

이 지역 와인의 역사는 갈리아Gallia 시대까지 거슬러 올라가는데, 로마 제국의 티베리우스Tiberius 황제 때 이후 로마 제국의 전략적 요충지로 발전했다. 게르만족의 침략을 막기 위해 서기 79년 베스파시아누스Vespasian 황제가 요새를 구축했고, 도나우강 함대의 기지와 로마 황제가 머무르는 궁전도 건설되었다. 그런 연유로 로마 시대의 유적이 풍부한 이 지역에 고대 알바니아어로 바위나 견고한 곳이라는 의미를 가진 '카르눈툼'이라는 이름이 붙여진 것이다.

4세기 로마 제국 황제인 콘스탄티누스Constantine 2세가 세운 개선문 중 20미터 높이의 기둥 두 개가 남아 있는데, 이들이 이 지역의 심벌이 되었다. 이 기둥들을 레이블로 사용하여 츠바이겔트Zweigelt 품종으로 만든 루빈 카르눈툼Rubin Carnuntum 와인도 유명하다. 석회암, 황토, 점토, 모래와 자갈이 섞여 있는 토양과 판노니아

오스트리아에서 짜이퉁겔로 가장 파워풀한 와인을 생산하는 카르눈툼 지방의 광활한 포도밭이
부드럽게 밀려오는 물결같다. 뒤편의 풍력발전기들이 인상적이다.

카르눈툼을 대표하는 마르코비치 와이너리의 예술적인 와인셀러와 시음장. 셀러에는 팝 미술 작품이 걸려 있고 항상 음악이 흐른다.(위)
마르코비치 와이너리에서 시음한 와인들. 대부분 파워풀한 와인들이다.(아래)

평원 특유의 대륙성 기후, 도나우강과 노이지들러호수의 영향으로 레드와인 생산에 있어 최적의 테루아가 만들어진 것이다.

츠바이겔트 품종은 1992년 클로스터노이부르크Klosterneuburg 대학에서 프리츠 츠바이겔트Fritz Zweigelt 교수가 블라우프랭키쉬와 생로랑St. Laurent을 교배하여 개발한 새로운 품종이다.

이 지역에서 새롭게 떠오르는 스타 와인 메이커인 마르코비치Markowitsch 와이너리를 방문했다. 괴틀스브룬 마을의 중심에 위치한 마르코비치 와이너리를 방문했을 때의 첫 번째 인상은 현대와 과거가 공존하는 매우 예술적인 곳이라는 점이었다. 1999년 '팔슈타프 빈터Falstaff Vinter'라는 상을 수상한 이 와이너리는 35헥타르의 포도원에서 레드와인을 생산하고 있는데, 특히 이곳 테루아의 성격을 잘 대변한다고 알려진 츠바이겔트 품종으로 현대적이면서도 모방할 수 없는 독특한 개성의 와인을 생산하고 있다.

열정이 넘치는 젊은 오너 게르하르트 마르코비치Gerhardt Markowitsch 씨의 안내로 가장 높은 북쪽 언덕에서 남쪽으로 아련하게 뻗어 있는 광활한 포도원을 바라보고 있노라니 가슴이 뻥 뚫리는 듯했다. 나지막한 구릉들이 잔잔하게 밀려오는 파도처럼 펼쳐진 시원한 초원에 거대한 풍력발전기들의 열주들이 마치 설치미술 작품처럼 아름답게 보였다.

포도원 구경을 마치고 와인을 시음하기 위해 와인셀러를 방문했는데, 시음장이 특이했다. 셀러 안에 유리로 된 시음장을 별도로 설치하여 온도의 변화를 방지하고 셀러를 구경하면서 시음할 수 있도록 꾸몄다. 특히 셀러에 오디오 시스템을 설치하여 잔잔한 음악이 흐르게 했다. 숙성되는 동안 음악이 흐르면 와인이 부드러워진다는 오너의 믿음에서 나온 아이디어라고 한다. 동물이나 식물을 키울 때 음악을 들려준다는 얘기는 들었지만, 와인 숙성과 관련해서는 처음이었

카르눈툼의 새로운 별 마르코비치 와이너리. 전통 건물이 예술품이다.

다. 음악이 와인에 미치는 영향을 정확히 확인하지 못했지만, 노동자들이나 와인 메이커들이 음악을 들으며 즐겁게 와인을 만들 수 있다면 분명 더 좋은 명품 와인이 탄생하지 않을까?
마르코비치의 츠바이겔트Zweigelt 2006 빈티지는 이번 오스트리아 여행에서 시음한 와인 중 가장 파워풀한 레드와인이었다. 석류빛을 띤 짙은 루비색, 발사믹과 농축된 허브 향, 미묘하고도 복합적인 과일 향, 그리고 초콜릿과 오렌지 풍미가 가미된 부드러운 타닌의 감촉이 입 안에 오랫동안 맴돌았다.

호이리게와 마이어 암 파르플라츠 와이너리

카르눈툼에서 빈으로 돌아와 마지막으로 세계에서 유일무이하게 수도에 있는 와이너리를 찾았다. 오스트리아 와인 생산지 네 곳 중 가장 작은 700헥타르짜리 포도원을 가지고 있지만, 와인의 질이나 양보다는 수도 빈에 있다는 장점 때문에 중요한 위치를 차지하고 있는 곳이다.
빈 외곽에 있는 유명한 하일리겐슈타트Heiligenstadt숲은 낭만적인 선술집 호이리게Heurige로 유명한 곳이다. 호이리게는 '올해'라는 어원을 가지고 있는 단어로, 보졸레 누보Beaujolais nouveau와 비슷한 햇와인을 파는 선술집을 말한다. 다만 자신의 농장에서 생산한 그해의 와인을 자신의 농가에서만 팔아야 한다. 이것은 포도 재배 농가가 18세기까지 자신들이 생산한 와인을 마음대로 팔거나 마실 수 없었던 어두운 역사의 유산이다.
농민들의 불만이 높아지자 당시의 황제 요제프Joseph 2세가 허락하여 오늘날 호이리게라는 독특한 와인 관광 문화를 꽃피우게 되었다. 지금은 값싸고 상큼한 와인과 음식, 전통 음악 연주와 함께 손님이 함께 춤추고 노래하는 하나의 축제

빈 외곽의 하일리겐슈타트숲에 있는 와이너리 겸 호이리게 '마이어 암 파르플라츠'. 일명 '베토벤 하우스'로, 베토벤이 제9번 교향곡 〈합창〉을 작곡한 집으로 알려져 있다.
이곳에 있는 베토벤의 초상화.(아래)

를 이루고 있다. 특히 이곳에서는 햇와인을 마실 때 와인과 미네랄워터를 반반 섞어서 마신다.
나의 와인 MBA 동기였던 마이클 터너 씨의 안내를 받아 이 지역에서 가장 오래된 와이너리이자 호이리게도 운영하고 있는 마이어 암 파르플라츠Mayer am Pfarrplatz를 방문했다. 400년 이상의 역사를 가지고 있는 이 와이너리는 40헥타르의 면적에서 다양한 종류의 와인을 생산하고 있다. 특히 1617년에 참나무로 만든 양조 시설을 아직도 사용하고 있다.

베토벤의 영혼을 위로해준 와인

이곳은 일명 '베토벤 하우스Beethoven House'라고도 하는데, 베토벤이 1802년 4월부터 6월까지 건강이 좋지 않아 이 집에 기거하면서 유네스코에 세계기록유산으로 등록된 곡이기도 한 제9번 교향곡 〈합창Chor〉을 이곳에서 작곡했다고 한다. 물론 〈합창〉의 공식 작곡 연도는 1824년이지만 1793년부터 이미 작업을 시작했다고 하니 어느 정도 사실일 수도 있으리라. 이곳에는 베토벤의 산책로와 베토벤 하우스가 몇 채 더 있다. 동생들에게 그 유명한 유서를 썼다는 '유서의 집Testament House', 제3번 교향곡 〈영웅Sinfonia Eroica〉을 작곡했다는 '에로이카하우스Eroica House'나 제6번 교향곡 〈전원Pastorale〉을 작곡했다는 곳 등등…….
베토벤이 언제 어디서 그러한 곡들을 작곡했는지 사실 여부는 중요하지 않다. 청력을 잃어갈 때의 절망감 속에서 이 아름답고 평화로운 숲길을 거닐면서 사색하고, 호이리게의 낭만에서 영감을 얻었을 것이기 때문이다.

zum
60.
von seinen
Kindern
12.12.
19 22

빈 외곽 하일리겐슈타트숲에 있는 마이어 암 파르플라츠 와이너리의 400년된 지하 와인셀러.

리바츠에서 바라본 보 지역의 계단식 포도원 풍경. 오른쪽이 레만호수고 멀리 알프스산의 연봉이 보인다.

Switzerland

스위스(Swizerland)

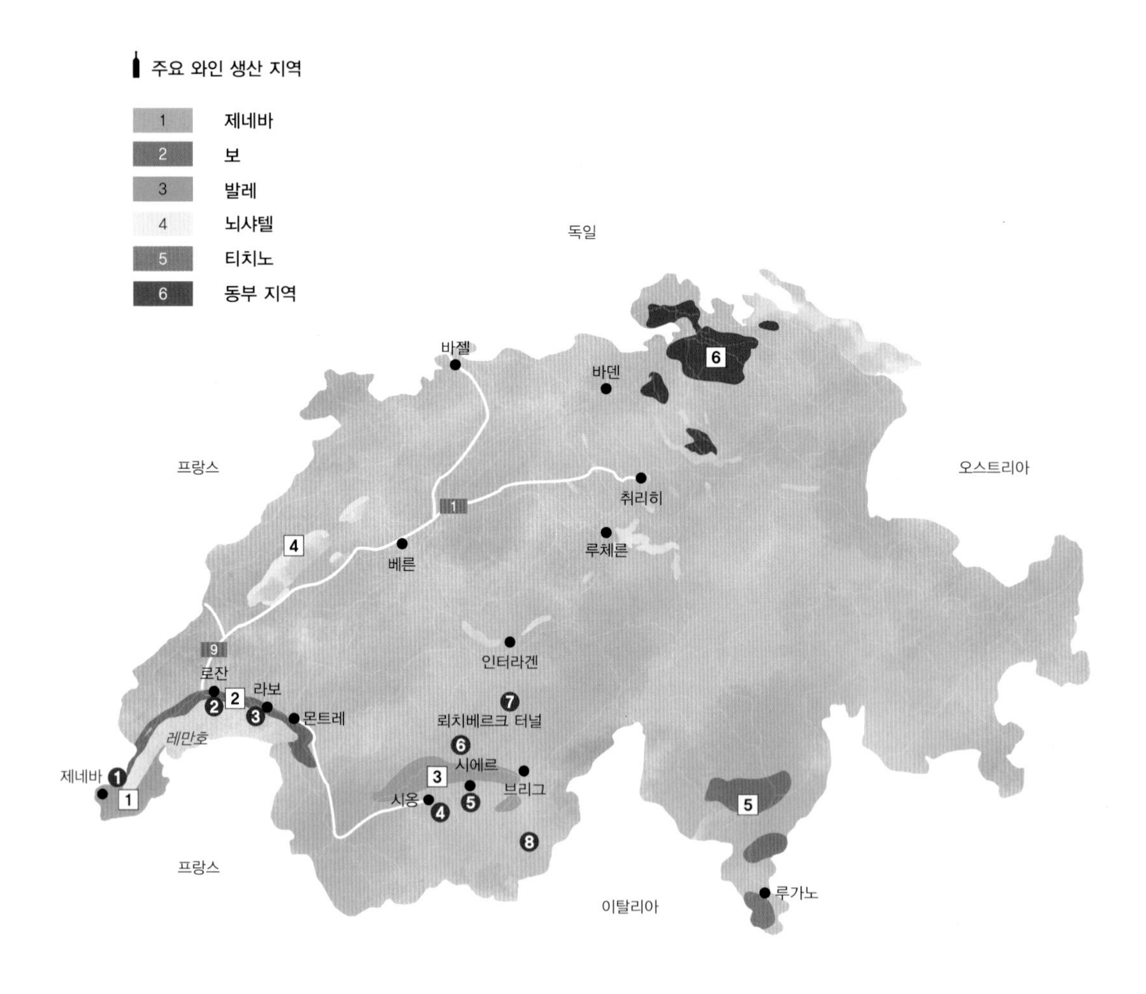

주요 방문지

❶ 제네바
❷ 로잔
❸ 라보
❹ 시옹
❺ 시에르
❻ 크랑-몬타나
❼ 뢰치베르크 터널
❽ 비스피테르미텐

작지만 다양한 와인을 가진 스위스

스위스는 유럽 와인의 변방 국가인지도 모른다. 우리는 눈 덮인 알프스Alps산맥의 아름다운 연봉은 쉽게 연상하지만, 그 속에서 향기롭게 숙성되고 있는 스위스의 와인은 쉽게 상상하지 못한다. 그래서 스위스 와인은 우리에게 낯선 이방인과 같은 존재다. 스위스 와인의 품질이 떨어지거나 유명하지 않아서가 아니라 산악 국가라는 지리적 제약으로 와인 생산량이 적기 때문이다. 이런 이유로 스위스 와인은 주로 자국에서 소비되며 가격도 비싼 편이다.

스위스는 다양한 언어와 기후만큼이나 여러 종류의 와인을 선보인다. 스위스에서 가장 중요한 와인 생산지는 프랑스어를 사용하는 알프스산맥과 론Rhône 계곡에 있는 발레Valais 지방, 아름다운 레만Léman호수의 북쪽 기슭에 있는 보Vaud 지방, 로잔Lausanne 북부 뇌샤텔Neuchâtel호수 지역, 이탈리아어권인 남부의 티치노Ticino, 라인Rhine강 발원지에 있는 그로분덴Graubunden, 아름다운 호반 도시인 제네바Geneva 근교, 그리고 독일어권인 취리히Zurich 북부 지역의 오스츄비츠Ostschweiz 지방 등 전국적으로 펼쳐져 있다. 주요 포도 품종인 샤슬라Chasselas와 피노 누아Pinot Noir는 주로 프랑스어권인 보 지방과 발레 지방에서 생산된다. 특히 프티트 아르빈Petite arvine과 아미뉴Amigne, 그리고 10월에나 수확이 가능한 만생 품종인 레드 코르날린

Red cornalin은 스위스가 원산지다. 독일어를 사용하는 스위스의 북동부 지역인 베른Bern과 취리히에서는 리슬링과 실바너르Sylvaner, 피노 누아가 재배되고, 이탈리아어권인 남부의 티치노에서는 온화한 날씨로 인해 메를로와 갸메Gamay 품종이 재배되는데, 이들은 주로 과일 향이 풍부한 레드와인을 만드는 데 쓰인다.

세계자연유산인 계단식 포도밭 라보 지역

제네바에서 로잔, 휴양도시인 브베Vevey, 몽트뢰Montreux까지 아름다운 레만 호수를 끼고 달리다 보면, 왼편에 파노라마처럼 펼쳐진 계단식 포도밭을 보게 되는데, 이곳이 스위스의 대표적인 와인 생산지인 보 지방의 라보Lavaux 지역이다. 2007년, 우리나라 제주도의 용암 동굴과 함께 유네스코에 세계자연유산으로 등록되었다. 라보의 포도원은 로잔 시 외곽에서 동쪽 끝 호반도시 브베까지 약 30킬로미터가량 병풍처럼 장엄하게 펼쳐져 있다. 이곳은 원래 로마 제국의 영토였는데, 로마 시대에 형성된 포도원이 오늘날과 같은 모습이 되기까지는 수천 년의 세월이 흘렀다.

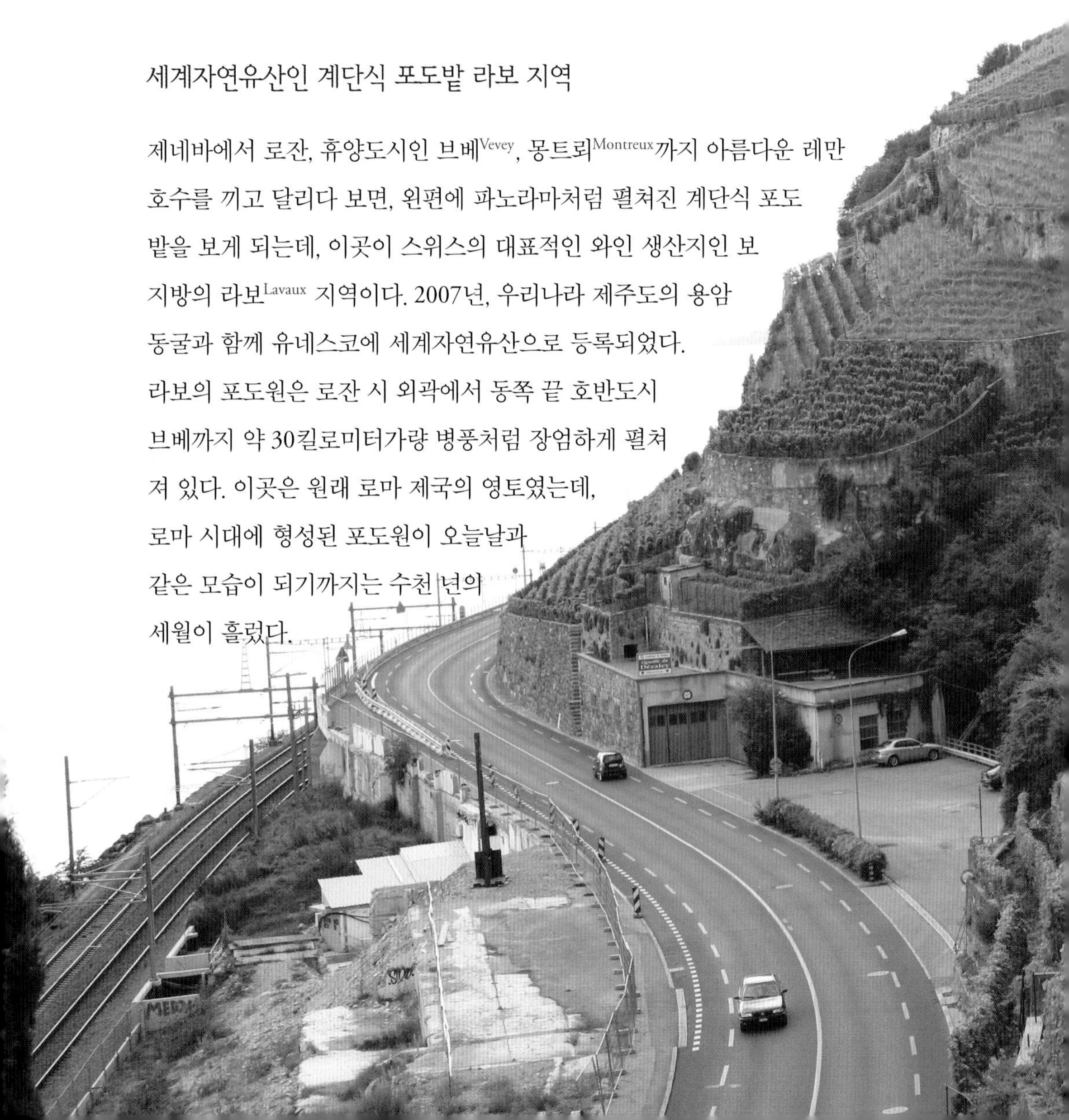

깎아지른 듯한 절벽 위의 포도원.
레만호수를 바라보며 급경사를 이룬 포도원의 모습이 경이롭다.

그랑 크뤼 와인 생산지인 에페스 마을에서 바라본 라보의 포도원 장관.
멀리 레만호수 너머 프랑스의 에비앙 지방이 아스라이 보인다.

고대 로마 시대부터 그들은 자연을 파괴하지 않고 있는 그대로의 척박한 지형을 살려 포도를 재배해왔다.

후세 사람들 역시 1,000년이 넘는 긴 세월 동안 자연 경관을 해치지 않으면서 인간에게 유익하게 자연을 이용하고 가꾸어왔다. 자연과 어우러진 인간의 삶이 오랜 세월 지속되고 축적되면서 독특한 와인 문화를 발전시켜왔다는 점이 높은 평가를 받아 세계자연유산이 되었다.

자연과 문화가 공존하는 와이너리, 그곳이 바로 이곳 라보의 풍경이다. 라보의 와이너리는 그야말로 장관이다. 오른쪽으로는 아름다운 레만호수가 펼쳐지고 왼쪽으로는 급경사를 이루면서 석회암 계단이 고대 로마 콜로세움의 관중석처럼 등고선을 따라 획을 그린다. 안개로 덮인 호수 맞은편에는 알프스산맥의 하얀 봉우리들이 섬뜩할 정도로 아름답게 솟아있다.

에페스 등 일곱 개의 AOC, 샤슬라가 대표적 와인

라보의 포도밭은 햇빛을 받기에 유리하도록 남쪽 레만호수 쪽으로 30~60도 이상 기울어지도록 설계되었다. 앞쪽 레만 호수의 영향에 따른 적절한 습도와, 찬 기운을 막아주는 알프스산맥 덕분에 양질의 포도를 생산하기에 적합한 지역이다. 이 지역에서 최고 품질의 와인을 생산하는 곳은 하나같이 레만호수를 내려다보는 깎아지를 듯한 산 중턱에 자리 잡고 있어 환상적인 전망을 가지고 있다. 라보는 뤼트리Lutry, 빌레트Villette, 에페스Epesses, 데잘레Dézaley, 생사포랭St. Saphorin, 샤르돈느Chardonne, 브베-몽트뢰Vevey-Montreux 등 일곱 개의 아름다운 AOC 등급을 획득한 지역으로 구성되어 있다. 이 중 데잘레와 에페스는 가장 아름다운 마을이면서 그랑 크뤼 와인 생산지이기도 하다. 라보를 비롯한 스위스 와이너리의 특

◀ 바위투성이이지만 공간을 적극 활용해 포도원을 만들었다.(위) 꽃을 가꾸고 있는 라보의 리바츠 마을의 할머니.(아래)

로마 시대부터 있었다는 캬브 드 비녜롱에 있는 라보의 그랑 크뤼 에페스와 데잘레가 표시된 와인통.(위)
천연 동굴 와인 바 캬브 드 베네롱이 있는 에페스 마을.(아래)

징은 자연에 순응하는 오랜 역사와 지형적인 제약으로 인해 소규모 와이너리가 발달했으며, 마을 전체가 하나의 테루아Terroir라고 볼 수 있다는 점이다.

라보의 와이너리 여행은 동서로 관통하는 경사진 중턱을 꼬불꼬불 장난감처럼 달리는 철길, 그리고 호반을 따라 달리는 일반 자동차 도로로 할 수 있다. 그러나 내가 추천하고 싶은 길은 로잔 인근에서 출발하여 동쪽 몽트뢰Montreux 방향으로 알프스산맥의 연봉과 레만호수를 감상하면서, 경사진 좁은 와이너리 사잇길을 따라 자전거나 자동차로 달리는 길이다. 사시사철 꽃들로 장식되어 있는 아름다운 작은 마을이나 로마 유적의 캬브Cave 속에서 와인을 즐긴 후, 테라스에 앉아 안개 자욱한 레만호수와 알프스산맥의 연봉들을 감상할 수 있는 길이다.

나는 과거에 로잔과 제네바를 일 때문에 몇 차례 방문한 적이 있었는데, 이번에는 라보 지역의 중심 마을인 리바츠Rivaz의 호텔에 머무르면서 본격적으로 와이너리들을 방문하였다. 이 중에서 한때 한국에서 근무했던 스위스 지인의 추천으로 로마 시대부터 에페스에 있었다는 천연 동굴 '캬브 드 비네롱Caveau des Vignerons'을 찾았는데, 이 역사적인 캬브에서는 이 지역에서 생산된 그랑 크뤼급 와인 중 대부분을 시음할 수 있다. 이곳 치즈와 살라미를 안주 삼아 다양한 와인들을 시음해보았는데, 이 중에서 데잘레의 샤슬라 그랑 크뤼Chasselas Grand Cru의 풍미를 지금까지도 잊을 수 없다. 드라이하면서도 우아한 과일향에 더해 무어라 표현할 수 없는 순수함! 어쩌면 이 와인 속에 천 년의 세월 동안 변함없는 레만호수의 물보라와 알프스산맥의 눈 향기가 배어 있는 것은 아닐까?

알프스에서 생산되는 발레의 와인

스위스 라보 지역의 와인이 레만호수를 따라 발달했다면, 발레의 와인은 알프스

유럽에서 가장 높은 와인 산지인 발레 지방의 눈 덮인 알프스산맥의 연봉 아래 비스프 마을이 보인다.
오른쪽 뾰쪽하게 솟은 산이 아이거다.

크랑-몬타나 리조트와 스위스 민속악기 알프호른.(위)
해발 1,300미터 고원의 크랑-몬타나 리조트는 4계절 내내 스키와 골프를 즐길 수 있는 곳으로 유명하다.(아래)

산맥의 계곡과 산악 지역을 따라 발달되어 있다. 발레는 몽트뢰에서 스위스 론Rhône강 상류를 따라 동쪽으로 A9번 고속도로를 이용하거나, 인터라켄Interlaken에서는 뢰치베르크Lötschberg 터널을 이용하면 쉽게 갈 수 있다.

발레 주의 와이너리는 알프스 연봉 사이의 론 계곡을 따라 약 150킬로미터 길이로 펼쳐져 있으며, 유럽에서 가장 높은 고도에서 와인이 생산되는 지역이다. 융프라우Jungfrau산의 남쪽 계곡에서 발원한 론강은 A9번 고속도로가 끝나는 와인의 중심지 시에르Sierre와 시옹Sion을 거쳐 레만호수로 흘러 들어간다. 레만호수에서 잠시 휴식을 취한 론강은 다시 프랑스의 쥐라Jura산맥을 휘돌아 리옹Lyon과 아비뇽Avinon을 거쳐 마르세유Marseille 항 서쪽의 지중해에서 끝난다. 장장 813킬로미터 길이로, 유럽에서 지중해로 흐르는 유일한 강이다.

론강의 주변에는 하나같이 유명한 와인 산지가 많다. 스위스의 발레, 라보와 제네바, 프랑스의 쥐라, 남 론Southern Rhône과 북 론Northern Rhône 그리고 남프랑스 등 모두 강건하고 힘찬 명품 와인을 생산하는 지역들이다. 발레 지방을 흐르는 론강이 깊은 계곡을 만들면서 흘러가는 모습을 하늘에서 내려다보면 마치 살아 꿈틀거리는 푸른 용의 꼬리와 같은 모습의 장관을 연출하는 것을 볼 수 있다.

남쪽으로는 알프스의 몽블랑Monte Bianco산맥과 마테호른Matterhorn산맥이 해발 4,634미터의 몬테로사Monte Rosa가 위용을 자랑하는 체르마트Zermatt 지역과 마주하며, 북쪽으로는 융프라우산으로 연결되는 알프스의 연봉을 배경으로 포도밭은 급경사를 이루며 론강의 저지대까지 광활하게 발달되어 있다.

이곳에서는 유럽의 다른 포도원들과는 달리 구릉이나 평지를 찾아볼 수 없지만, 스위스 전체 와인 생산량인 100만 리터의 3분의 1 이상을 생산하는 비교적 넓은 지역이다. 그중 3분의 2가 화이트와인이며, 대부분의 포도 품종은 샤슬라Chasselas이고, 이곳에서 생산되는 와인은 가장 고급 와인으로 취급된다. 이곳의 와

시옹의 상징인 발레르와 투르비용 쌍둥이 성.
발레르 성(오른쪽)은 세계에서 가장 오래 연주되고 있는 파이프오르간으로 유명하다.

INDUNI

이너리는 해발 1,100미터까지 뻗어 있지만, 레만호수와 알프스산맥의 지형적 특징으로 인해 매우 온화한 기후를 유지한다. 특히 여름철은 매우 덥고 건조하여 해발 400~800미터에 위치한 포도원에서도 훌륭한 레드와인 품종이 재배된다. 주 품종은 피노 누아이며, 갸메와 배합해 돌Dole이라는 개성 있는 레드와인을 생산하고 있다. 그 밖에도 실바너르, 피노 그리, 샤르돈느, 프티트 아르빈Petite arvine, 에르미타주Ermitage, 뮈스카Muscat 등 다양한 포도가 생산된다.

세계에서 가장 오래된 파이프오르간이 있는 시옹 성

이곳 발레 지방 와인산업의 중심 도시는 역사적으로 유서 깊은 시옹Sion이다. 스위스에서는 비교적 많은 인구인 2만 7,000여 명이 살고 있는 아름다운 도시로, 신석기 시대부터 인류가 정착했을 정도로 오랜 역사를 가지고 있다. 특히 아름다운 포도밭을 배경으로 나지막한 언덕 위에 세워진 쌍둥이 성인 발레르Valere 성과 투르비용Tourbillon 성은 이 역사적인 도시의 상징물이다. 이들 성 중 비교적 잘 보존되고 있는 발레르 성은 로마 제국 시대에 쌓은 성벽과 13세기에 축조된 교회 건물이 남아 있다. 특히 1390년에 만들어져 오늘날까지 연주되고 있는, 세계에서 가장 오래된 파이프오르간이 있는 곳으로도 유명하다.

수확 철이 다가오면 새나 해충에 의한 피해를 막기 위해 여기저기에 다양한 빛깔의 그물망을 포도나무 위에 걸쳐두는 풍경을 볼 수 있다. 멀리서 보면 마치 설치미술 작품처럼 신비한 색감과 아름다운 모습을 연출한다.

시옹을 지나면 또 다른 와인 중심지인 시에르 마을이 있다. 시에르는 1993년에 처음 시작된 '비네아VINEA'라는 와인 박람회를 시옹과 함께 개최해 세계적인 와

인터라켄에서 발레 주까지 관통하는 뢰치베르크 터널의 입구에서 차례를 기다리고 있는 차량들.(위) ▶
스위트 와인을 만들기 위해 수확을 늦게 하는 포도밭은 새나 해충에 의한 피해를 막기 위해 포도나무 위에 다양한 색깔의 그물망을 친다. 멀리서 바라보면 마치 설치미술 작품처럼 보여 또 다른 아름다움을 선사한다.(아래)

bls
Check-in

유럽에서 가장 높은 해발 1,100미터에 위치한 발레의 겨울 포도밭.(위) 오른쪽 멀리 포도밭 뒤로 눈 덮인 알프스 영봉이 보인다.
해발 1,100미터에 위치한 발레의 겨울 포도밭. 마치 경기장의 관중석 같다.(아래)

인 축제로 발전시키고 있다.

자연을 극복한 일념의 와이너리, 해발 1,100미터

발레 지방의 와이너리를 방문한 여행객들 중 대부분은 이곳 시에르에서 왼쪽 산악도로를 따라 스키 리조트로도 유명한 해발 1,300미터의 크랑-몬타나Crans-Montana로 가거나, 계속 직진하여 론 계곡 와인의 시작점이라고 할 수 있는 브리그Brig까지 갈 수 있다. 나는 가을 수확 철에는 크랑-몬타나 방향의 와이너리를, 겨울에는 포도밭의 설경을 담기 위해 비스프Visp 마을을 경유하여 유럽에서 가장 높은 포도밭이 있는 비스피테르미텐Vispertermitten을 방문하였다. 크랑-몬타나까지는 좁고 꼬불꼬불한 알프스산맥의 산악도로를 따라서 40여 분을 달려야 한다. 위험한 경사면 한편으로 펼쳐지는 와이너리의 장관을 보면서 인간이 과연 어느 정도까지 자연을 극복하고 이용할 수 있는지 생각하면서 새삼 경탄을 금할 수 없다.

해발 1,100미터까지 위치한 포도밭을 끝으로 울창한 삼림지대를 지나니 안개 속에서 갑자기 크랑-몬타나 리조트의 전통적인 스위스 샬레Chalet(전통 오두막)들이 신기루처럼 눈앞에 나타난다. 그것은 마치 이상향인 샹그리라Shangri-La처럼 느껴졌다. 이곳은 산정호수에서 즐기는 보트 놀이와 골프, 1년 내내 해발 3,000미터에서 즐길 수 있는 스키장으로 유명하다. 전망 좋은 호텔 테라스에 앉아 향기로운 와인을 마시면서 바라보는 발레의 포도원 풍경은 또 다른 감동을 준다. 가파른 경사면을 따라 펼쳐진 포도원의 평화로움, 론 계곡 너머로 보이는 몽블랑 산맥과 마테호른산맥의 위용, 정상을 뒤덮고 있는 만년설의 찬란함은 스위스의 자연이 얼마나 아름다운지 다시 한 번 느끼게 하는 곳이다.

Coca-Cola
ALPKASE
Nanztal

유럽에서 가장 높은 포도밭이 있는 비스피테르미텐 마을의 겨울 풍경.
멀리 삼각형으로 보이는 흰 봉우리가 아이거다.

유네스코에 등록된 세계문화유산인 가우디의 구엘 공원. 저 멀리 푸른 지중해가 보인다.

Spain

스페인(Spain)

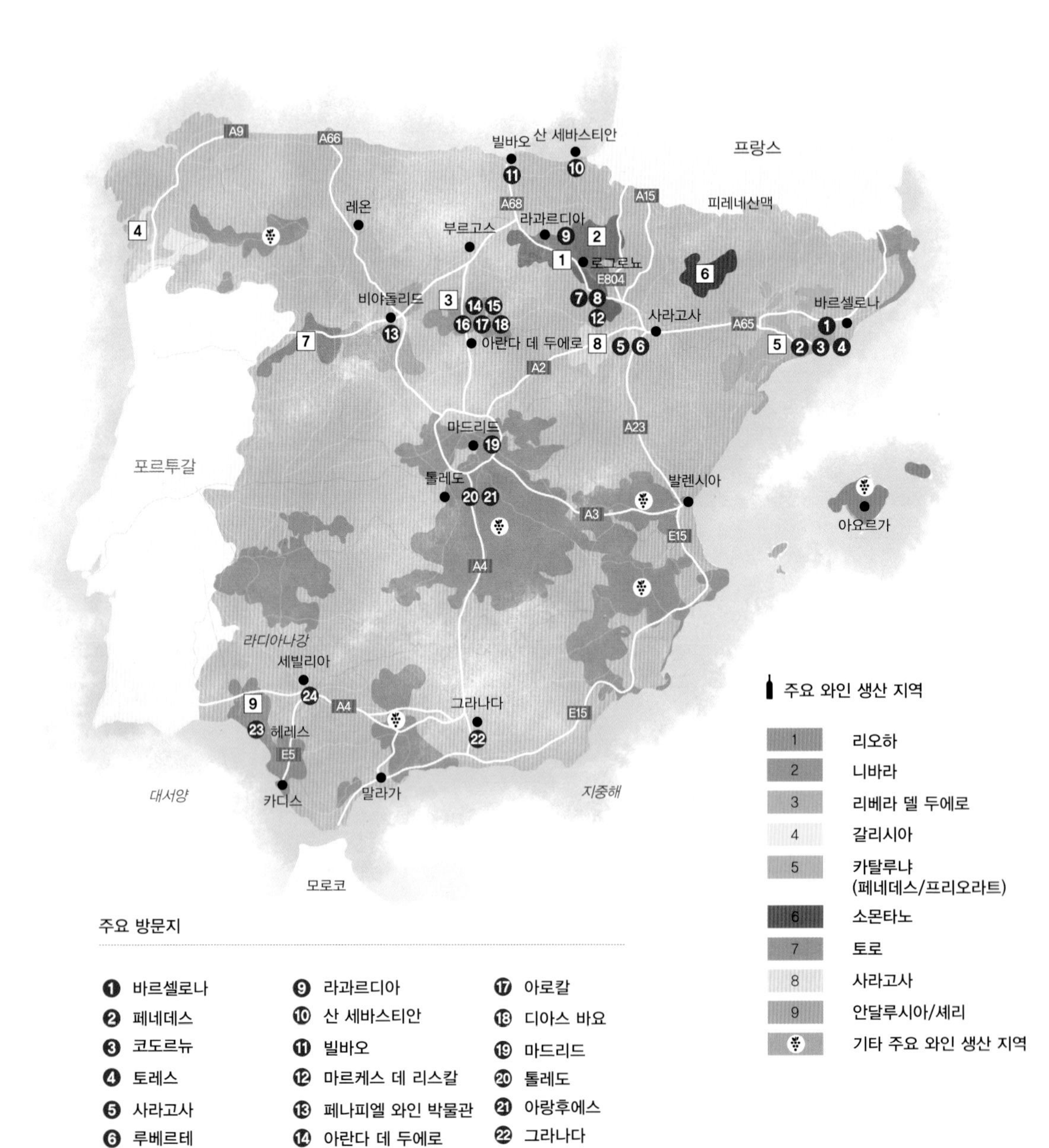

주요 와인 생산 지역

1	리오하
2	니바라
3	리베라 델 두에로
4	갈리시아
5	카탈루냐 (페네데스/프리오라트)
6	소몬타노
7	토로
8	사라고사
9	안달루시아/셰리
	기타 주요 와인 생산 지역

주요 방문지

1. 바르셀로나
2. 페네데스
3. 코도르뉴
4. 토레스
5. 사라고사
6. 루베르테
7. 리오하
8. 파코 가르시아
9. 라과르디아
10. 산 세바스티안
11. 빌바오
12. 마르케스 데 리스칼
13. 페나피엘 와인 박물관
14. 아란다 데 두에로
15. 베가 시실리아
16. 아바디아 레투에르타
17. 아로칼
18. 디아스 바요
19. 마드리드
20. 톨레도
21. 아랑후에스
22. 그라나다
23. 헤레스
24. 세빌리아

세계 제일의 와인 생산국, 스페인

투우와 플라멩코Flamenco를 즐기는 정열의 나라, 프리메라 리가PREMIER LIGA에서의 레알 마드리드와 FC 바르셀로나의 대결로 세계 축구팬을 열광하게 하는 축구의 나라, 파블로 피카소Pablo Picasso와 프란시스코 고야Francisco Goya, 호안 미로Joan Miró, 살바도르 달리Salvador Dalí, 안토니 가우디Antoni Gaudí 등 불세출의 예술가들을 탄생시킨 예술의 나라 스페인! 아무리 많은 수식어도 충분하지 않다.

무적함대Armada로 한때 세계를 제패해 해가 지지 않는 나라가 되었던 스페인은 고대 지중해 문화권에 속하며, 그래서 로마 제국이 진출하기 전인 기원전 1100년경에 페니키아인과 그리스인에 의해 이미 와인이 소개되었다. 넓은 국토에 다양한 토양과 기후만큼 여러 종류의 와인을 자랑하며, 현재 포도 재배 면적 세계 1위, 와인 생산량 3위를 기록하고 있기에 스페인의 와인을 이해하는 데는 그만큼 많은 시간이 필요하다.

그동안 몇 번에 걸친 스페인 와인 여행을 통해 나는 항상 그 일부만을 이해하고 돌아오곤 하였다. 지중해 남쪽 셰리Sherry 와인의 고향 헤레스 데 라 프론테라Jerez de la Frontera로부터 북쪽 리오하Rioja와 동쪽 카탈루냐Catalunya까지 스페인도 프랑스처럼 주요 와인 생산지가 전 국토에 산재해 있다. 그 오랜 역사와 예술의 향기가

카탈루냐인들의 현대 미술에 대한 관심과 경향을 알 수 있는 바르셀로나 현대 미술관 로비.
자연스럽게 흩어져 쉬고 있는 관람객들의 모습이 마치 설치미술 작품처럼 느껴진다.

흐르는 고도 바르셀로나Barcelona에서 다시 한 번 이베리아Iberia 반도의 와인과 와이너리를 찾아 첫 여정을 시작했다.

카탈루냐의 문화와 와인

마드리드Madrid가 스페인이 통일을 이룬 중세 시대에 건설된 비교적 신흥도시라고 한다면, 바르셀로나는 고대 페니키아, 그리스, 로마 제국을 거쳐 무어인·아랍인에 이르기까지 수많은 외침과 수난 속에서도 카탈루냐 고유의 토착 문화를 꽃피워온 고도이다. 자치주 카탈루냐의 주도인 바르셀로나는 아직도 카탈루냐어를 공용어로 사용하고 있으며, 자신들의 문화와 역사에 대한 자긍심이 대단하다.
기원전 1세기 로마 제국의 식민지로 건설되었던 바르셀로나는 중세에 이탈리아의 시칠리아와 나폴리Naples까지 지배했던 아라곤Aragón 왕국의 중심지였으며, 근대에 와서는 산업 발전과 모더니즘 운동을 통해 예술·관광도시로 이름을 알리게 되었다. 특히 카탈루냐적 아르누보 운동으로 안토니 가우디Antoni Gaud, 루이스 몬타네르Lluis Montaner, 호세프 푸이그 이 카다팔츠크Josep Puig i Cadafalch의 여러 건축물들이 유네스코에 세계문화유산으로 등록되었다. 또한 바르셀로나 현대 미술관, 피카소·미로·달리 미술관 등 풍부한 문화·예술 작품들을 자랑한다. 그중 나에게 큰 감동을 주었던 곳은 가우디의 사그라다 파밀리아Sagrada Família 성당과 구엘Güell 공원 그리고 호안 미로Joan Miró의 미술관이었다. 가우디의 작품에서는 인간의 무한한 상상력과 자연의 소재를 테마로 한 건축예술의 극치를 느낄 수 있다.
유럽에서 오랜 역사와 문화가 살아있는 도시는 항상 맛있는 요리와 와인으로 유명하다는 공통점도 있다. 바르셀로나는 음식 문화의 메카다. 유명한 타파스 바Tapas Bar뿐만 아니라 도처에 전통 음식점이 산재해 있고, 세계 최초로 전위적인 분자요리법을 개발한 산실이다. 고딕 지구Gothic Quarter의 로마 유적지에 세워진 유서 깊은 올라Ohla 호텔에는 미슐랭 가이드가 인정한 스타셰프 자비에 프랑코Xavier Franco가 운영하는 유명한 사우크Saüc 레스토랑이 있다. 열 개의 테이블이 전부인 이 식당에서 테이스팅 메뉴를 주문했다.

카탈루냐의 전통 음식에 현대적인 요리 기법을 도입한 메뉴는 지중해와 스페인 내륙의 신선한 재료를 사용한 열네 개 코스로 구성되어 있다. 두 시간이 소요되었지만 항상 다음 메뉴가 기대되는 행복한 시간이었다. 그중 성게알, 호박, 새우를 곁들인 밥 요리와 레드와인 소스에 가지카레를 곁들인 카탈루냐 스타일의 송아지찜 요리가 일품이었다.

스페인을 대표하는 와인 산지, 카탈루냐

카탈루냐는 리오하Rioja · 리베라 델 두에로Ribera del Duero · 토로Toro · 갈리시아Galicia · 안달루시아Andalusia 지방과 함께 스페인의 대표적인 와인 산지 중 하나다. 특히 이 지역이 자랑하는 스파클링 와인sparkling wine 카바Cava는 1991년 유럽연합EU으로부터 유일한 원산지 표기명을 부여받았다. 따라서 샹파뉴Champagne 지방 이외에서 생산된 스파클링 와인을 샴페인이라고 명기할 수 없듯이, 카탈루냐 이외의 지역에서 생산된 스파클링 와인은 카바라고 부를 수 없다. 카바는 샴페인처럼 병 속에서 2차 발효를 통해 생성된 탄산가스를 그대로 이용하기 때문에 대형 발효통을 이용하거나 인공 탄산을 첨가한 일반 스파클링 와인과는 구별된다. 그만큼 제조하기도 까다롭고 비용이 많이 발생한다.

엘 불리 레스토랑의 마지막 건배주 카바

세계 최고의 스파클링 와인은 단연 프랑스의 샴페인이지만, 가격이 저렴하면서

곡선과 자연을 소재로 한 가우디의 사그라다 파밀리아 성당의 내부 모습. 아직도 공사가 진행 중이다.

바르셀로나 중심가인 그라시아 거리에 있는 가우디의 카사 밀라.
이런 연립주택에서 살 수 있는 스페인 사람들의 삶이 궁금해진다.

이에 필적할 만한 품질을 자랑하는 와인은 스페인의 카바다. 2011년 7월 30일 AP통신은 분자요리법의 창시자이며, 바르셀로나 근교에 위치한 세계에서 가장 유명한 레스토랑 엘 불리El Bulli를 운영하면서 미슐랭 가이드에서 3스타를 받은 전설적인 스타셰프 페란 아드리아Ferran Adria의 마지막 만찬 사실을 타전했다.
한적한 지중해 연안에서 50석에 불과한 이 식당을 25년 동안 운영하면서 세계의 미식가들을 열광케 하였고, 1~2년 이상의 예약 대기, 연중 6개월만 영업하고 나머지 시간에는 늘 새로운 요리를 개발하기 위해서 열정을 불태웠던 아드리아가 재정난을 견디지 못하고 문을 닫는다는 소식이었다. 문을 닫기 전 마지막 만찬에서 아드리아가 손님들에게 서빙한 건배주는 샴페인이 아닌 바로 카탈루냐의 자랑 카바였다는 사실을 아는 이는 많지 않다.

카바의 대표 와이너리 코도르뉴

3억 병의 와인이 잠자고 있는 셀러

세계 카바와인시장은 코도르뉴Codorniu와 프레시넷Freixenet 두 회사가 지배하고 있다. 나는 1551년에 설립되어 460여 년의 역사를 자랑하는 스페인의 최장수 기업인 코도르뉴 와이너리를 방문했다. 바르셀로나 근교 남쪽 페네데스Penedes에 위치한 이 와이너리 건물은 1976년에 지정된 국가 문화재이기도 하다. 가우디와 함께 카탈루냐 3대 건축가의 한 사람인 호세프 카타팔크가 설계한 건물만으로도 방문객은 감동한다.
3억 병이 잠자고 있는 지하 셀러의 길이가 무려 30킬로미터로, 전동 트램을 타야 구경할 수 있다. 아쉬운 점은 연간 6,000만 병을 생산하는, 세계에서 가장 큰 와인 공장이라 지나치게 상업적으로 균일화되었다는 점이다. 손으로 병을 돌려

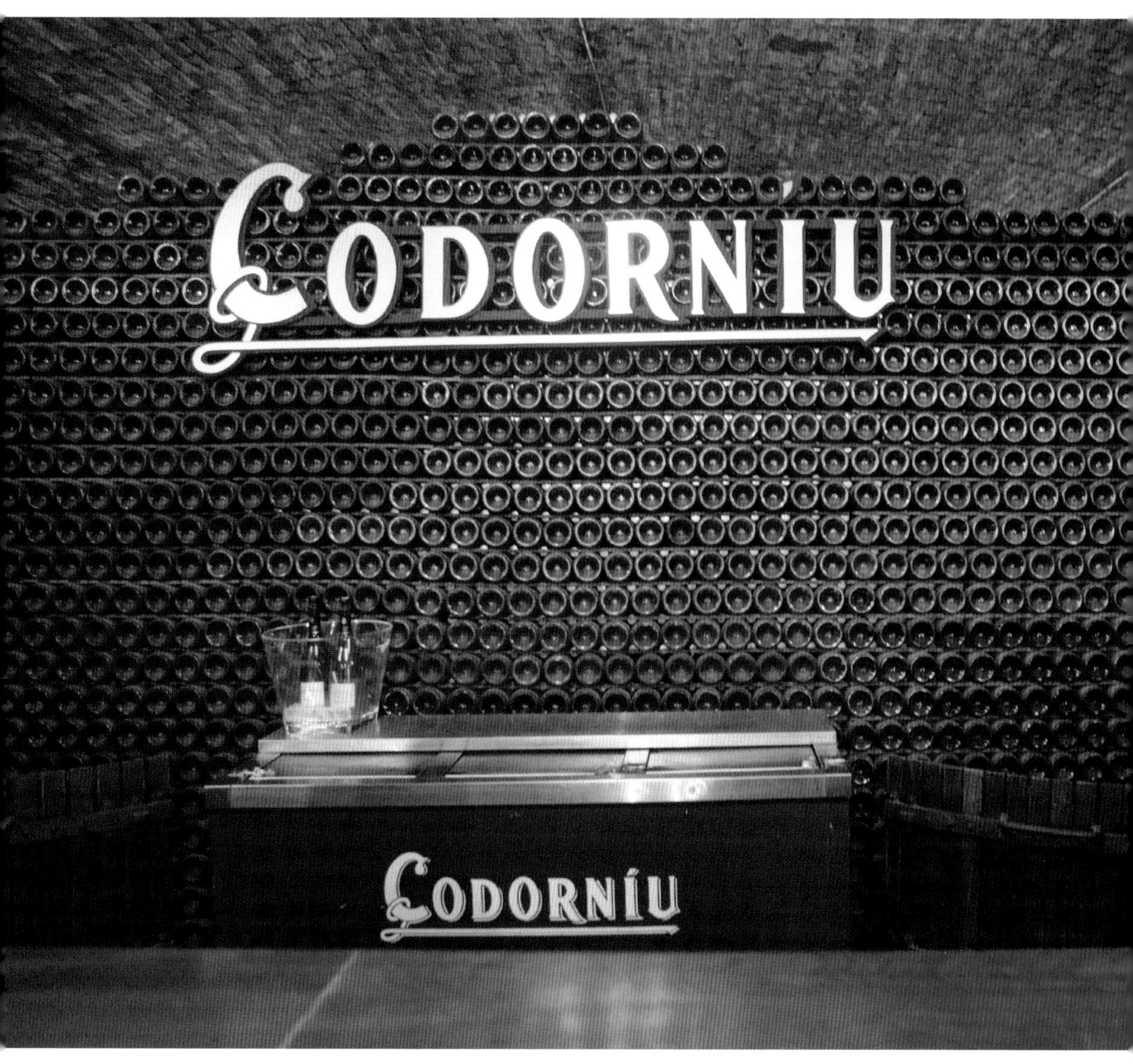

코도르뉴 와이너리 지하의 와인셀러에 있는 시음장. 스페인 국가 지정 문화재인 만큼 그 위엄이 남다르다.

스페인 국가 지정 문화재인 코도르뉴 와이너리의 지하 와인셀러.(위)
코도르뉴 와이너리 시음장에서 카바를 따르는 모습. 카바의 황금빛 색과 섬세한 거품을 보는 것만으로도 즐겁다.(아래)

침전물을 제거하는 르뮈와Remuage 작업의 자동화도 이 와이너리가 개발한 기술이다. 튤립 모양 잔에서 끊임없이 솟아오르는 예술적인 거품과 색깔, 상큼함 때문에 주로 식전주와 디저트 혹은 파티용으로 사용한다. 카바도 샴페인처럼 용도에 따라 가장 드라이한 엑스트라 브뤼Extra Brut부터 시작하여 브뤼Brut, 엑스트라 세코Extra Seco, 세코Seco, 세미 세코Semi-Seco, 그리고 가장 스위트한 둘세Dulce 등 여섯 가지 타입이 있다.

카바는 한국에서도 충분히 시음할 기회가 많았지만 와이너리에서 직접 시음한, 30개월 이상 병 숙성을 거친 후 출고하는 그란 레세르바 그란 코도르뉴Gran Riserva Gran Codorniu가 인상적이었다. 옅은 황금빛을 띤 볏짚색에 신선하며 복합적인 꽃향과 과일 향에 우아하고 부드러운 질감이 분명 샴페인과는 다른 맛이었다. 유난히 추운 샹파뉴 지방에 비해 온난한 지중해의 영향으로 산도가 다소 낮고 당도가 높지만, 카바는 분명 샴페인과는 다른 개성과 맛을 자랑하는 카탈루냐의 특별한 와인이라고 하기에 충분하다.

컨템포러리 와이너리 토레스

「프랑스편」에서 설명한바와 같이 유럽에서 와인은 크게 세 가지 의미를 가진다. 가장 넓은 뜻으로는 이 세상에 있는 모든 알코올 음료를 총칭하고, 두 번째로는 과일로 만든 모든 술(애플와인Apfelwein 등), 그리고 가장 좁은 의미로는 포도로 만든 술을 말한다. 그것은 유럽의 주류 문화에서 맥주를 제외하고는 와인이 전부였다는 것을 시사한다.

이러한 와인은 천지인天地人의 산물이라고 할 수 있다. 여기에서 '천'은 포도의 수확 연도인 빈티지vintage를, '지'는 생산지인 테루아Terroir를, 그리고 '인'은 와인 메

스페인에서 가장 큰 와이너리인 토레스 와이너리의 예술적인 모습.
들어서는 순간 현대 미술관에 도착한 것 같은 느낌이 든다.

이커maker를 말한다. 와인 메이커는 기후(빈티지)와 토양(테루아)에 적합한 포도를 선택하여 재배하고, 와인을 정성껏 담그는 역할을 한다. 따라서 좋은 와인은 최고의 천지인, 즉 날씨가 좋은 해에 최적의 테루아에서 수확한 포도로 훌륭한 양조가가 만든 와인이라 할 수 있다.

따라서 과거의 와인은 대부분 수작업으로 만들어지고, 자연환경에 모든 것을 맡기기 때문에 대량생산보다는 양질의 소량생산이 대세였다. 1년에 약 6,000병 정도만 생산하는 세계에서 제일 비싼 와인 로마네 콩티Romanée Conti가 대표적인 예다. 스페인의 핑구스Pingus나 베가 시실리아Vega Sicilia 역시 시가 100만 원이 넘는 고가 와인들이다. 이것은 와인의 품질뿐만 아니라 희소성과 함께 와인 자체가 예술품으로 취급되기 때문이다. 구세계(유럽)의 명품 와인들이나 신세계의 일부 부티크boutique(혹은 컬트Cult) 와인들은 여전히 이러한 생산 방식과 전통을 고수하고 있다. 일종의 고전주의 미술이나 음악이라고나 할까?

과거의 와인은 1차 산업(포도의 재배)과 2차 산업(와인의 제조)을 통한 노동집약적 농산품이었다면, 현재는 1·2차 산업뿐만 아니라 3차 산업(서비스, 마케팅)도 결합된 거대한 자본집약적 제조업이다. 1866년 루이 파스퇴르Louis Pasteur가 획기적인 발효 이론을 정립하고 제2차 세계대전을 거치면서 신세계(미국, 남아메리카, 오스트레일리아 등)를 중심으로 세계 와인산업이 크게 변화되어왔다. 즉 자연에 모든 것을 맡기고 사람의 역할을 최소화했던 고전적인 천지인의 작업에서, 자연환경을 극복하고 기술 혁신을 통한 대량생산과 과감한 마케팅 전략을 도입한 현대적인 와인산업으로 재편된 것이다.

스페인에서 가장 큰 와이너리인 토레스 와이너리의 옥외 발효 탱크. 마치 큰 공장의 생산시설처럼 보인다.(위) ▶
6월의 템프라니요 포도송이. 7월부터 본격적으로 과숙기가 되면 푸른 포도송이는 짙은 적포도가 된다.(아래)

현대적인 와인산업의 전형 토레스 와이너리

현대 와인산업의 전형이라 할 수 있는 페네데스에 있는 토레스Torres 와이너리를 방문했다. 스파클링 와인 카바로 유명한 카탈루냐의 페네데스 지역은 새롭게 떠오른 프리오라트Priorat 지역과 함께 레드와인으로도 유명하다. 특히 이곳에 본사를 두고 있는, 스페인에서 가장 큰 와이너리인 토레스 와이너리는 가족 중심의 다국적 기업으로, 스페인의 주요 와인 생산지뿐만 아니라 미국의 캘리포니아, 칠레의 센트럴 밸리Central Valley까지 진출하여 그들의 브랜드 네임을 전 세계에 떨치고 있다.

토레스 가문은 300여 년 전부터 이곳에서 포도를 재배해왔으며, 1870년부터 본격적으로 와인을 생산하기 시작함으로써 무려 150년 정도의 오랜 역사와 전통을 가지고 있다. 현재 1,900헥타르의 포도원에서 연 3,000만 병 이상의 와인을 생산하고 있다. 토레스의 톱 브랜드인 마스 라 플라나Mas La Plana는 페네데스의 토착 품종이 아니라 프랑스에서 도입한 카베르네 소비뇽Cabernet Sauvignon으로 만든 와인이다. 1979년 파리에서 개최된 와인 올림피아드에서 이곳의 1970년 빈티지 와인이 샤토 라투르를 누르고 당당하게 카베르네 소비뇽 레드와인 분야에서 1등을 차지하여 더욱 유명해졌다.

토레스는 제2차 세계대전 당시 독일의 프랑스 점령 기간 동안 미국 시장을 집중 공략하여 크게 성공했다. 매년 300만 유로의 연구비 투입, 유기농법의 도입, 지구 온난화를 방지하기 위한 환경보호 운동에 적극적으로 참여하는 등 사회적 기업으로서의 역할에도 충실하다. 특히 미국의 전설적 와인 메이커 로버트 몬다비Robert Mondavi 가문의 가족 경영 실패를 거울 삼아 65세에 은퇴하되 70세까지 명예사장을 하면서 후계자를 육성하여 가업을 승계시킨다는 경영철학은 와인산업뿐만 아니라 다른 산업 분야에서도 본받을 만하다고 생각되었다.

토레스 와이너리의 와인 박물관 겸 시음장. 전통과 역사를 느끼며 와인을 맛볼 수 있게 한 인테리어에서 세심한 배려가 느껴진다.(위)
토레스 와이너리의 셀러 도어는 이런 멋진 실내장식과 함께 박물관으로 꾸며져 있다.(아래)

디에고 벨라스케스Diego Velázquez의 그림이 있고 와인 박물관도 겸하고 있는 셀러 도어에서 간단한 점심과 함께 와인을 시음했다. 대표 와인인 마스 라 플라나 2007은 프랑스산 새 오크통에서 18개월간 숙성시킨 후 병입한 와인으로, 보르도 타입의 풀 보디 와인이다. 짙은 붉은색으로 체리, 마른 꽃과 시가 향 속에 스며든 송로버섯, 자두와 바닐라의 미묘함을 감지할 수 있었지만, 전체적으로 복합성과 균형감이 아직 발현되지 못한 것이 아쉬웠다.

고전주의 와이너리 루베르테

토레스 와이너리 방문을 마치고 오후에는 서쪽의 마드리드 방향 중간에 위치한 중세 아라곤 왕국의 수도였던 사라고사Zaragoza 근교에 있는 루베르테Ruberte 와이너리를 방문했다. 중세에 카탈루냐와 병합하여 시칠리아, 사르데냐, 코르시카, 나폴리까지 지배했던 아라곤 왕국은 1469년 페르디난도Ferdinand 왕이 카스티야Castilla의 여왕 이사벨라Isabella와 결혼하여 스페인 통일의 중심에 섰으나, 농업이 주 산업일 정도로 스페인에서는 가장 낙후된 지방이다.

루베르테 와이너리는 마을 언덕의 중세풍 성당이 인상적인 작은 와인마을 마가욘Magallon에 위치해 있다. 24헥타르의 소규모 포도밭에서 오너인 수자나 루베르테Susana Ruberte 여사가 남편과 딸, 동생과 함께 운영 중이다. 양조학을 전공한 후 1982년에 가업을 승계받은 루베르테 여사는 아라곤 지방에서 몇 남지 않은 '전통 양조 방식을 이어가고 있는 와이너리'라는 사실에 대단한 자부심을 가지고 있다.

포도 수확부터 모든 과정이 수작업으로 이루어지며, 아라곤 지방의 전통 방식인 1만 6,000리터의 거대한 슬로바키아산 오크통에서 1차 발효를 거쳐 220리터의

전통을 중시하는 아라곤 지방의 루베르테 와이너리의 대형 오크 발효 탱크. 용량이 1만 6,000리터다.(위)
양조를 담당하는 루베르테 여사의 남편 얼굴이 한없이 인자하다.(아래)

루베르테 와이너리의 오너 수자나 루베르테 여사와 가업을 승계받을 대학생 딸. 들고 있는 와인이 딸이 만든 여성용 와인 알리아나다.(위)
환상적인 색깔의 가르나차로 만든 루베루테의 캄포 데 보르하 DO 등급 와인.(아래)

오크통에서 일정 기간 숙성시킨 후에 병입한다. 그르나쉬 · 템프라니요Tempranillo · 마카베오Macabeo 등의 토착 품종 외에도 메를로 · 시라 · 카베르네 소비뇽 등의 해외 품종도 재배하고 있다. 특히 부드럽고 스위트하면서 마시기 좋은 여성 전용 와인 알리아나Aliana를 개발하여 생긴 판매 수익금 전액을 여성 유방암 협회에 기부하고 있다. 앞으로 가업을 승계할 대학생 딸이 만든 와인을 자랑하는 것을 보면서 이들의 장인정신을 느낄 수 있었다.

전통 방법으로 만든 루베르테 레세르바Ruberte Riserva 1996을 시음했는데, 붉은 체리 빛깔에 스파이시하면서 숨겨진 듯한 시가 향, 가죽 향과 함께 입 안에 흐르는 섬세하고 균형 잡힌 풍미가 좋았다. 만약 토레스가 거대한 자본과 기술로 무장한 현대 산업을 대표하는 컨템포러리Contemporary 와이너리라면, 루베르테는 전통과 자연을 중시하는 가족 중심의 소규모 고전주의 와이너리라고 할 수 있지 않을까?

어떤 방식이 미래의 와인산업을 선도할지 확정하는 것은 전적으로 와인 소비자들의 몫이다. 하지만 나는 전통과 혁신이라는 두 수레바퀴가 인류 문명의 발전을 가져왔듯이, 와인산업의 발전도 이에 관해서는 예외가 아닐 것이라고 확신하면서 스페인 와인산업의 메카 리오하로 향했다.

스페인의 대표 와인 산지 리오하

헤밍웨이가 즐겨 마셨던 와인

와인 애호가이자 스페인을 유난히 사랑한 어니스트 헤밍웨이Ernest Hemingway가 즐겨 마셨던 와인이 리오하 알타Rioja Alta이다. 이 와인의 생산지인 리오하Rioja의 주도 로그로뇨Logroño에 도착한 날은 7월 한여름의 토요일이었는데, 도시는 온통 스페인 전통 음식인 타파스 관련 축제로 골목마다 인파가 넘쳐흘렀다. 보르도가 프랑스 와인을 대표한다면 리오하는 스페인 와인을 대표하는 와인 산지다.

마드리드에서 북쪽으로 336킬로미터, 피레네[Pyrenees]산맥을 두고 프랑스 보르도 지방과 인접해 있는 리오하는 실제로 보르도의 양조기술을 도입해 한때 스페인의 최고급 와인 생산지로 명성을 떨쳤다. 로마 제국의 정복 이전부터 와인의 역사가 시작된 리오하는 1991년 스페인 최초로 DOC 등급을 획득했다.

프랑스의 AOC처럼 스페인의 품질 등급체계는 EU의 전신인 유럽 공동체[EC]의 회원국으로 가입한 1986년 이후 DO[Denominacion de Origin] 제도가 도입되었다. DOC[Denominasion de Calificada]는 DO보다 상위인 최고 등급을 말한다. 이밖에 가장 낮은 등급인 VdM[Vino de Mesa]과 VdlT[Vino de la Tierra], 이보다 상위 등급인 VCIG[Vino de la Calidad con Indication Geografica] 등 4개 등급으로 나뉜다. 이밖에 DOC 지역 안에 최고의 포도밭에 부여하는 비노 데 파고[VdP, Vinos de Pago]와 숙성 기간에 따른 등급이 있다.

리오하 와인의 경우 1년 동안 오크통에서 숙성하는 리오하, 2년 이상의 숙성 기간 중 1년 이상 오크통에서 숙성한 크리안자[Crianza], 3년의 숙성 기간 중 최소 1년은 오크통에서 숙성한 리오하 레세르바[Rioja Riserva], 그리고 2년간 오크통, 3년 이상 병에서 숙성한 최고급 와인인 리오하 그란 레세르바[Rioja Gran Riserva] 등급으로 나뉜다.

리오하에서는 스페인의 대표 품종인 템프라니요[Tempranillo]가 60퍼센트 이상을 차지하고, 그 밖에 가르나차[Garnacha], 마수엘로[Mazuelo], 그라치아노[Graziano]와 화이트와인 품종인 비우라[Viura], 말바지아[Malvasia], 그리고 카베르네 소비뇽과 같은 몇몇 국제적 품종도 재배한다.

스페인 와인의 등급체계

1년에 와인을 3억 4,000만 병 이상 생산하는 리오하는 크게 세 곳의 와인 생산

전형적인 '리오하컬러'인 갈색 톤의 집들이 자연과 어울려 평화롭다.(위)
중세에 만들어진 리오하의 성곽마을 라과르디아. 도시 전체를 방어하기 위해 건설된 중세의 지하 터널은
현재 와인셀러로 이용되고 있다.(아래)

리오하의 알라베사 지역의 포도원 전경. 멀리 보이는 산이 칸타브리아산맥이다.

R
BARRONE

AMBAR

지로 나뉘어 있다. 구세계의 전형을 보여주는 와인을 생산하는 리오하 알타Rioja Alta, 바스크Basque 지역에 속하며 풀 보디와 높은 산도의 와인을 생산하는 알라베사Alavesa, 그리고 지중해성 기후의 영향으로 산도가 떨어지고 알코올 도수가 높은 와인을 생산하는 바하Baja 지역 등이다.

리오하 와인은 보통 15~20년, 심지어 40년 이상 숙성시켜 출하하는 것이 오랜 전통이었다. 그러나 오크통에서의 오랜 숙성 방식은 자칫하면 와인의 향을 캐러멜·커피나 견과류 향 대신 고무와 석유 냄새로 변질시킬 수 있고, 그만큼 생산비도 높다. 또한 척박해진 토양에 따른 품질 저하와 전통에 지나치게 안주했던 오늘날의 리오하는 옛날의 영광을 아쉬워하고 있는 형편이다.

와인셀러로 이용되는 13세기 지하 터널

리오하 여행에서 결코 빼놓을 수 없는 두 곳이 있는데, 12세기에 건설된 알라베사에 있는 라과르디아Laguardia와 2006년에 완성된 엘시에고Elciego에 있는 와인시티City of Wine다. 라과르디아는 작은 성곽마을로, 네 곳의 출입구를 제외하고는 성벽으로 완벽하게 둘러싸여 있다. 이 마을이 다른 중세풍 도시와 구분되는 점은 13세기의 모습이 온전히 보존되어 있고, 도시 전체를 거미줄처럼 연결하는 지하 터널도 있다는 것이다. 이 지하 터널은 당시 방어 목적으로 건설되었으나 지금은 와인셀러와 시음장으로 이용되고 있다.

언덕 위에 있는 고색창연한 성곽마을 라과르디아의 변함없는 모습을 보면서 잠시 10여 년 전 산 세바스티안San Sebastián과 빌바오Bilbao 방문길에 하룻밤을 묵었을

◀ 리오하의 주도 로그로뇨에서 주말에 열린 타파스 축제의 모습.(위) 남녀노소 구별 없이, 달이 지고 해가 뜨는 구별 없이 그저 계속 즐길 따름이다.
로그로뇨 시의 와인 바에 있는 오크통으로 만든 와인테이블이 인상적이다.(아래)

때의 추억이 떠올랐다. 늦은 밤 희미한 가로등불의 빛이 비치는 작은 식당, 와인 바와 예쁜 가게가 늘어서 있는 좁은 석조길을 따라 홀로 중세로의 시간여행를 하는 것처럼 거닐면서 느꼈던 그 낭만적인 감동을…….

현대인이 좋아하는 파코 가르시아 와이너리

Nothing is wrong if it feels good!–와인의 세대 교체

로그로뇨 북쪽 칸타브리아Cantábrica산맥 아래에 위치한 메드라노 이라주Medrano Irazu 와이너리에서 전통적인 리오하 와인을 시음한 후, 남동쪽으로 17킬로미터 떨어진 파코 가르시아Paco Garcia 와이너리를 방문하였다. 파코 가르시아는 젊은 오너 후안 바우티스타 가르시아Juan Bautista Garcia 씨는 최근 유럽에서 와인 소비가 급감하는 원인을 분석하고, 이를 해결하기 위해 소비자, 특히 신세대가 선호하는 와인을 개발하는 프로젝트를 실천에 옮기고 있다.

풀 보디에 섬세하고 우아하며 드라이하고 복합적인 풍미를 가진 전통적으로 좋은 와인을 구세대가 선호한다면, 신세대가 좋아하는 모던 와인은 과일 향이 풍부하고 가볍지만 풍미가 살아있고 그들의 시선을 잡을 이미지도 있는 와인이라고 가르시아 씨는 확신했다. 가르시아 씨는 지금까지의 규격화된 전통 양조 방식을 탈피하고, 그해의 작황과 품종 그리고 테루아에 따라 매년 다른 방법으로 와인을 만들었다.

와인 레이블Label에도 아버지와 자신의 손바닥 프린트를 사용하여 마치 현대 미술 작품 같은 이미지를 구현했다. 또한 아버지가 만든 구세대 와인도 함께 내세워 '전통'과 '혁신'으로 차별화하였다. 그가 입고 있는 티셔츠에 쓰여 있는 'Nothing is wrong if it feels good!느낌이 좋으면 문제될 게 없지!'이라는 문구를 보니 혁신

신세대가 좋아하는 와인을 개발하고 있는 파코
가르시아 와이너리의 젊은 오너 후안 바우티스
타 가르시아 씨.(위)
파코 가르시아에서 시음한 와인들.(아래)
맨 오른쪽 와인이 아들이 만든 와인이다.

을 추구하는 젊은 와인 메이커의 끝없는 열정을 느낄 수 있었다.

가르시아 씨가 개발한 와인 중 6개월 동안 오크통에서 숙성한 세이스Seis, 1년간 프랑스 오크통에서 숙성한 P. G. 크리안자P. G. Crianza를 시음한 후 아버지의 와인이라고 할 수 있는, 16개월 동안 프랑스산 새 오크통에서 숙성한 뷰티풀 싱스 크리안자Beautiful Things Crianza를 시음했다.

개인적으로 고전적인 아버지 와인에 더 매료되었지만, 세이스나 P. G. 크리안자는 지금까지 경험하지 못한 완전히 새로운 개념의 와인 맛을 보여주었다. 특히 루비색을 띤 세이스는 신선한 딸기 향과 제비꽃 향이 베이스가 되어 과일과 꽃의 풍미를 유감없이 발현했다.

파코 가르시아 와이너리가 생산한 와인 레이블. 새로운 디자인적 시도가 격조 높은 와인의 이미지를 만들기도 한다.

마르케스 데 리스칼 와이너리

프랭크 게리가 설계한 와인시티

리오하 와인의 혁신과 새로운 도전의 또 다른 모델은 1858년에 설립된 리오하를 대표하는 마르케스 데 리스칼Márquez de Riscal 와이너리에서도 확인할 수 있다. 한적한 와인마을 엘시에고 근교에 감각적인 색깔의 지붕이 강렬한 태양광을 반사시키고 있는 건축물이 있다. 이 건축물은 마르케스 데 리스칼이 2000년에 와인산업의 새로운 부흥을 위해 야심 차게 준비한 프로젝트의 하나로, 우여곡절 끝에 빌바오의 구겐하임 미술관을 설계한 금세기 최고의 건축가 프랭크 게리

Frank Gehry가 설계한 와이너리다.

와인셀러, 호화 호텔, 와인스파와 최고급 레스토랑으로 이루어진 와인시티는 와인 병의 개념을 건물에 도입했다. 빌바오의 구겐하임 미술관은 티타늄판으로 건물 외관을 장식한 데 반해, 이 건물은 와인 색깔의 핑크색, 와인 병을 싸고 있는 그물망의 황금색, 와인 병 캡슐의 은빛을 형상화한 지붕을 덧씌워 현란함을 극대화하였다. 물론 와인시티 프로젝트에는 우아하면서도 누구나 마시기 쉬운 새로운 와인을 만든다는 목적도 포함되어 있다.

처음에는 와이너리 설계를 망설였던 게리가 와이너리 측이 준비한, 게리와 출생 연도가 같은 1929년산 와인 한 병을 선물하자 이에 감동해 수락했다는 일화가 남아 있다.

전통의 기반 위에 새로운 창조정신을 더하여 리오하 와인의 옛 영광을 되찾겠다는 젊은 와인 메이커들과 마르케스 데 리스칼 와이너리의 노력이 얼마나 성공할지는 아직 미지수다. 그러나 와인은 분명 인류 역사와 함께 발전했고, 앞으로도 그 진화를 멈추지 않을 것이다. 헤밍웨이가 리오하의 알타 와인을 즐겨 마시며 집필했던 소설 『태양은 또다시 떠오른다*The sun also rises*』처럼…….

리오하의 엘시에고 근교의 프랭크 게리가 설계한 마르케스 데 리스칼 와이너리인 와인 시티의 현란한 모습. 와인셀러, 호텔, 온천, 레스토랑이 한곳에 모여 있다.

www.provinciadevalladolid.
ıPUTACIÓN DE VALLADOLID
www.diputaciondevalladolid.es
Descubre Los Centros Turístic
de la Provincia de Vallado
Canal de Castilla
Matallana
Villa del Libro
Museo Provincial del Vino
Museo de las Villas Romanas
Valle del Esguev
Valle de los 6 sentidos
Museo del Pan

페나피엘 고성 와인 박물관

리오하에서 남서쪽으로 N122번 국도를 달리면 바야돌리드Valladolid 주의 페나피엘Penafiel 마을 언덕에 서 있는 거대한 성채를 볼 수 있다. 아랍의 침략을 막기 위해 10세기에 건설된 이 성채는 현재 바야돌리드 주의 와인 박물관으로 사용되고 있는데, 와인에 관심 있는 사람들은 꼭 들려봐야 할 명소다.

성곽 전체를 와인을 주제로 한 테마 박물관으로 꾸몄는데, 국제회의장 · 레스토랑 · 전시장은 물론 와인 판매 시설까지 잘 갖추어져 있다. 성채에서는 360도를 조망할 수 있었는데, 특히 파스텔 갈색 톤의 페나피엘 마을이 대자연과 어우러진 풍경이 장관이었다.

새롭게 떠오르는 별, 리베라 델 두에로

리오하가 전통과 오랜 역사를 가진 스페인의 대표 와인 생산지라면, 리베라 델 두에로Ribera del Duero는 최근에 새롭게 떠오르는 별과 같은 곳이다. 특히 리베라 델 두에로를 세계의 와인 애호가들에게 각인시킨 것은 이곳에서 생산되는 베가 시실리아Vega Sicilia, 핑구스Pingus와 같은 전설적인 와인들이다.

마드리드에서 서쪽으로 140킬로미터 내륙의 두에로Duero강가에 위치하고 있는 이곳은 완전한 대륙성 기후대다. 두에로강은 포르투갈의 유명한 포트 와인 산지인 오포르투Oporto 항을 통해 대서양으로 흘러 들어간다.

여름철 한낮 기온이 35도 이상이지만 밤에는 12도까지 떨어진다. 따라서 포도 완숙이 천천히 진행되어 당도가 높으면서도 풍부한 산도와 강건한 타닌을 가

◀ 10세기에 바야돌리드 주에 방어용으로 세워진 페나피엘 성의 위용. 현재는 와인 박물관으로 사용되고 있다.(위)
페나피엘 고성에 설치된 와인 박물관을 소개한 안내판.(아래)

와인 박물관에서 바라본 페냐피엘의 풍경. 전형적인 리오하의 갈색 톤이 대자연과 어울려 아름답다.

진 포도를 생산할 수 있다. 특히 해발 800미터 이상의 고원지대이며, 여름에 강우량이 적고, 석회암·모래·점토·백악질 등의 다양한 토양으로 인해 스페인의 어느 지역과도 비교할 수 없는 리베라 델 두에로만의 강건하면서도 부드러운 맛의 개성 있는 와인을 생산한다. 이곳의 와인 역사는 수천 년 전으로 거슬러 올라가지만, 술을 금지하는 이슬람교도인 무어인들의 오랜 지배의 영향으로 1980년대 초까지 대부분 사탕무와 일반 농작물을 재배한 평범한 농촌이었다. 그러나 이곳의 이상적인 테루아를 뒤늦게 파악한 토착 농민들과 투자자들이 프랑스의 양조 기술과 품종을 도입하고 새롭게 포도원을 조성하여 이곳 와인을 세계적인 명품으로 탈바꿈시키는 기적을 일구어냈다.

토착 품종 '틴토 피노'의 재발견

특히 이 기적의 중심에는 프랑스 품종에 눌려 멸종 위기까지 갔던 이 지역의 토착 품종인 틴토 피노Tinto Fino(스페인의 대표 포도 품종인 템프라니요Tempranillo의 변종)의 재발견이었다. 이곳의 독특한 테루아의 영향으로 지나치게 야성적인 포도 향을 가진 이 품종은 한때 싸구려 와인을 만드는 데나 쓰였지만, 지금은 새로운 재배법과 장기 숙성 기술을 통해 새로운 명품 와인을 만드는 데 쓰이는 품종으로 다시 태어났다. 틴토 피노의 대표적인 성공 사례는 그 이름만 들어도 가슴을 설레게 하는 베가 시실리아Vega Sicilia 와인이다.

1864년에 설립된 베가 시실리아 와이너리는 처음에는 보르도에서 양조학을 공부한 설립자 돈 엘로이 레칸다Don Eloy Lecanda가 고향으로 돌아올 때 가져온 카베르네 소비뇽, 메를로, 말벡Malbec에 틴토 피노를 어느 정도 배합하여 와인을 만들었다. 그후 와이너리를 인수한 루이 헤레로Luis Herrero가 1915년 틴토 피노를 주 품종으로 하면서 몇몇 프랑스 품종을 배합하고 10년 이상 장기 숙성하여 지금의

수령 70년이 넘은 토착 품종 틴토 피노 포도송이

전설적인 우니코Unico 와인을 만들었다.

다이애나 왕세자비 결혼식의 만찬주, 베가 시실리아 와인

우니코 와인은 상업성을 배제한 장인정신이 만들어낸 하나의 예술품이라고 할 수 있는데, 가문의 명예를 위해 판매하지 않고 처음에는 유럽의 상류층이나 친지들에게 우정의 선물로 사용했기 때문이다. 우니코 와인은 1929년 바르셀로나 와인 전시회에서 1917년산 빈티지와 1918년산 빈티지가 최고상을 수상하고, 1981년 영국 찰스Charles 왕세자와 다이애나Diana 왕세자비의 결혼식 때 만찬주로 사용되면서 최고의 명성을 얻게 되었다.
리베라 델 두에로를 방문한 후 나는 몇몇 와인클럽 멤버들과 우니코 1973, 1986, 2002와 빈티지가 표시되어 있지 않은 레세르바 에스페시알Riserva Especial(최고 빈티지 서너 개를 배합하여 만든 와인)을 버티컬Vertical 시음했었다. 진한 벽돌색에 가까운 체리색과 헤이즐넛·초콜릿·바닐라 향에 균형 잡힌 적정한 산도와 알코올의 풍미도 좋았지만, 무엇보다도 비단결 같은 타닌의 우아함과 지속성에 감탄할 수밖에 없었다.

제약회사 노바르티스가 설립한 아바디아 레투에르타 와이너리

리베라 델 두에로에 기적을 가져온 여러 와이너리를 방문했는데, 그중 하나가 1996년 스위스의 다국적 제약 회사 노바르티스Novartis가 설립한 아바디아 레투에르타Abadia Retuerta 와이너리다. 12세기에 건설된 수도원과 함께 700헥타르에 달하는 광활한 포도원을 매입하여 유럽에서 가장 현대적인 와이너리로 재건했다. 특히 대형 와인 발효 탱크로 포도즙을 운반하는 시스템은 마치 조선소의 시설처럼

제약회사 노바르티스가 설립한 아바디아 레투에르타 와이너리의 셀러 도어.(위)
스페인을 대표하는 명품 와인 베가 시실리아. 가운데가 넌빈티지 리제르바 에스페셜이다.(아래)

제약회사 노바르티스가 설립한 아바디아 레투에르타 와이너리의 셀러.
현대화된 대형 발효 탱크 시설이 마치 거대한 배를 만드는 조선소 같기도 하다.(왼쪽 작은 사진)

방문객들을 압도했다. 자연적인 온도 조절에 맡긴 지하 셀러는 중세 수도원에서 이용해왔던 전통적인 숙성 방법을 따른 것이라고 했다.

이 거대한 와이너리의 각종 시설들은 프랑스 생테밀리옹Saint-Émilion 지방의 특1등급 와인 메이커인 샤토 오존의 오너인 파스칼 델벡Pascal Delbeck 씨의 자문으로 이루어졌다고 한다.

그의 자문 영향인지 템프라니요를 주 품종으로 하고 있지만, 카베르네 소비뇽, 메를로, 시라, 심지어 프티트 베르도Petit Verdot 등 주로 보르도 품종을 재배하고, 80퍼센트 이상을 225리터 용량의 프랑스산 오크통으로 숙성하고 있다고 한다. 두에로강가의 해발 640미터에 위치한 포도밭 중 대부분은 아직도 개발 중이었으며, 6월인데도 한여름처럼 뜨거운 태양에 건조한 사막성 기후였다.

이러한 기후 조건과 함께 모래, 자갈, 석회석과 점토로 구성된 토양 덕분에 아바디아 레투에르타 와이너리는 리베라 델 두에로의 새로운 와인 명가가 될 잠재성이 충분하다고 생각되었다. 스페인 최고의 와인 명가인 베가 시실리아 와이너리와 불과 수 킬로미터 거리에 위치해 있다는 것도 시사한바가 크다. 다만 모든 시설들이 현대화되어 있고 규모가 커서 지나치게 상업적으로 느껴지는 것이 아쉬웠다. 와인 테이스팅 역시 셀러 도어에서 단체로 진행하였으며, 심지어 겨울에 가지치기한 포도나뭇가지를 단으로 묶어 땔감으로 판매하고 있었다.

가족 중심의 전통 와이너리, 아로칼 와이너리

대규모의 투자를 통한 대형 와이너리 못지않게 이곳에는 리베라 델 두에로를 빛내고 있는 소규모의 가족 중심 와이너리도 많았다. 아란다 데 두에로Aranda De Duero 시에서 북쪽으로 해발 830미터에 위치한 구미엘 데 메르카도Gumiel de Mercado 마을

할아버지가 심은 수령 70년이 넘은 포도나무들로 이루어진 아로칼 와이너리의 포도원 풍경.
이곳에서 수확한 틴토 피노 토착 품종으로 명품 와인 막시모를 생산한다.

아로칼 와이너리에서 시음한 와인들. 맨 오른쪽이 수령 70년 이상 된 틴토 피노 품종으로 만든 톱 브랜드 막시모다.(위)
리베라 델 두에로의 전형적인 명품 와인을 생산하고 있는 아로칼 와이너리의 장남 로드리고 칼보 아로요 씨.(오른쪽)
아로칼 와이너리의 자문을 맡고 있는 와인 메이커가 열정적으로 와인을 설명하고 있다.(왼쪽)

의 아로칼Arrocal 와이너리는 33헥타르의 소규모 포도밭에서 태어나고 자란 3대가 함께 가장 전형적인 명품 와인을 생산하고 있다.
오랫동안 포도 재배에만 전념하다가 1999년부터 양조를 시작한 아로칼 와이너리는 총 여섯 종류의 와인을 생산하고 있는데, 흥미로운 것은 할아버지가 심은 포도로 만든 최고급 와인인 막시모Maximo와 앙헬Angel 그리고 아버지가 심은 포도로 만든 아로칼 셀렉시온Arrocal Seleccion 레드와인이었다.
톱 브랜드인 막시모 2005는 틴토 피노 100퍼센트를 원료로 하며, 70년 이상 된 포도나무에서 수작업으로 수확한 포도로 1년에 2,000병만 생산하는 귀한 와인이다. 12개월 동안 프랑스산 오크통에 숙성한 후 새 오크통에 옮겨 다시 14개월 동안 숙성하는 독특한 방법을 사용하고 있다. 이곳의 테루아를 닮아 블랙체리 빛깔에 스파이시하고 스모키한 향과 풍부한 과일 향에 농축된 풀 보디임에도 신선함과 적절한 산도, 벨벳 같은 부드러운 풍미가 살아있어 앞으로도 수년 더 숙성시킬 수 있다고 생각했다.
시음을 마치고 아버지, 동생과 함께 와이너리를 안내해준 오너의 장남인 로드리고 칼보 아로요Rodrigo Calvo Arroyo에게 왜 아직도 결혼하지 않느냐고 물었더니 와인을 만드는 일은 전형적인 농부의 일인데 누가 농부한테 시집오려고 하겠느냐고 하면서 시니컬하게 웃었다. 갑자기 쏟아지는 비와 천둥소리를 들으며 작별인사를 하고 떠나왔는데, 아마도 그들은 그날 우박을 걱정했을 것이다.

다음 세대를 위한 포도나무의 교훈, 디아스 바요

여러 와이너리 중 테루아와 포도나무가 주는 교훈을 가장 극명하게 보여준 곳이 이곳 리베라 델 두에로에 있는, 프란시스코 호세 디아스 바요Francisco Jose Diaz Bayo 가문이 10대에 걸쳐 운영하고 있는 디아스 바요Diaz Bayo 와이너리다.

부르고스Burgos에서 아란다 데 두에로 남쪽 푸엔텔세스페드Fuentelcesped에 있는 이 와이너리의 풍경과 마주치게 된 순간 모든 방문객들은 새삼 자연에 대한 경외감을 느끼게 된다. 작열하는 태양, 풀 한 포기 살 수 없는 버려진 땅, 백악질의 자갈 위에서도 건강하게 생명력을 유지하고 있는 포도나무를 보는 순간 "이렇게 척박한 토양에서 어떻게 포도나무가 자랄 수 있으며, 어떻게 그 포도로 질 좋은 와인이 탄생할 수 있을까?"라고 궁금해 하면서……

언제부턴가 나는 그 이유를 '다음 세대를 위한 자기희생'이라는 우리의 인생에 비유하곤 했다. 척박한 토양에서 자라는 포도나무는 영양분을 찾아 더욱더 깊은 곳까지 뿌리를 내린다. 그렇게 해서 가까스로 흡수한 미량의 수분과 영양분을, 무성한 잎과 많은 가지를 만들어 번듯해지고 싶다는 유혹을 뿌리치고, 오로지 다음 세대를 창조하는 데 쓰일 열매에만 보내는 것이다. 그래서 양질의 와인은 앙상한 포도나뭇가지에서 나오고, 세계적인 와인 산지는 대부분 사막성 기후대에 있는지도 모른다.

디아스 바요 와이너리의 건물 역시 이 척박한 포도밭과 묘하게 조화를 이루고 있는 모던한 외관이었다. 와인의 생산 과정을 둘러본 뒤 시음실에서 이곳에서 생산하고 있는 여섯 종류의 와인을 시음하였다. 이 와이너리는 이 지역의 대표 품종인 틴토 피노와 화이트와인 품종인 알비요Albillo로 바이오다이나믹 농법을 통해 내추럴와인Natural wine을 만드는 것으로 유명하다. 예술적인 레이블과 함께 보라색의 매혹적인 컬러가 좋았던 다르다네이오스Dardaneios와 코세차Cosecha는 신선하면서도 우아함을 잃지 않은 와인이다.

작렬하는 태양과 백악질의 자갈밭에서 건강하게 자라고 있는 디아스 바요 포도밭의 틴토 피노 포도나무들(위)과 ▶
척박한 토양 위에 세워진 디아스 바요 와이너리.(아래)

디아스 바요 와이너리에서 바라본 푸엔텔세스페드 와인마을. 포도밭만 없다면 완전히 사막 풍경이다.

디아스 바요 와이너리에서 시음한 와인들. 가운데가 누에스트로 크리안자이다.(위)
열정적인 바이오다이나믹 농법의 주창자인 디아스 바요의 오너 바요 씨.(아래)

시음 와인 중 가장 인상적인 와인은 뉴에스트로 크리안자Nuestro Crianza였다. 짙은 체리 색에 글라스를 흐르는 눈물Tears Leg이 풍부하였다. 잘 익은 과일에 딸기, 코코아, 감초, 허브 등의 복합적인 아로마가 시간이 지나면서 발사믹, 스모키하고 토스트된 우아한 부케로 발전하여갔다. 전체적으로 좋은 구조감과 균형감이 있는 풀 보디에 잔향이 길게 지속되었다.

이 와인은 일일이 손으로 수확한 틴토 피노 100퍼센트를 섭씨 5도시의 저온으로 1차 발효 과정을 거치고, 2차로 프랑스산 오크통에서 젖산 발효Malolactic가 끝나면 추가로 18개월간 숙성시킨 후 병입한다고 하였다. 시음을 끝내고 나는 바요 씨와 단둘이서 한낮의 태양으로 유난히 하얗게 빛나는 백악질의 포도밭을 걸었다. 그리고 이런 척박한 땅에 포도나무가 생존한다는 것이 놀랍다고 하였더니, 바요 씨는 "바요 가문은 이러한 자연적 환경과 포도나무(품종)의 성격을 존경하면서 포도밭을 일구어왔습니다"라고 말하였다. 그리고 자연에 순응하는 바이오다이나믹 농법을 통해서 테루아를 반영하는 진정한 내추럴와인을 만드는 것이 그들의 철학이라고 하였다.

정치 · 문화 · 예술의 중심지 마드리드

헤밍웨이가 사랑한 마드리드

와인을 포함한 스페인의 모든 문화와 예술의 종착지는 수도 마드리드다. 고대에 세워진 카탈루냐 주의 중심 도시 바르셀로나와 아라곤 왕국의 수도 사라고사에 비해 마드리드는 1561년에 수도로 건설된 비교적 신흥도시다. 하지만 마드리드는 스페인 통일과 함께 이베리아 반도의 중심에 위치했다는 지정학적 중요성과 오랜 이슬람 지배를 물리친 국토 회복 운동(레콩키스타Reconquista)의 중심지였기 때

마드리드 시내의 관광 중심지의 하나인 밤의 마요르 광장.

스페인의 대표 향토 음식 중에 하나인 하몽을 파는 가게.
도토리를 먹여 키운 이베리코 돼지로 만든 하몽이 유명하다.

문에 가장 스페인적인 아로마가 풍부한 역사와 문화의 중심지라고 할 수 있다. 또한 1492년의 국토 회복 운동 성공 후에도 스페인에는 아랍 지배의 오랜 영향으로 인하여 각기 다른 이질적인 문화가 있었지만, 그것들이 융합된 독특한 건축과 음식은 마드리드를 스페인 문화의 메카로 만들어주었다.

이 전까지 마드리드를 방문할 때마다 나는 정해진 일정에 따라서 이 낭만의 도시를 나만의 방법으로 즐기곤 하였다. 낮에는 세계 3대 미술관 중 하나이고, 고야의 대표작이 있는 프라도Prado 미술관과 18세기 부르봉Bourbon 왕가의 번영을 보여주는 화려한 왕궁과 소장품들을 감상한다. 그리고 주말에 열리는 격정적인 투우와 축구 경기를 관람하고, 밤이 되면 정열적인 플라멩코를 감상한다. 마지막으로 '헤밍웨이 루트The Hemingway Route'를 따라 마요르Mayor 광장과 솔Sol 광장에 있는 메손Meson(선술집)을 순례하면서 이베리코 하몽Jamón ibérico(돼지 뒷다리로 만든 생햄)을 안주로 한잔의 셰리 와인이나 새로운 스페인 와인의 향기에 취해보는 것이다. 이것은 마드리드에서만 경험할 수 있는 즐거움이다.

마드리드 근교에서는 스페인의 대표적 화가인 엘 그레코El Greco의 그림을 감상할 수 있으며, 동서양의 문명이 결합된 고도 톨레도Toledo, 거대한 궁전과 높이 95미터의 돔이 있는 성당으로 유명한 엘 에스코리알El Escorial, 로마 시대의 수도교aqueduct와 월트 디즈니Walt Disney의 애니메이션 〈백설 공주Snow White and the Seven Dwarfs〉에 나오는 유명한 알카사르Alcázar 성이 있는 세고비아Segovia, 성녀 테레사Teresa 수녀가 태어난 성벽도시 아빌라Ávila 등 스페인의 어느 도시보다도 볼거리와 먹을거리가 풍부한 관광의 보고다.

안달루시아 지방의 애환과 그 안에서도 멈추지 않던 사랑을 표현한 플라멩코.

동서양의 문명이 융합된 고도 톨레도에서 바라본 교외 풍경.

헌신적인 사랑의 음악 〈아랑후에스 협주곡〉

마드리드를 방문할 때마다 늘 시간 부족으로 놓쳤던 보틴Botin 레스토랑에서의 저녁과 아랑후에스Aranjuez 고궁을 이번 여행에서 경험할 수 있었던 것은 큰 행운이었다. 아랑후에스는 마드리드에서 남쪽으로 50킬로미터에 위치한 스페인 부르봉 왕가의 봄 별궁Spring Palace으로, 우리에게 호아킨 로드리고Joaquín Rodrigo가 작곡한 기타협주곡 〈아랑후에스 협주곡Concierto de Aranjuez〉의 배경으로도 유명하다.
맹인이었던 작곡가 로드리고는 이곳에 신혼여행을 왔을 때 아내 빅토리아 카미Victoria Kamhi의 설명에 의존해 스페인 궁정의 몽환적 분위기와 더불어 한때 세계를 지배했던 스페인의 영광과 쇠락의 역사를 가장 서정적인 멜로디로 표현한 불멸의 명작을 탄생시켰다. 1950년대 후반에 미국 쿨 재즈Cool Jazz의 대부 마일스 데이비스Miles Davis도 이곳을 방문해 영감을 얻은 뒤 〈아랑후에스 협주곡〉을 편곡해 〈스케치 오브 스페인Sketch of Spain〉이라는 불후의 재즈음반을 남겼다. 작년 가을 나는 뉴욕을 방문할 때마다 들렀던 유명한 재즈 클럽 블루 노트Blue Note에서 이 곡을 새롭게 편곡한 칙 코리아 비질레트Chick Corea Vigilette의 연주에 매료되어 지금도 이 곡을 즐기곤 한다.
마드리드의 아토차Atocha 역에서 열차를 타고 황량하게 펼쳐진 평원을 지나 아랑후에스 역에 도착했다. 택시도 잡을 수 없는 한적한 마을이었다. 걸어서 왕궁까지 갔는데, 음악을 통해 상상했던 것과는 달리 광대한 부지에 자리 잡은 화려하고 거대한 궁전의 위용에 숨이 막혔다. 마을 전체가 왕궁이었고, 지금은 주인이 없는 알함브라Alhambra 궁전의 방을 그대로 모방한 화려한 흡연실과 현란한

중정에서 바라본 아랑후에스 고궁. 스페인 왕실의 봄 별궁으로 사용했을 만큼 그 위용이 대단하다.(위) ▶
아랑후에스 궁전의 아름다운 별관 회랑.(아래)

아랑후에스 궁전에 있는 화려한 분수. 기타협주곡 〈아랑후이스의 협주곡〉의 배경이다.

색체의 타일로 장식된 도자기방을 보면서 〈아랑후에스 협주곡〉의 멜로디가 새삼 가슴에 와닿았다. 우리는 언젠가 화려한 문화의 흔적을 뒤로하고 떠나야 한다는 우울함과, 볼 수 있는 세계보다 더 많은 것을 보게 한 장님 작곡가의 아내 빅토리아의 헌신적 사랑과 함께…….

어니스트 헤밍웨이도 그의 소설 곳곳에서 마드리드의 낭만과 추억을 언급하면서 마드리드야말로 와인의 향기처럼 가장 스페인적인 아로마를 풍기는 도시라고 극찬했다. 헤밍웨이가 마드리드를 얼마나 사랑했는지는 '헤밍웨이 루트The Hemingway Route'가 개발되어 있는 것을 보면 알 수 있다.

세계에서 가장 오래된 식당, 보틴

나는 영화 〈미드나잇 인 파리Midnight in Paris〉의 주인공처럼 헤밍웨이가 즐겨 찾던 거리를 따라 그의 단골 식당 보틴에서 저녁을 먹었다. 보틴 식당은 1725년 왕실의 손님을 맞는 조그만 여인숙으로 출발해 현재 지구 상에서 가장 오래된 식당으로 기네스북에 올라있는 곳이다. 1795년에는 화가 고야가 접시닦이로 일한 적이 있고, 헤밍웨이뿐만 아니라 세기말의 많은 예술가들의 단골 식당으로 유명하다. 와인 애호가였던 헤밍웨이가 즐겼던 이 식당의 대표 메뉴 중 하나인 코치니요 아사도Cochinillo Asado(세고비아식 토속 새끼돼지 통구이 요리)를 주문했다. 이 요리는 카스티야Castilla 지방의 전통 음식으로, 요리에만 세 시간이 소요되며, 태어난 지 2~6주 된 젖먹이 새끼돼지를 숯불 화덕에서 바싹 구운 요리다. 바삭한 껍질과 육질의 맛이 일품인 이 음식은 제국주의 시대에 스페인의 지배를 받던 나라들로 전해지면서 세계로 전파되었다. 스페인에 관한 헤밍웨이의 대표적인 소설의 하나인 『태양은 또다시 떠오른다』에서 이 식당에서 먹은 새끼돼지고기 요리와 리오하 알타 와인이 언급되어 있다.

어니스트 헤밍웨이의 단골 식당 보틴의 2층. 그가 주로 앉았던 좌석이 시계가 있는 코너다.(위)
보틴 레스토랑에서 향토 요리인 새끼돼지고기 요리 코치니요 아사도를 화덕에 굽고 있는 모습.(왼쪽)
세계에서 가장 오래된 레스토랑으로 기네스북에 등재되어 있는 보틴 레스토랑. 1725년에 여인숙으로 문을 열었으며, 헤밍웨이의 단골 식당으로 유명하다.(오른쪽)

스페인의 전통 새끼돼지고기 요리인 코치니요 아사도와 함께 마신 리오하 와인.(위)
스페인의 전통 새끼돼지고기 요리인 코치니요 아사도.(아래)

신토불이身土不二라는 말처럼 이 요리는 역시 보르도 스타일의 리오하 레드와인과 궁합이 잘 맞는다. 최근 가장 좋은 빈티지인 아마렌 레제르바Amaren Riserva 2005를 주문했는데, 소믈리에가 타닌이 아직 강하니 디캔팅Decanting을 해주겠다고 제안했다. 그동안 오래된 와인은 마시기 전에 디캔팅하는 것이 하나의 상식으로 통용되어왔고 와인 에티켓으로도 정착했지만, 나는 평소에 충분히 숙성되지 않은 젊은 와인과 침전물이 지나치게 많은 와인을 제외하고는 디캔팅하는 것을 반대하고 있다.

디캔팅은 반드시 필요한 절차인가?

디캔팅의 장점은 여과주인 와인의 특성상 병 바닥에 침전되어 있는 찌꺼기를 제거하고 순화되지 않은 거친 타닌을 산화시켜 부드럽게 하는 것이다. 그러나 와인의 맛을 온전히 음미하려면 순화되지 않은 처음의 와인 맛부터 그 풍미를 다할 때의 맛까지를 비교해야 한다. 나는 이 음미법을 와인 애호가들에게 '잠자는 미인The Sleeping Beauty'에 비유하여 설명하곤 한다.
아무리 미인이라도 수십 년 동안 잠자던 미인이 막 잠에서 깨어났을 때는 푸석푸석한 피부에 눈꼽이 끼어 있을 것이고, 세수한 후의 맨얼굴은 자연미인의 것이겠지만, 화장한 얼굴은 더 화려하고 매혹적일 것이다. 와인에 비유한다면 화장한 얼굴을 내보인 그 순간이 디캔팅을 통해 최고조의 맛과 부드러운 향기가 우러나오는 시점이다. 만약 매번 디캔팅해 마신다면 우리는 항상 미인의 화장한 얼굴만 보는 셈일 것이다. 또한 한 병의 와인 속에서 피어나는 향기의 변화 과정을 통해 유년기·청년기·장년기 그리고 노년기의 인생 역정을 반추할 수 있다면 우리는 와인을 통해서 더 많은 철학과 감동을 느낄 수 있을 것이다.

마드리드 왕궁 앞에 있는 아름다운 알무데나 성당의 위용.

와인이 바뀔 때마다 새로운 와인 잔으로 바꾸어야 하는가?

"와인이 바뀔 때마다 반드시 새로운 잔으로 마셔야 한다"는 게 상식으로 통용되고 있다. 그러나 이 주제에 대해 나는 이미 언급한 '디켄팅'처럼 다른 의견을 가지고 있다. 나는 상대방에게 격식을 차려야 할 비즈니스 디너나 외교적인 모임을 제외하고는 샴페인 잔, 화이트와인 잔, 레드와인 잔 각 한 개씩으로만 와인을 마신다.

와인을 마신 후 잔을 잘 세척하는 것은 귀찮은 일이지만 가장 중요한 일이다. 보통 전문가들은 베이킹파우더로 세척한 후 고온의 수증기와 함께 마른 수건으로 닦아낸다. 그런데 민감한 사람들은 이렇게 정성들여 닦은 잔에서도 세척제와 물 고유의 냄새를 느낄 수 있다.

와인 잔은 와인으로 세척하는 것이 가장 이상적이다. 마치 어패류를 바닷물로 씻는 게 좋은 것처럼……. 실제로 유럽의 고급 레스토랑들에서는 손님이 주문한 와인을 소믈리에가 와인 잔에 조금 부어 잔의 내벽에 코팅하듯이 흔들고 버린다. 따라서 같은 종류의 와인을 마실 때는 새로운 병을 열어도 굳이 잔을 바꿀 필요가 없다. 사용했던 잔은 와인으로 이미 자연스럽게 세척된 잔이기 때문이다. 물론 미세하게 남은 와인이 새로운 와인의 맛에 영향을 미쳤다고 주장할 수는 있겠지만, 실제로 이를 분별할 수 있는 슈퍼 테이스터Super Taster를 본 적은 없다.

최악의 경우는 마시고 난 잔에 물을 부어 행군 후 그 잔으로 새로운 와인을 마시는 것이다. 나는 오래전부터 '와인 잔 바꾸지 않기 운동'을 하고 있는데, 이는 두 가지 면에서 좋은 반응을 얻고 있다. 하나는 레스토랑이나 와인 바에서 일하는 사람들에게 불필요한 노고를 줄여주기 때문이고, 다른 하나는 물을 아끼고 폐수를 줄이는 환경 보호를 실천하는 것이기 때문이다.

포트 와인의 고향 포르투의 도루강가에서 바라본 빌라 노바드가이아 마을.
포트 와인 하우스가 집중되어 있는 이곳에 유명한 포트 와인 하우스 '샌드먼'이 사진 오른쪽에 보인다.

Portugal

포르투갈(Portugal)

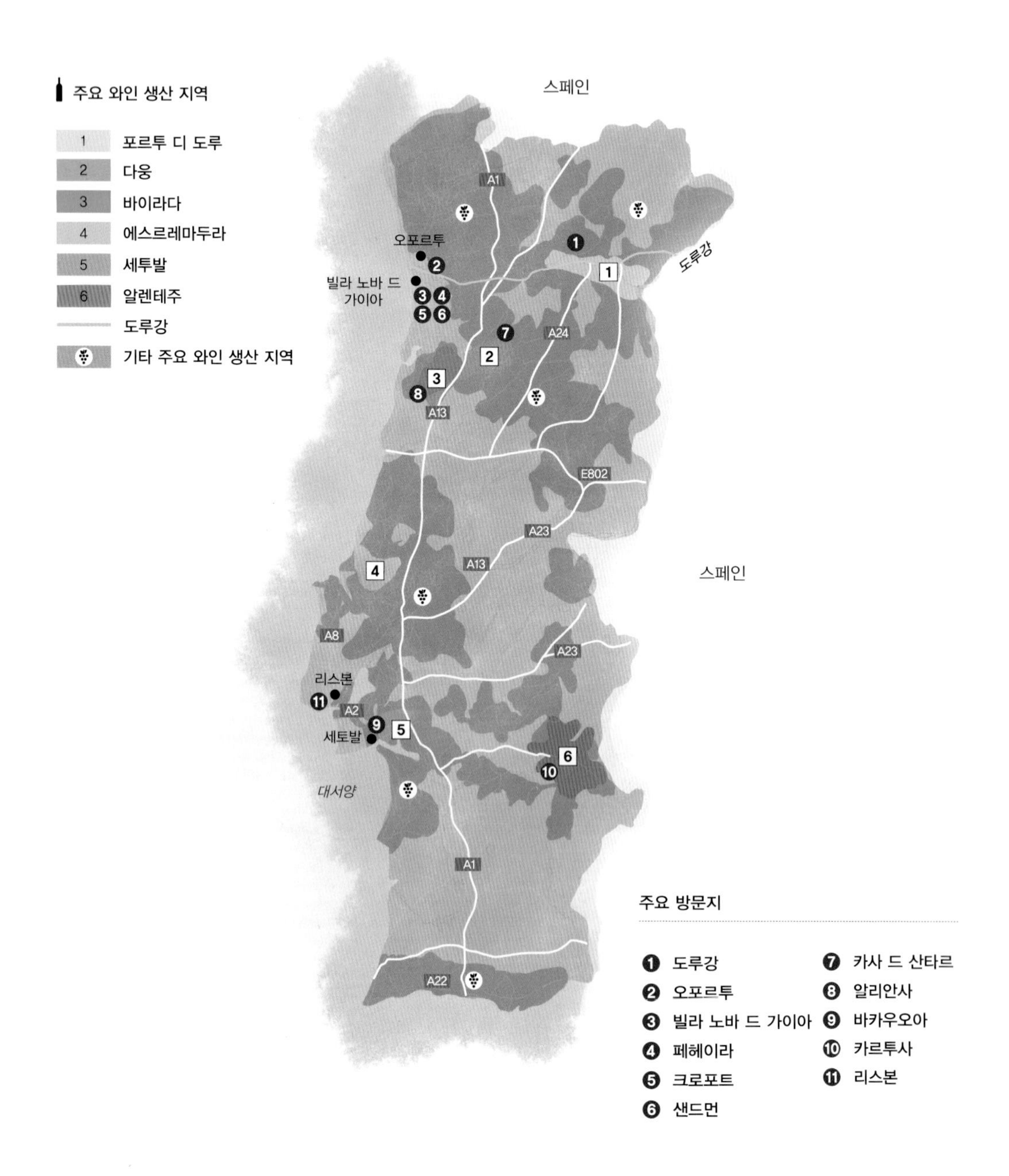

유럽 와인의 변방, 포르투갈

이베리아Iberia 반도의 대서양 연안에 위치하고 있는 포르투갈은 스페인에 가려져 있는 작은 나라다. 와인 역시 포르투갈을 대표하는 달콤한 주정 강화 와인인 포트Port, 와인 초보자가 마시기 좋으며 약간의 발포성이 있는 마테우스Mateus, 란세르스Lancers와 같은 비늄 베르드Vinho Verde(그린와인) 정도만 알려져 있는 은둔의 와인 생산국이었다.

테이블와인의 경우도 교통이나 지정학적인 고립으로 새로운 양조법이나 유행을 따르지 않고 국내 소비에 만족함으로써 그들 고유의 토착 품종과 스타일을 유지하게 되었다. 그것은 오늘날 역설적으로 와인 애호가들이 포르투갈 와인을 재조명하는 계기가 되었다.

포르투갈은 작은 국토에 비해 다양한 스타일의 와인을 생산하고 있다. 그것은 이 나라가 대서양성 기후와 지중해성 기후뿐만 아니라 대륙성 기후의 영향도 받고 있기 때문이다. 토양도 다양하여 도루Douro강을 중심으로 한 북부 지방의 와인 생산지는 화강암과 편암, 중부 지방의 와인 생산지인 바이라다Bairrada와 다웅Dão 지역은 주로 석회암, 남부 지방인 리스본Lisbon 근교의 알렌테주Alentejo나 세투발Setúbal 반도는 석회암과 점토, 모래가 섞여 있다.

포르투갈 와인산업에서 주목할 점은 국제적인 와인 품종보다는 수많은 토착 품종으로 와인을 생산하고 있다는 사실이다. 레드와인 품종으로는 토우리가 나시오날Touriga Nacional, 토우리가 프랑카Touriga Franca, 틴타 카웅Tinta Cão, 틴타 아마렐라Tinta Amarela, 자엥Jaén, 틴타 로리츠Tinta Roriz(스페인의 템프라니요Tempranillo)가, 화이트와인 품종으로는 아린투Arinto, 비칼Bical, 엥크루자두Encruzado 등 전문가도 그 이름을 듣고 생소해하는 포도 품종들이 대표적이다.

포트 와인의 고향 오포르투

포르투갈의 북쪽에 위치한 포르투Porto(오포르투Oporto)로 가는 데에는 보통 리스본에서 비행기나 기차 혹은 버스를 이용하며, 비행기를 제외하고는 약 세 시간이 소요되는 300킬로미터의 거리다. 그동안 포르투 방문에는 리스본에서 기차를 이용했는데, 이번에는 스페인의 리베라 델 두에로Rivera del Duero에서 도루강을 따라 A52번 고속도로와 N222번 도로를 타고, 세계에서 가장 험준한 도루 밸리Douro Valley의 포도원을 구경하면서 포르투를 향해 달렸다.

도루강은 스페인 북서부의 시에라 드 우르비온Sierra de Urbión에서 발원하여 대서양 연안의 포르투까지 급류와 협곡을 이루면서 흐르는 장장 895킬로미터의 아름다운 강이다. 도루 밸리는 옛날에는 인간의 접근을 쉽게 허용하지 않는 버려진 불모의 땅이었으나, 지금은 고속도로와 기차가 있어 어디서나 쉽게 방문할 수 있다.

스페인 국경을 지나 한참을 달려 포트 와인을 위한 주요 포도 산지의 하나인 피나웅Pinhão 마을에서 바라본 도루 밸리의 풍경은 숨 막힐 듯한 장관을 연출하고 있었다. 깎아지른 듯한 협곡의 회색빛 화강암과 초록빛 포도나무가 두 개의 선

포르투갈의 어원이 된 도루강 우안의 포르투와 좌안의 빌라 노바드 가이아, 하구를 지나면 바로 대서양이다.(위)
에펠이 설계한 도나 마리아 철교 아래 포르투의 강변 풍경이 이채롭다.(아래)

각종 건축 양식이 혼재되어 있는 포르투의 구시가지 모습이 방문객에게 강렬한 인상을 남긴다.

으로 그린 지도의 등고선처럼 보였다.

황폐한 땅에서 태어난 새로운 생명

60도 이상의 경사지, 태양이 내리쬐는 한낮에는 섭씨 40도를 오르내리는, 생명이 살 수 없는 버려진 땅. 편암과 화강암으로 이루어진 바위투성이의 이 땅을 이곳 사람들은 일일이 손으로 부수고 고랑을 만들어 빗물이 고이게 하여 계단식 포도밭을 일구었다. "포도는 황폐한 땅과 인간의 노력이 창조해내는 새로운 생명, 즉 위대한 자연의 산물이다"라는 것을 다시 한 번 확인할 수 있는 현장이었다. 이렇게 척박한 자연을 개척하고 이용하는 인간의 열정으로 독특한 와인 문화를 발전시켜왔다는 점을 인정받아 2001년 유네스코에 세계자연유산으로 등록되었다.

도루 지역은 원래 좋은 포도로 포트 와인을 먼저 생산하고, 나머지 포도로 국내 소비용 저급 스틸 와인을 생산해왔다. 그러나 지금은 편암으로 구성된 토양에서 자란 포도로는 주로 포트 와인을 만들고, 화강암 토양에서 자란 포도로는 일반 스틸 와인을 만든다. EU에 통합된 후 새로운 기술과 자본이 투자되어 현재는 세계적 수준의 테이블와인도 생산하고 있다. 또한 포르투갈의 근대화를 이끈 세바스티아웅 폼발Sebastião Pombal 총리는 1756년 이 지역 와인산업을 국유화하고, 포도밭의 경계에 따라 등급을 정해 세계 최초로 원산지 개념(프랑스의 품질 등급제도AOC와 유사함)을 도입했다.

최근 와인 전문지《와인스펙테이터》에 따르면 2006년부터 2011년까지 도루 밸리의 레드와인은 2010년 빈티지를 제외하고 모두 90점 이상의 높은 평가를 받

이 지구 상에서 가장 척박한 도루 밸리의 포도밭의 장관. 아래 강하구 오포르투의 풍경과 대조적이다.(위) ▶
포트 와인의 '성지' 포르투에는 다양한 국적의 관광객들이 사시사철 넘쳐난다.

GRAHAM'S

고 있다. 특히 2011년 빈티지는 무려 97점을 획득해 세계적 명품 와인의 대열에 당당히 합류하게 되었다.

우연한 탄생, 포트 와인

그러나 도루 밸리는 여전히 포트 와인의 고향으로 모든 와인 애호가들에게 각인되어 있다. 포트 와인은 우연히 탄생했다.

프랑스와의 100년 전쟁으로 인해 보르도를 잃은 영국은 17세기부터 보르도 와인의 대체품으로 포르투갈의 질 낮은 레드와인을 수입하게 된다. 이때 운송 과정에서 자주 일어나는 와인의 변질을 막기 위해 브랜디 Brandy(와인을 증류시킨 주정)와 설탕을 첨가했는데 이것이 대박을 터트린 것이다. 뜨거운 온도와 해풍을 맞으며 바다를 건너는 동안 이 와인은 전혀 다른 맛과 향기를 가진 새로운 스타일의 주정 강화 와인으로 재탄생하게 된 것이다.

포트 와인의 이름은 당시 포르투갈의 주요 와인 수출항이었던 포르투(혹은 오포르투)라는 도시 이름에서 유래되었다. 17세기 이후 대부분의 도루 밸리의 스틸 와인과 포트 와인은 이 항구에서 숙성되어 세계로 수출되었기 때문이다. 당시 포트 와인의 최대 소비국은 영국이었으며, 수출도 영국 상인들에 의해 이루어졌기 때문에 포트 와인의 이름은 대부분 영국식 이름이다. 지금은

해가 질 무렵이면 빌라 노바 드 가이아는 석양에 포트 와인 색으로 물든다.

영국보다는 프랑스에 더 많이 수출하고 있는데, 와인 종주국인 프랑스인이 포트 와인의 마니아가 되었다는 것은 재미있는 일이다.

포트 와인의 제조 방법은 일반 와인에 비해 까다롭다. 도루 밸리 중상류 계곡의 포도원에 있는 킨타Quinta(농장 혹은 와이너리)에서 1차로 만들어지는데, 발효 중인 테이블와인의 알코올 함유량이 6~8퍼센트 정도 되었을 때 브랜디를 첨가해 발효를 중단시켜 달콤한 주정 강화 와인을 만든다. 이 와인들은 다시 포르투에 있는 포트 와인 하우스의 셀러로 운반되어 본격적인 숙성 과정을 거치게 된다. 당시에는 육상 교통수단이 없어 밑바닥이 평평한 라벨로 보트로 도루강을 이용해 운반했다.

영국풍의 도시 포르투

포르투에 가까워지니 깊고 푸른 도루강과 구름 한 점 없는 맑은 하늘 아래 신기루처럼 모습을 드러낸 로마네스크, 바로크, 네오클래식Neo-Classic뿐만 아니라 영국 조지George 왕조 스타일의 오랜 건축물들까지, 지금까지 유럽에서 봤던 풍경과는 다른 느낌이 다가왔다. 이런 풍부한 역사와 문화유산 덕분에 포르투는 1996년 유네스코에 세계자연유산으로 등록되었다.

포르투의 오래된 석조건물에 있는 셰 라팽Chez Lapin 식당에서 점심을 끝내고, 노천 카페에서 상쾌한 포르투갈의 그린와인을 마시면서 다음 날 방문할 포트 와인 하우스들이 밀집해있는 강 건너의 아름다운 빌라 노바 드 가이아Vila Nova de Gaia 마을 풍경을 바라보고 있으니 그 기대와 설렘으로 잠시 시간의 흐름을 잊고 있었다.

포르투는 로마네스크, 바로크, 네오클래식 등 각종 건축 양식들이 섞여 색다른 풍경을 만든다.(위) ▶
포르투의 야경도 환상적이다. 뒤에 보이는 다리가 루이스 1세 철교다.(아래)

CALEM

해양 대국 포르투갈의 탄생지

포르투의 아침은 물새들의 노래로 시작된다. 아침 일찍 일어나 호텔 옥상에서 바라본 도루강의 넓은 하구에서는 기분 좋은 바닷바람이 이곳이 대서양과 맞닿아있다는 것을 느끼게 해준다. 그래서일까. 이곳은 일찍이 대양을 향해 새로운 개척 정신을 불태웠던 포르투갈인의 전초기지였다.

페니키아인, 그리스인, 로마인에 의해 이루어진 이 오랜 역사의 고도는 강 건너 빌라 노바 드 가이아와 함께 오늘날 '포르투갈Portugal'이라는 이름이 탄생한 곳이기도 하다. 그러니까 원래 포르투어의 두 도시 이름인 '포르투스-칼레Portus-Cale'가 '포르투-가이아Porto-Gaia'로, 다시 '포르투갈'로 변천된 것이며, 특히 '포르투스Portus'는 '문door'이나 '통로passage'라는 의미를 가진 만큼 해양 대국 포르투갈의 기원은 바로 이 포르투라고 할 수 있다.

영국인들이 성장시킨 포르투의 와인무역

호텔에서 아침을 끝내고 아름다운 루이스Louis 1세 철교를 걸어서 깊고 푸른 도루강을 건너 가이아에 있는 포트 와인 하우스로 향했다. 도루강을 건너는 최초의 다리는 1807년 나폴레옹Napoleon의 군대가 보트를 연결하여 만든 부교浮橋였다. 그러나 이 다리는 대포가 이동하면서 무거운 하중을 견디지 못해 붕괴되어 많은 군인들이 수장되는 비극적인 사건의 원인이 되었다. 그후 두 도시를 잇는 최초의 도나 마리아Dona Maria 철교가 에펠탑을 설계한 프랑스인 귀스타브 에펠Gustave Eiffel에 의해 1877년에 완공되었다는 것은 역사의 아이러니가 아닐 수 없다.

철교에서 도루강 하류인 대서양 쪽을 바라보는 두 도시는 확연히 구별되었다. 우안의 포르투는 성벽과 함께 다양한 중세 건축 양식의 박람회장이라면, 좌안의

포트 와인을 숙성시키는 대형 파이프 배럴.

가이아 지구에는 영국의 조지 왕조 스타일의 건물들이 많다. 그것은 18세기부터 본격적인 포트 와인 생산을 위한 포트 와인 하우스를 영국인이나 영국계 포르투갈 가문들이 설립했고, 포트 와인산업도 그들이 독점했기 때문일 것이다.
영국인에 의해 포르투의 와인무역이 성장해서인지 실제로 이곳에 머무는 동안 리스본과는 달리 일부 건물과 식당 서비스 등에서 영국 상류사회의 문화를 느낄 수 있었다.

포르투갈의 전통과 정신, 페헤이라 포트 와인 하우스

빌라 노바 드 가이아에는 크고 작은 포트 와인 하우스가 무려 스물여섯 개나 산재해 있다. 나는 도루의 포도밭이 스페인 국경까지 개발되게 한 페헤이라Ferreira, 1678년에 설립되어 포르투에서 가장 오래된 셀러인 크로프트Croft와 1790년 이미 와인과 예술을 접목시킨 샌드먼Sandeman 광고로 유명한 가장 큰 규모의 샌드먼 하우스Sandeman House를 차례로 방문했다.
도루강가에 위치한 페헤이라 포트 와인 하우스는 1751년 포르투갈인에 의해 설립되었다. 특히 19세기에 열정과 노력으로 포트 와인뿐만 아니라 도루강을 세계에 알린 안토니아 페헤이라Antonia Fereira 여사는 신화적인 인물로 알려져있다. 역사가 250년이 넘은 페헤이라는 지금은 포르투갈의 대중적인 와인 마테우스 로제Mateus Rose로 유명한 소그라페Sogrape의 소유가 되었지만, 아직도 포르투갈의 전통과 정신을 대표하는 최고 품질의 포트 와인의 상징으로 남아 있다.
좋은 포트 와인은 도루 밸리의 킨타에서 트리딩treading 방식(포도를 맨발로 밟아 즙을 만듦)으로 생산된 A등급의 와인을 사용한다. 지금은 기계화되었지만, 고급 포트 와인은 여전히 트리딩 방식을 고수하고 있다. 포도의 씨를 으깨지 않고 짧

포트 와인과 도루강을 세계에 알린 전설적인 안토니아 페헤이라 여사의 탄생 200주년 기념 포스터가 있는 페헤이라의 셀러 도어.(위)
페헤이라 포트 와인의 포스터.(아래)

은 기간 안에 색소와 타닌을 침용하기 위해서이다. 지하 셀러에서는 이렇게 만들어진 와인이 보르도 배럴Bordeaux barrel(225리터)보다 큰 550~600리터 용량의 오래된 검은색 파이프 배럴Pipe barrel에서 2~50년간 숙성된다고 했다.

대량생산으로 상업화에 성공한 크로포트 하우스

크로프트는 대량생산 방식을 도입하여 상업화에 성공한 경우다. 현재는 W.&A. 길베이Gilbey 소유로, 스페인의 헤레스Jerez에서 유명한 셰리 와인을 생산하고 있다. 셰리 와인 역시 포트 와인처럼 주정 강화 와인이지만, 양조 방식이나 용도에 다소 차이가 있다. 일반 와인에 브랜디를 첨가하여 알코올 도수를 높이거나 발효를 중단시킨다는 점은 같지만, 첨가한 시기에 차이가 있다.

포트 와인은 발효 중간에 브랜디를 첨가해 발효를 중단시킴으로써 달콤하고 과일 향이 풍부해 케이크나 초콜릿 등과 잘 어울리는 디저트와인으로 적당하다. 반면에 셰리 와인은 발효가 끝난 후에 브랜디를 첨가함으로써 드라이한 맛을 내기 때문에 식전주로 적합하다. 예외적으로 중간에 첨가하여 스위트한 셰리 와인을 만들기도 한다. 포트 와인 타입의 또 다른 주정 강화 와인으로는 마데이라Madeira가 있다.

나폴레옹이 사랑한 마데이라 와인

포르투갈에서 700킬로미터 떨어진 대서양의 화산섬인 마데이라는 1419년 포르투갈인이 정착하면서 본격적으로 와인을 생산했다. 이곳에서 생산된 와인을 대서양 너머로 처음 운반할 때 변질을 막기 위해 주정을 첨가했는데, 뜨거운 적도를 통과하면서 독특한 풍미를 만들어내면서 마데이라 와인이 탄생하게 되었다.

크로포트에서 시음한 포트 와인들.(위)
대량생산으로 상업화에 성공한 크로포트 하우스.(아래)

2008년산 L.B.V. 포트.(위)
샌드먼의 지하 셀러에 보관되어 있는 빈티지 포트 와인들. 가장 오래된 1904년 빈티지가 보인다.(아래)

나는 우리나라에 제한적으로 수입되고 있는 마데이라 와인 중 말바지아Malvasia로 만든 맘지malmsey를 즐겨 마시는데, 달콤하면서도 향이 짙으며 부드러운 맛이 일품이다.
와인 애호가였던 나폴레옹도 이 마데이라 와인의 향기의 유혹 때문에 그의 생을 좀 더 일찍 마감했는지도 모른다. 그가 세인트 헬레나Saint Helena섬으로 귀양을 갈 때 영국 총독으로부터 선물 받은 한 통의 마데이라 와인을 죽을 때까지 모두 마셨기 때문이다. 나폴레옹 사후에 영국 정부가 이 마데이라 와인에 비소를 넣어 나폴레옹을 천천히 독살한 것이라는 루머가 퍼졌는데, 진실이야 어떻든 후세 사람들은 그래서 이 와인을 '나폴레옹의 와인'이라고 했다.

통합 마케팅 커뮤니케이션으로 세계시장을 석권한 샌드먼

샌드먼은 1790년 스코틀랜드인인 조지 샌드먼George Sandeman에 의해 설립되었는데, 포르투에서 가장 큰 대형 포트 와인 하우스로서 상업적으로 크게 성공했다. 1877년에 세계 최초로 상표를 등록했으며, 1905년에 와인 업계 최초로 레이블을 이용한 광고, 1928년 샌드먼을 결정적으로 세계시장에 알린 '더 돈The Don(신사)' 로고의 소개에 이어 1930년에는 일종의 통합 마케팅 커뮤니케이션IMC을 도입해 세계 포트 와인시장을 석권했다.
더 돈 상표와 유사한 옷을 입은 가이드의 안내로 200년이 넘은 지하 셀러를 구경했는데, 가장 인상적이었던 것은 지금껏 저장되어 있는 1904년산 와인이었다. 1904년은 조선이 을사늑약을 체결하기 직전의 해로, 일본의 고문 통치가 시작된 가슴 아픈 해였다. 110년 된 병 속의 와인이 어떤 모습일까 궁금했다.

진정한 포트 와인의 향기

2층 시음실에서 다양한 포트 와인을 시음했다. 루비 포트Ruby Port는 각기 다른 해에 생산된 와인을 혼합해 최대 3년 정도 나무통에서 숙성시킨 후 병입한 와인으로, 포트 와인의 가장 기본이라고 할 수 있다.

밝은 루비색에 달콤하지만 스파이시한 맛이 나는, 쉽게 마실 수 있는 와인이었다. 타우니 포트Tawny Port는 루비 포트를 3년에서 심지어 40년까지 나무통에서 숙성시켜 병입한 와인으로, 붉은 갈색을 띠며 드라이하고 견과류 향과 건포도 맛을 느낄 수 있었다.

L.B.V. 포트Late Bottled Vintage Port는 특정한 해의 와인을 4~6년간 나무통에서 숙성시킨 후 병입하여 빨리 마실 수 있도록 개발한 빈티지 포트Vintage Port의 대체품이다. 달콤하면서도 진한 맛이 나지만, 복합성이 있고 부드러워 계속 마시고 싶은 와인이다. 최고 등급의 빈티지 포트는 특정 해에 수확한 포도로 만든 와인을 오크통에서 2~3년간 숙성시킨 후 여과 없이 병입하여 계속 숙성시킨 와인으로 100년 이상 보관이 가능하다. 말린 자두, 무화과, 후추와 블랙커런트의 복합적인 풍미가 환상적이었다.

격조 있는 포스티구 두 카르바웅Postigo do Carvão 레스토랑에서 저녁을 마치고, 다양한 국적의 관광객이 저마다 여행의 즐거움에 취해 있는 강변 카페에 앉아 낮에 시음했던 타우니 포트 1920년산을 주문했다.

이 세상에 포트 타입의 주정 강화 와인은 많다. 그러나 진정한 포트 와인의 향기는 포트강가에서 붉게 물들어가는 저녁노을을 바라보며 300년의 역사를 간직한 포트 와인색 건물, 포르투갈의 역사 그리고 사람들의 향기를 느끼면서 마실 때 비로소 느낄 수 있었다.

샌드먼에서 시음한 타우니 포트 20년산.
오랜 숙성으로 원래의 루비색이 갈색으로 변하면서 세월을 덧입었다.

베이라스의 대표 와이너리, 카사 드 산타르

포르투갈 와인의 새로운 아이콘, 레드

포트 와인의 향기를 뒤로하고, 포르투의 남쪽 내륙 지방에 위치한 전형적인 포르투갈 스틸 와인 산지들을 둘러보기 위해 도루강 남쪽 베이라스Beiras, 리스본 근교 알렌테주Alentejo 지방과 세투발Setúbal 반도에 있는 네 곳의 대표적인 와이너리를 방문했다.

앞에서 설명한바 있지만, 포트 와인의 유명세에 밀려 포르투갈의 테이블와인은 최근에야 그 진가를 발휘하고 있다. 일반 와인 중에서도 주로 국내에서 소비되었으며 우리나라에서도 한때 인기가 있었던 마테우스와 같은 그린와인이 대표적이었지만, 지금은 개성이 강하고 묵직한 레드와인이 포르투갈 와인의 새로운 아이콘이 되었다.

400년 역사의 와이너리를 문화재로 보존하는 마음

베이라스 지방의 다웅Dão에 있는 400년 역사의 카사 드 산타르Casa de Santar 와이너리를 찾았다. 여기저기서 양 떼들이 노닐고, 드넓은 초원에서 군락을 이루고 있는 코르크 참나무숲을 지나니 하얀 화강암으로 건설된 기품 있고 오래된 중세 영주의 저택이 나타났다. 1616년부터 와인을 생산해왔던 이곳은 가족 중심의 포도원으로는

포르투갈의 문화재인 400년의 역사를 자랑하는 카사 드 산타르 와이너리의 정원에서 바라본 노동자들을 위한 성당.

카사 드 산타르 와이너리의 모던한 지하 셀러.(위)
카사 드 산타르 와이너리에서 시음한 다웅 틴토 레드와인과 화이트와인.(아래)

가장 큰 120헥타르를 소유하고 있으며, 각각의 테루아에 적합한 최적의 포도 품종을 재배하는 것이 최고 품질의 와인을 생산할 수 있는 비결이라고 했다.

특히 당 지역의 DOC(품질 등급제도)의 등급을 획득한 와인은 토우리가 나시오날Touriga Nacional, 자엥Jaén, 틴타 카웅Tinta Cão, 알프로세이루Alfrocheiro, 엥크루자두Encruzado 등 토착 품종만을 사용해야 하기 때문에 이곳 와인이야말로 진정한 포르투갈 와인이라 할 수 있을 것이다. 그래서일까. 시음한 다웅 틴토Dão Tinto 2010 레드와인과 2012 화이트와인에서는 공통적으로 어디에서도 맛볼 수 없는 신선한 과일 향과 민트 향이 가미된 야생초의 풍미를 느낄 수 있다.

오래된 소나무들과 너도밤나무들로 둘러싸여 있는 와이너리는 기하학적인 정원과, 정원 안까지 끌어들인 포도밭이 지금까지 보았던 와이너리와는 또 다른 감동을 주었다. 특히 정원 너머 아름다운 성당이 인상적이었는데, 중세 시대에 포도 재배와 와인 생산에 종사했던 노동자들과 그 가족들을 위해 세워졌다고 한다. 오너의 이런 세심한 배려 덕분에 양질의 와인을 생산하게 되었는지도 모른다. 이 와이너리는 현재 포르투갈의 문화재로 보존되고 있다.

거대한 와인 박물관, 바카우오아 와이너리

당 지역에서 서쪽의 바이라다 지역에 있는 알리안사[Aliança] 와이너리는 다음 날 둘러본 세투발 반도에 있는 킨타 다 바카우오아[Quinta da Bakauoa], 1998년 프랑스 보르도의 라피트 로칠드[Lafite Rothschild]와 합작한 알렌테주에 있는 킨타 도 카르모[Quinta do Carmo]와 함께 바카우오아[Bacalhôa] 그룹 소유로, 현대 포르투갈 와인산업을 주도하고 있는 대표적인 와인 메이커다.

그룹 회장인 조제 베라르도[José Berardo] 씨는 와인과 예술을 접목해 와인 투어리즘[Wine Tourism] 프로젝트를 새롭게 선보인 개척자다. 어린 시절부터 와인의 문화 상품으로서의 속성을 잘 이해했던 베라르도 회장은 '와인, 예술과 열정[Wine, Art and Passion]'이라는 철학으로 와이너리를 하나의 문화공간으로 만들어 수많은 관광객을 유치하고 있다.

알리안사 지하 박물관은 각종 도자기와 미술품을 집중 전시해놓았는데, 알리안사는 《와인 스펙테이터》에 의해 2005년 세계 20대 와이너리로 선정된바 있다. 특히 이곳의 로제 스파클링 와인은 결코 샴페인에 뒤지지 않는 향미를 자랑한다.

'와인+예술=와인 투어리즘' 프로젝트의 바카우오아 그룹

인쇄공장을 리모델링하여 전시장과 셀러를 만든 바카우오아 와이너리에서는 우선 그 규모에 압도당한다. 정문에 들어서면 거대한 정유공장 같은 스테인리스 발효 탱크들이 마치 설치미술 작품을 감상할 때의 느낌과 비슷한 묘한 아름다

알리안사 와이너리의 지하 셀러에 들어서면 마치 비밀 클럽에 참여하는 것처럼 매혹적인 느낌을 받는다.(위) ▶
샴페인에 버금가는 세계 20대 와이너리로 선정된바 있는 알리안사의 로제 스파클링 와인.(아래)

LIANÇA
ROSÉ BRUTO

발효 탱크가 마치 정유공장을 연상시키는 바카우오아 와이너리의 장관.
앞에 1,000년의 시간을 이어온 올리브나무들이 줄지어 있다.

움을 자아낸다. 1,000년의 수령을 자랑하는 올리브나무들과 중국에서 수집해온 고대 마상馬像들을 보면 이곳이 와이너리라기보다는 거대한 야외 박물관 같다는 생각이 앞선다. 건물 안에는 전 세계에서 수집한 조각품들과 16세기부터 20세기까지 제작된 포르투갈의 화려한 세라믹 타일들을 집중적으로 전시해놓았다. 또한 별도의 셀러에서 2,000만 리터의 와인이 1만 5,000개의 배럴에서 숙성되고 있는 모습은 장관이었다. 특히 인상적이었던 것은 건물 오른쪽 입구의 아프리카 전시관이다. 이는 베라르도 회장이 넬슨 만델라Nelson Mandela 대통령에게 헌정한 건물인데, 그 이름이 '아웃 오브 아프리카Out of Africa'다.

'아웃 오브 아프리카'의 주인공 베라르도 회장

베라르도 회장은 마데이라 와인으로 유명한 마데이라 섬 태생으로, 열세 살 때 학교를 그만두고 와이너리에서 일했다. 열여덟 살에 남아프리카로 이민, 벤처기업을 설립하여 금광과 다이아몬드 광산 개발을 통해 많은 돈을 벌었으며, 20세기 포르투갈 경제계에서 최고의 신화적인 인물이 되었다. 어쩌면 현대판 엘도라도El Dorado의 사나이라고 할 수 있다. 1986년 귀국한 후 와인사업 이외에도 호텔, 담배, 통신, 은행 등으로 사업을 확장해 총 20억 유로 규모의 자산가가 되었다.
어렸을 때부터 우표 수집광이었던 베라르도 회장은 현재 4만 점 이상의 미술품을 소장하고 있다. 아프가니스탄 탈레반Taliban의 불상 파괴에 충격을 받아 수많은 불상을 수집하여 리스본 근교에 '더 붓다 에덴 가든The Budda Eden Garden'을 만들어 보존하고 있는 것을 보면 그의 예술품 사랑에 대한 진정성을 엿볼 수 있다. '아웃 오브 아프리카' 전시관은 아마도 그의 성공이 있게 한 아프리카에 대한 감사

바카우오아 그룹 베라르도 회장이 만델라 대통령에게 헌정한 '아웃 오브 아프리카' 박물관 입구.(위) ▶
바카우오아 와이너리에 있는 조각상.(아래)

WHAT
A WONDERFUL
WORLD
ART DECO
ART NOUVEAU
BACALHÔA
VINHOS DE PORTUGAL
Bem-vindos
Welcome
Arte
Art
Vinho
Wine
Paixão
Passion
O
Azulejo
Português
Século XVI
ao
Século XX
OUT
OF
AFRICA
Homage to
Nelson Mandela
" Tata Madiba "

인쇄공장을 와이너리로 바꾼 바카우와아 와이너리의 숙성 중인 셀러의 모습이 장관이다.

의 표시일 것이다. 그리고 그의 일생도 마치 영화 〈아웃 오브 아프리카〉(1985) 속의 성공한 주인공처럼 극적이다. 물론 영화의 원작자인 덴마크 여류 소설가 카렌 블릭센Karen Blixen은 실패한 주인공이었지만…….

〈아웃 오브 아프리카〉는 카렌 블릭센이 아프리카의 케냐에서 보낸 실화를 바탕으로 쓴 소설을 시드니 폴락Sydney Pollack이 감독·제작한 영화다. 1986년 제58회 아카데미 시상식에서 작품·감독·각색·촬영·미술·작곡·녹음상을 휩쓴 대작이지만 아이러니하게도 원작자인 카렌은 17년 동안의 커피 농장 경영과 결혼에 실패하고 아프리카를 떠나는 가슴 아픈 사연을 가지고 있다.

나는 1986년 북유럽을 여행하는 길에 덴마크의 코펜하겐에서 이 영화를 보고 작가의 집까지 방문했었다. 그림 같은 아프리카의 자연을 배경으로 펼쳐진 운명적인 사랑과 아프리카에 대한 추억을 그린 주인공 카렌의 강인한 모습을 지금도 잊을 수 없다.

알렌테주 지방에서 방문했던 로마 시대의 수도교aqueduct와 제수이트하우스Jesuithouse 위에 재건된 카르투사Cartuxa 와이너리 역시 잊을 수 없다. 1755년 국보로 지정된 이 와이너리는 건축물에 남아 있는 오랜 세월의 흔적만큼의 무게와 개성을 가지고 있었다.

제수이트하우스 위에 세워진 카르투사 와이너리의 지하 셀러.

대항해 시대에 바다를 재패했던 포르투갈인들의 영광을 기리는 기념탑의 조각들.
그 유명한 '항해왕자' 엔히크 디 아비스, 바스쿠 다 가마, 페르디난드 마젤란 등이 보인다.

포르투갈인의 한을 노래한 리스본의 파두 공연 모습.

파두에는 포르투갈인들의 눈물이 녹아 있다

세투발에서 여러 와이너리 방문을 마치고 오랫만에 나는 바다처럼 넓은 테주Tejo강을 건너 리스본에 입성했다. 기원전 1200년경에 페니키아인들이 영국과의 무역 거점으로 건설했다는, 유럽에서 가장 오래된 수도의 풍모가 넘쳐났다. 저녁에 테주강가의 식당에서 생선구이와 커다란 솥에서 막 삶아낸 문어를 안주 삼아 상큼한 비뉴 베르드로 여행의 피로를 풀었다.

리스본에 머무르는 동안 매일 저녁 영화 〈리스본행 야간열차Nachtzug nach Lissabon〉에 나오는 뒷골목에 있는 포르투갈의 전통 음악인 파두Fado 공연장을 찾았다. 그 어원이 '숙명'이라는 의미의 라틴어 단어 '파툼fatum'인 파두는 스페인의 플라멩코Flamenco에 대비되는 대항해 시대의 포르투갈인의 한恨을 노래하는 국민 음악이다. 인생, 추억, 향수, 사랑의 슬픔을 주제로 한 애절한 음률이 한의 문화에 익숙한 나를 유혹했는지도 모른다. 지금도 나는 이따금 리스본에서 구입한 대표적인 파두 가수 크리스티나 마데이라Cristina Madeira의 음반을 감상하면서 유럽이면서 유럽이 아닌 듯한 유럽의 변방, 포르투갈의 와인과 문화를 추억하고 있다.

리스본에서 가장 큰 광장인 코메르시우 광장. 왼쪽 개선문에 대항해 시대를 열었던
바스쿠 다 가마의 조각이 새겨져 있고, 광장 중앙에 주앙 1세의 기마상이 있다.

찾아보기

1차 발효Maceration 49, 130, 164, 464, 499
DOC 볼게리Bolgheri 217
DOCDenominasion de Calificada 468
DODenominacion de Origin 468
F. X. 피쉴러F. X. Pichler 300, 339
L.B.V. 포트Late Bottled Vintage Port 536, 538
NV 클래식 부뤼NV Classic Brut 67
P. G. 크리안자P. G. Crianza 476
STK-라겐Lagen 369, 371
VCIGVino de la Calidad con Indication Geografica 468
VdlTVino de la Tierra 468
VdMVino de Mesa 468
VDTVino da tavola 204
W. & A. 길베이Gilbey 534
WWF(세계자연 보호 광고 단체) 213

ㄱ

가르가네가Garganega 56~57
가르나차Garnacha 468
가르다Garda호수 23, 25, 33, 43, 57, 59
가야Gaja 와이너리 130
가자Gaja 116
갈로 달바Gallo D'Alba 107
갈리시아Galicia 450
감믈리츠Gamlitz 368
게르하르트 마르코비치Gerhardt Markowitsch 411
가메Gamay 422, 436
게뷔르츠트라미너Gewurztraminer 78~79, 327, 403
게트라이데가세Getreidegasse 345, 348
고블렛Gobelet 78
괴틀스브룬Göttlesbrunn 408, 411
구스타프Gustav 301, 404
구아도 알 타소Guado al Tasso 204, 206~210, 215
구아도 알 타소 2008 210
구에리에리 리짜르디Guerrieri Rizzardi 57~58
구이달베르토Guidalberto 218
귀도 알렉산드로Guido Alessandro 269
귀도 알베르토Guido Alberto 206
귀부貴腐 와인Noble rot wine 390, 392, 394, 406
그라니타Granita 244
그라브Graves 215
그라지아노 프라Graziano Pra 52, 57
그라츠Graz 364, 366~367
그라치아노Graziano 468
그라파Grappa 59, 99
그라파 디 아마로네Grappa di Amarone 59
그란 레세르바 그란 코도르뉴Gran Riserva Gran Codorniu 457
그란데 스트라다 델레 돌로미티Grande Strada

delle Dolomiti 78
그란디 마르키Grandi Marchi 232
그란부시아 리제르바Barolo Granbussia Riserva 122~123
그랑 퀴브Gran Cuvee 67
그레카니코Grecanico 248, 284, 288
그로분덴Graubunden 421
그뤼너 벨트리너Grüner Veltriner 304, 313, 320, 324~327, 331, 333~334, 375, 384
그뤼너 벨트리너 솔리스트Gruner Veltliner SOLIST 357
그뤼베Grüve 330~331, 333
그르나슈Grenache 136, 467
그리놀리노Grignolino 105
그리말디Grimaldi 114, 129
그리말디 와이너리 114
그린차네 카부르Grinzane Cavour 107
그릴로Grillo 294
글레라Glera 64, 87, 89
기요Guyot 78~79
꼴리네 루케지Colline Lucchesi 199

ㄴ

나로Naro 252, 257
내추럴와인Natural wine 494, 499
네렐로 마스칼레제Nerello Masacalese 266, 270
네렐로 카푸치오Nerello Cappuccio 269~270
네로 다볼라Nero d'Avola 247, 257, 260~261, 284, 288
네비올로Nebbiolo 40, 105, 108~109, 111, 114, 116, 125, 130, 135, 178, 270, 303
네비올로 달바Nebbiolo d'Alba 105, 108
네이베Neive 125, 129, 131
노벨로Novello 107
노이지들러Neusiedler 303~304, 385~394, 397, 404, 411
노이지들러-제빙켈Neusiedl-Seewinkel 390
노이지들러제-휘겔란트Neusiedlersee-Hügelland 404
노토Noto 257, 260~261
뇌샤텔Neuchâtel 420~421
뉴에스트로 크리안자Nuestro Crianza 498~499
니더외스터라이히Niederöstereich 303, 313, 320, 408
니콜로Niccolo 270
니콜로 안티노리Niccolo Antinori 206, 208, 215, 217

ㄷ

다 로렌조Da Lorenzo 276
다 비토리오Da Vittorio 150
다르다네이오스Dardaneios 494
다웅Dão 519
다웅 틴토Dão Tinto 542~543
달 포르노 로마노Dal Forno Romano 22, 46, 49~50
더 돈The Don 537
〈더 라스트 프로세코The Last Prosecco〉 87, 93
더 붓다 에덴 가든The Budda Eden Garden 548
더 셰프테이블The Chefstable 356
〈더 킹 오브 와인그로워즈The King of Winegrowers〉 404, 405
데 스테파니De Stefani 22, 78, 83~84, 89
데잘레Dézaley 427~429

델라 게라르데스카Della Gherardesca 206, 208
도나우Danube강 301, 303~304, 313, 320, 325~326, 333~334, 338~339, 342, 368, 375, 384, 408, 411
도나우란트Donauland 320, 325
도루Douro강 516, 519~521, 528, 530, 532~533
도루 밸리Douro Valley 520, 524, 526, 528, 532
도릴리Dorilli 257
도멘 바하우Domaine Wachau 300, 338~339
도미치오 카바짜Domizio Cavazza 130
돈나푸가타Donnafugata 247, 280, 284~286, 288~290, 292~293, 295, 297
돌Dole 436
돌로미티Dolomiti 60~62, 75, 78, 81, 83
돌로미티Dolomiti산맥 23
돌로미티 알프스Dolomiti alps 77, 89
돌체도Dolcetto 105
두에로Duero 450, 481, 484, 486, 489, 492~494, 520
두에마니Duemani 199~203, 220, 203
두에마니Duemani 2007 203
두오모Duomo 69, 138~140, 192~193, 197~199, 262~263, 279~280
두카 디 살라파루타Duca di Salaparuta 248
둘세Dulce 457
뒤라우 블라우프랭키쉬Durrau Blaufraenkisch 383
뒤른슈타인Dürnstein 334
뒤른슈타인Burgruine Dürnstein 성 337, 339
디아노 달바Diano d'Alba 107
디아스 바요Diaz Bayo 493~494, 496, 498
디캔팅Decanting 45, 513

ㄹ

라 보테가 델 카르미네La Bottega del Carmine 294, 296
라 살레La Salle 95
라 스페치아La Spezia 142
라 칸티나La Cantina 201~202
라 푸가La Fuga 297
라과르디아Laguardia 446, 469, 473
라구사Ragusa 257
라그레인Lagrein 78
라마오네Lamaione 170~171
라모라La Morra 107, 133
라벨로 보트 528
라보Lavaux 420~421, 425, 427~429, 433
라이프니츠Leibnitz 368
라피트 로칠드Lafite Rothschild 544
란세르스Lancers 519
랄로Rallo 285, 288, 292~293, 297
람부르스코Lambrusco 64
랑게Langhe 102, 107~108, 110~111, 125~126, 128
랑엔로이스Langenlois 313, 317~318, 333
랙킹Racking 208~209
레 마키올레Le Macchiole 201, 219~223
레나토 라티Renatto Ratti 111, 114, 116, 133
레드 코르날린Red cornalin 421
레디페제Le Difese 218
레론체Le Ronche 84, 86
레세르바 에스페시알Riserva Especial 486
레이트 하비스티드 와인Late harvested Wine 390
레치오토Recioto 40, 49
레치오토 델라 발폴리첼라Recioto della Valpolicella 37

레트Leth 324~327
로그로뇨Logrono 467
로디Roddi 107
로마네 콩티Romanee Conti 46, 460
로미라스코Romirasco 121, 125
로버트 몬다비Robert Mondavi 168, 172, 174, 462
로베레토Rovereto 60
로소 디 몬탈치노Rosso di Montalcino 165
로이지움Loisium 313, 316~318, 320~322, 327, 331
로제 스파클링 와인rose sparkling wine 544
로제 제로Rose Zero 89
로칸다 마르곤Locanda Margon 69
로케타Rocchetta 213, 215~216, 218
론Rhône 421, 433,439
론디넬라Rondinella 40, 51, 59
롤랜드 트레틀Roland Trettl 357
롬바르디아Lombardia 40, 95, 97, 150, 152
뢰치베르크Lötschberg 433, 436, 443
루돌프 슈타이너Rudolf Steiner 380
루베르테Ruberte 446, 464~467
루베르테 레세르바Ruberte Riserva 487
루베스코 리세르바 비냐 몬티키오Rubesco Riserva Vina Monticchio 238~239
루비 포트Ruby Port 538
루빈 카르눈툼Rubin Carnuntum 411
루스터 아우스부르크Ruster Ausbruch 404~406
루스트Rust 404, 406
루이 파스퇴르Louis Pasteur 398, 460
루이지 피란델로Luige Pirandello 257
루체Luce 168, 171~174
루카Lucca 158~159
루카 다토마Luca D'Attoma 200~201, 220
루피노Ruffino 178
룽가로티Lungarotti 158, 228~229, 232~239
뤼트리Lutry 427
르뮈와Remuage 454
르트레 바젤레Le Tre Vaselle 228
리게아Lighea 289, 292, 295
리구리아Liguria 95, 142, 149
리바츠Rivaz 427, 429
리베라 델 두에로Ribera del Duero 450, 481, 484, 486, 489, 492~493, 520
리봇Ribot 213, 215, 218
리비에라 디 레반테Riviera di Levante 142
리비에라 디 포넨테Riviera di Ponente 142
리슬링Riesling 304, 313, 325, 394, 397, 422
리오마죠레Riomaggiore 142
리오하Rioja 447, 467
리오하 그란 레세르바Rioja Gran Riserva 468
리오하 레세르바Rioja Riserva 468
리오하 알타Rioja Alta 467, 473, 478, 510
리제르바Riserva 40, 123, 172, 184, 487
리파르벨라Riparbella 199~202
리파소Ripasso 43
리페 알 콘벤토Ripe al Grosso 169, 171
리푸지오 사피엔자Rifugio Sapienza 270
링구아글로사Linguaglossa 270

ㅁ

마가욘Magallon 464
마나롤라Manarola 94, 142, 144, 147
마데이라Madeira 534, 537, 548
마렘마Maremma 170~171
마르곤Margon 64~66

마르살라Marsala 247, 280,284, 288, 292, 294~295
마르첼로 루넬리Marcello Lunelli 64, 67
마르케스 데 리스칼Marquez de Riscal 446, 477~479
마르코 그라지아Marco Grazia 269
마르코비치Markowitsch 408, 410~413
마르쿠스 키케로Marcus Cicero 262
마르쿠스 후버Markus Huber 333, 335
마리나 디 비보나Marina di Bibbona 227
마리아니 박물관The Giovanni F Mariani Museum of Glass and Wine 174
마리아주Mariage 51, 69, 400
마리오 인치자 델라 로케타Mario Incisa della Rochetta 206, 213, 218
마사 마리티마Massa Marittima 223
마수엘로Mazuelo 468
마스 라 플라나Mas La Plana 462, 464
마스 라 플라나 2007 464
마요르Mayor 500, 502
마우리치오 자넬라Mauriclo Zanella 153, 157
마이어 암 파르플라츠Mayer am Pfarrplatz 413~415, 417
마이클 터너Michael Turner 354, 415
마지Masi 22, 33, 36~37, 39~40, 42~46, 48
마지 아그리콜라Masi Agricola 37, 39
마지 캄포피오린Masi Campofiorin 45~46
마지 투풍가토Masi Tupungato 43
마짜노Mazzano 44~45, 51
마짜노 아마로네 클라시코Mazzano Amarone Classico 44~45, 51
마카베오Macabeo 467
마키올레Marcholi 204
마테우스Mateus 519, 540
마테우스 로제Mateus Rose 532
막시모Maximo 490, 492~493
막시모 2005 490
만자의 탑Torre di Mangia 181
말바지아Malvasia 178, 278, 468, 537
말바지아 파시토Malvasia passitito 278
말벡Malbec 136, 484
맘지malmsey 537
매그넘Magnum 57
매칭Matching 400
맥시멈Maximum 67
메독Medoc 213, 215
메드라노 이라주Medrano Irazu 474
메디치Medici 181, 193, 197, 244
메라노Merano 75, 78
메를로Merlot 59, 78, 105, 135~136, 168, 172, 201, 203~204, 208, 218, 220, 237, 284, 288, 467, 484
메손Meson 502
메시나Messina 274, 278
메쏘리오Messorio 223
멘피Menfi 280
멜크Melk 334, 338~339, 342
멜크 수도원 320, 339~340, 342~343
모르제Morgex 95
모리용Morillon 368
모스카텔로Moscatello 130
모스카토Moscato 64, 107~108, 247
모스카토 다스티Moscato d'Asti 98~99, 103, 105, 133
모스카토 달렉산드리아Moscato d'Alessandria 292

모스카토 디 노토Moscato di Noto 260~261
모젤Mosel 304
몬레알레Monreale 246, 428~250
몬탈치노Montalcino 18, 159, 161~166, 168, 171, 174, 176, 181
몬탈치노 성Fortezza di Montalcino 161~162
몬테 그란데Monte Grande 52
몬테 발도Monte Baldo 59
몬테로소 알마레Monterosso al Mare 142
몬테세라Monte Serra 264~265, 269
몬테스쿠다이오Montescudaio 199, 227
몬테펠코Montefelco 228
몬트제Mondsee 351~352, 354
몬포르테Monforte 119, 125
몬포르테 달바Monforte d'Alba 107
몬포르테 달포네Monteforte d'Alpone 52
몰리나라Molinara 40, 59
몽트뢰Montreux 422, 427, 429, 433
무누스 바르돌리노 수페리오레 클라시코 Munus Bardolino Superiore Classico 59
뮈스카텔러Muskateller 368
뮈스캬Muscat 436
미시아노Misciano 185~186
미엘 데 메르카도Gumiel de Mercado 489
밀라초Milazzo 278
밀레 에 우나 노테Mille e una Notte 297
밀로Milo 266

ㅂ

바롤로Barolo 94, 101~102, 105~108, 110~111, 113~114, 116~117, 119, 121~125, 129~130, 133, 166, 184
바롤로 그란부시아 리제르바Barolo Granbussia Riserva 122~123
바롤로 그란부시아 리제르바 2000 Barolo Granbussia Riserva 2000 123
바롤로 키나토Barolo Chinato 111
바롤로 피체메이Barolo Pichemej 132~133
바루아Barrua 218
바르돌리노Bardolino 33, 51, 57, 59~60
바르돌리노 클라시코Bardolino Classico 25
바르바레스코Barbaresco 102, 105, 108, 125~126, 129~133, 135~136, 178
바르베라Barbera 105, 108, 257
바르셀로나Barcelona 446~449, 453~454, 486, 499
바스크Basque 473
바야돌리드Valladolid 481
바에다오스타Valle d'Aosta 95
바이라다Bairrada 518~519, 544
바인비어텔Weinviertel 320
바카우오아Bacalhoa 544, 547~548
바트 이슐Bad Ischl 364, 366
바하Baja 473
바하우Wachau 237, 301, 304, 313, 320, 334, 337~339, 342, 368
발 딜라시Valle d'Illasi 46
발다디지Valdadige 59
발도비아데네Valdobbiadene 83~85, 89
발디 코르니아Val di Cornia 227
발레Valais 421, 429, 431, 433, 436, 438~439, 443
발레르Valere 434, 436
발터 에젤뵉Walter Eselboeck 398
발텔리나Valtellina 40, 327
발판테나Valpantena 43, 46

발폴리첼라Valpolicella 33~37, 40, 45~46, 52, 59
발폴리첼라 수페리오레Valpolicella Superiore 49
발폴리첼라 클라시코Valpolicella Classico 37
베가 시실리아Vega Sicilia 460, 481, 484, 486~487, 489
베난티Benanti 247, 262, 264~265, 267, 269, 276
베네토Veneto 23, 25, 28, 33, 59, 64, 78, 87, 99, 157, 201
베닝거Weninger 377~378, 380~381, 383
베로나Verona 23~26, 28~29, 33, 37, 43, 51~52
베로나 에스트Verona est 43
베르나차Vernazza 142, 146, 149
베르나치아Vernaccia 188
베르나치아 디 산지미냐뇨Vernaccia di San Gimignano 188
베르두노Verduno 107
베르디소Verdiso 89
베르멘티노Vermentino 147, 208, 210, 237
베이라스Beiras 540
베키아 아우렐리아Vecchia Aurelia 203
베키오Vecchio 194, 197
베토벤 하우스Beethoven House 414~415
베티노 리카졸리Bettino Ricasoli 184
벨슈리슬링Welschriesling 368, 403
벨슈리슬링 1999 403
보Vaud 421
보르고 스코페토Borgo Scopeto 158, 185~187
보르고뇨Borgogno 116
보르도 배럴Bordeaux barrel 534
보스카니Boscani 가문 37, 39~40, 43~45
보스코Bosco 147, 149~153, 156~157
보졸레 누보Beaujolais nouveau 413
보트리티스 시네레아Botrytis Cinerea 390
보틴Botin 506, 510~511
볼게리Bolgheri 159, 178, 197, 201, 203~205, 208~210, 213, 215, 217, 223, 227
볼게리 로소Bolgheri Rosso 220, 223
볼차노Bolzano 60, 73, 75, 78
부로Bulo 443
부르겐란트Burgenland 303~304, 376~378, 383, 385, 387, 397, 404
부르고뉴 102, 114, 116, 270, 303, 384
부르고스Burgos 494
부시아Bussia 125
부티크boutique 460
뷰티풀 싱스 크리안자Beautiful Things Crianza 476
브라Bra 102
브라케토Brachetto 105
브랜디Brandy 526, 528, 534
브레시아Brescia 152
브루넬로Brunello 165~166, 178
브루넬로 디 몬탈치노Brunello di Montalcino 102, 133, 159, 162, 164~166, 171~172, 174, 178, 184, 223, 383
브루넬로 디 몬탈치노 리제르바Brunello di Montalcino Riserva 171
브루노 루넬리Bruno Lunelli 64
브루노 쟈코사Bruno Giacosa 130, 135
브루노 쟈코사 바르바레스코Bruno Giacosa Barbaresco 129
브뤼Brut 457
브리그Brig 439
브베Vevey 422

브베-몽트뢰Vevey-Montreux 427
블라우어 빌트바허Blauer Wildbacher 366
블라우어 츠바이겔트Blauer Zweigelt 325, 327
블라우프랭키쉬Blaufrankisch 304, 377~378, 380~381, 383~385, 403, 411
블라우프랭키쉬 2000 403
비냐 세레 레치오토Vigna Sere Recioto 49
비네아VINEA 436
비노 노빌레 디 몬테풀치아노Vino Nobile di Montepulciano 158~159
비노 데 파고VdP, Vinos de Pago 468
비뉴 베르드Vinho Verde 519, 557
비스프Visp 431, 439, 443
비스피테르미텐Vispertermitten 439~440, 443
비안케타Bianchetta 89
비앙코 피자노 디 산 토르페Bianco Pisano di San Torpe 199
비에비눔VieVinum 와인 303, 304
비오니에Viognier 288
비온디 산티Biondi Santi 158, 166, 383
비우라Viura 468
비칼Bical 520
비토리아Vittoria 257, 259, 260
비토리아 프레스코발디Victoria Frescobaldi 168, 174
비토리오 에마누엘레Victor Emmanuel 97, 276
비티스 비니페라Vitis vinifera 378
빈티지 포트Vintage Port 536, 538
빌라 노바 드 가이아Vila Nova de Gaia 518, 521, 527~528, 530, 532
빌라 마르곤Villa Margon 69
빌레트Villette 427
빌바오Bilbao 446, 473, 477~478

ㅅ

사그라다 파밀리아Sagrada Familia 449, 451
사부아Savoie 97, 99, 105, 108
사세타Sassetta 227
사시카이아Sassicaia 204, 206, 210, 212~218, 276
사시카이아 2009 218
사우크Sauc 450
산 로코 세노델비오San Rocco Seno d'Elvio 125
산 미켈레San Michele 196, 199
산 빈첸조San Vincenzo 158, 227
산 세바스티안San Sebastian 446, 473
산 체노 마조레San Zeno Maggiore 교회 25
산드로 보스카니Sandro Boscani 37, 39, 43
산로렌조San Lorenzo 270
산지미냐노San Gimignano 188~190, 193
산지오베제Sangiovese 59, 165~166, 172, 178, 184, 186, 204, 208, 218, 237, 239
산지오베제 그로소Sangiovese Grosso 165~166, 171~172
산타 마르게리타Santa Margherita 146, 149, 297
산타 마르게리타 디 벨리체Santa Margherita Di Belice 297
산토 스피리토Santo Spirito 270
살라미Salami 179, 210, 429
살리나Salina 247, 278~288
삼부카 디 시칠리아Sambuka di Sicilia 280
상세르Sancerre 400
샌드먼Sandeman 516, 532, 536~537, 539
샌드먼 하우스Sandeman House 532
생로랑St. Laurent 411

생사포랭St. Saphorin 427
생테밀리옹Saint-Emilion 488
샤르돈느Chardonnay 64, 67, 69, 89, 105, 108, 153, 157, 168, 237, 284, 288, 304, 368, 427, 436
샤르마Charmat 87, 89
샤슬라Chasselas 421, 427, 433, 443
샤슬라 그랑 크뤼Chasselas Grand Cru 429
샤이븐Scheiben 325~327
샤토 디켐Chateau d'Yquem 390
샤토 무통 로칠드Chateau Mouton Rothschild 232
샤토 슈발 블랑Chateau Cheval Blanc 404
샴페인Champagne 67, 87, 93, 150, 152~153, 157, 244, 269, 450, 454, 457, 544
성 안젤로스칼로Sant'Angelo Scalo 174
성 프란치스코Sanctus Franciscus Assisiensis 228
세다라Sedara 297
세라 델라 콘테사Serra della Contessa 266
세라룬가 달바Serralunga d'Alba 107
세라발레Serravalle 107
세레고 알리기에리Serego Alighieri 37, 39, 43
세미 세코Semi-Seco 457
세미용Semillon 394
세베르니Teresa Severny 232, 235~236, 239
세이스Seis 476
세코Seco 457
세투발Setubal 518~519, 540, 544, 557
셀러 도어Cellar Door 39, 49, 59, 84, 86, 89, 133, 238~239, 266~267, 324, 330, 378, 394, 346, 464, 487, 489, 533
셰 라팽Chez Lapin 528
셰리Sherry 235, 294, 446, 447, 502, 534
소그라페Sogrape 532
소리 산 로렌조Sori san Lorenzo 135
소리 틸딘Sori Tildin 135
소비뇽 블랑Sauvignon Blanc 304, 368~369, 371~372, 375, 378, 394
소비뇽 블랑 치어렉 STK-라겐Sauvignon Blanc Zieregg STK-Lagen 369, 371
소설Sausal 368
소아베Soave 23, 33, 46, 51~52, 54, 56~57, 59
소아베 수페리오레Soave Superiore 52
소테른Sauternes 390
소프론Sopron 387
솔Sol 502
솔라이아Solaia 204
송로버섯Truffles 102, 105, 114, 136, 140
송로버섯 헌팅Truffle hunting 136~138
쇤뷔엘Schönbühel 339
수이자씨Suisassi 202~203
수자나 루베르테Susana Ruberte 464, 466
수퍼 투스칸Super Tuscan 159, 171, 197, 199~201, 203~204, 206, 207~208, 213~218, 220, 223, 225, 227, 276
수퍼스트라다Superstrada 250
수푸만테 모스카토 다스티Spumante Moscato d'Asti 99, 105
숙성Maturation 130
쉬첸Schützen 397
쉴로스 뒤른슈타인Schloss Durnstein 339
쉴프바인Schilfwein 390
쉴허Schilcher 366
슈타이르에크Steirereck 305
슈타이어마르크Steiermark 301, 304, 364, 366~

368, 370, 372, 375, 377
슈피츠Spitz 334, 339
스차르바트Sciarbat 244
스칼라브로네Scalabrone 208
스크리오Scrio 223
스키아바Schiava 78
스타포르테Staforte 52
스트로 와인Straw wine 390
스트롬볼리Stromboli 278
스티리아 클래식Steyrische Klassik 371
스틸 와인still wine 87, 157, 524, 526, 540
스파클링 와인Sparkling wine 64, 68, 99, 152, 327, 450, 462, 544
스포르잔도Sforzatos 40
스푸만테Spumante 64, 66, 150, 157
시뇨리Signori 광장 25
시뇨리아Signoria 170~171
시라Syrah 136, 201, 203, 208, 210, 237
시라즈Shiraz 21
시라쿠사Siracusa 253, 257, 260, 262~263
시르미오네Sirmione 25
시씨Sissi 364, 366
시에나Siena 158, 159, 162, 171, 178, 179, 181, 184~186, 188
시에라 드 우르비온Sierra de Urbion에 520
시에르Sierre 433, 436, 439
시옹Sion 433, 436
신전의 계곡the Valley of the Temples 250~251, 253, 255
신토불이身土不二 330, 400, 403, 513
실바너르Sylvaner 422, 436
싱스 크리안자Beautiful Things Crianza 476
씨프라CIFRA 203

ㅇ

아그리젠토Agrigento 250~253, 255, 257, 262
아드리아Adriatic해 23, 199, 368,
아란다 데 두에로Aranda De Duero 446, 489, 494
아란치오Arancio 283~284
아랑후에스Aranjuez 446, 506, 510
아레나Arena 25, 28
아로칼Arrocal 446, 488, 490, 492~493
아로칼 셀렉시온Arrocal Seleccion 493
아르날도 포모도로Arnaldo Pomodoro 67, 157
아르노Arno강 197
아르세Arse 107
아르키메데스Archimedes 253
아린투Arinto 520
아마렌 레제르바Amaren Riserva 513
아마로네Amarone 33, 35, 37, 39~40, 42~46, 49~52, 57, 59
아마로네 델라 발폴리첼라Amarone della Valpolicella 33
아마로네 매그넘Amarone Magnum 33
아마로네 코스타세라 클라시코Amarone Costasera Classico 45
아마로네 클라시코arone Classico 44~46, 51
아마로네 패밀리Amarone Families 43
아미뉴Amigne 421
아미아타Amiata 166
아바디아 레투에르타Abadia Retuerta 446, 486~487, 489
아바치아 디 노바첼라Abbazia di Novacella 73
아볼라Avola 256~257, 260, 262

아솔로Asolo 89
아스티Asti 64, 94, 98, 102
아시시Assisi 158, 228
아우렐리아Aurelia 203, 210, 213, 223, 227
아우어스페르크Auersperg 308~309
아우토스트라다Autostrada 250
아이스바인Ice wine 390, 403
아카테Acate 257
아파시멘토Appassimento 39~40, 43, 45, 47, 49
아펜니노산맥Monti Apennines 197
안눈치아타Annunziata 133~134
안달루시아Andalusia 235, 446, 450, 503
안소니카Ansonica 288
안젤로 가야Angello Gaja 135
안토니아 페헤이라Antonia Fereira 532~533
안토니오 랄로Antonio Lalo 292~293
안틸리아Anthilia 297
알도 콘테르노Aldo Conterno 118~119, 121, 124
알라베사Alavesa 473
알라스트로Alastro 284
알레산드로 데 스테파니Alessandro De Stafani 84
알렌테주Alentejo 519, 540, 544, 552
알리아나Aliana 466~467
알리안사Alianca 518, 544
알리에Allier 57
알바Alba 102~103, 107, 125, 130, 133, 136~142
알바로라Albarora 147
알비요Albillo 494
알트로비노 2008Altrovino 2008 203
알프로세이루Alfrocheiro 543
암펠리데과Ampelidaceae科 377
앙겔리Angheli 292
앙헬Angel 490
에렌하우젠Ehrenhausen 368
에르미타주Ermitage 436
에르베Erbe 광장 28, 31
에르부스코Erbusco 152
에올리안Aeolian 278
에트나Etna화산 247, 262, 264, 266~267, 269~272, 274, 276
에트루스칸Etruscan 와인가도 227
에페스Epesses 425, 427~429
엑셀수스Excelsus 174
엑스트라 브뤼Extra Brut 457
엑스트라 세코Extra Seco 457
엔나Enna 257
엔리코 스카비노Enrico Scavino 116~117, 119
엔리코 크리파Enrico Crippa 140~141
엘리자베트 폰 비텔스바흐Elisabeth von Wittelsbach 황후 364~366
엘시에고Elciego 473, 477, 479
엠페도클레스Empedocles 253
엥크루자두Encruzado 520, 543
오르넬라이아Ornellaia 158, 171, 204, 214, 220
오셀레타Oseleta 51
오스츄비츠Ostschweiz 421
오토Otto 52
오포르투Oporto 294, 481, 520, 524, 526
올라Ohla 450
올리버 홈스Oliver Holmes 398
올리오Oglio 157
와인시티City of Wine 473, 477~479
우니코Unico 486
우니코 1973 486

우니코 1986 486
우니코 2002 486
우피치Uffizi 197
울모Ulmo 281, 284
움브리아Umbria 67, 228, 230
유르취치-존호프Jurtschitsch-Sonnhof 330~331, 333
『유리잔 속의 포도Grapes in the Glass』 235
이제오Iseo 157
이카루스Icarus 253, 255
이카루스Ikarus 354~357, 359~361
이탈리아 와인 명가 협회Grand di Marchi 43
인졸리아Inzolia 248, 257, 294
일 브루치아토Il Bruciato 210
일미츠Illmitz 387, 392, 394

ㅈ

자그로스Zagros산맥 21
자비에 프랑코Xavier Franco 450
자엥Jaen 520, 543
잘츠부르크Salzburg 301, 344~345, 347~351, 354, 364
재스민Jasmin 75
제네바Geneva 421~422, 429, 433
제체시온Sezession 301~302
젤라Gela 253, 257, 262
젬믈링Samling 394, 397
조수에 카르두치Giosue Carducci 203, 213, 222~223
조제 베라르도Jose Berardo 544
조지 샌드먼George Sandeman 537
존 우드하우스John Woodhouse 294
주종관계主從關係 400
줄리에타의 집Casa di Giulieta 25, 28, 31
줄리오 페라리Giullio Ferrari 64
줄리오 페라리 리세르바 델 폰다토레Giulio Ferrari Riserva del Fondatore 67
쥐라Jura 433
지냐고Zignago 157
지비보Zibibbo 247, 289, 292
지지 로소Gigi Rosso 94, 116
진판델Zinfandel 136

ㅊ

천지인天地人 107, 457, 460
체라수올로 디 비토리아Cerasuolo di Vittoria 257
체팔루Cefalu 278~279
쳄브라Cembra 73
츠바이겔트Zweigelt 304, 325, 327, 390~393, 408, 411, 413
츠바이겔트 2006 413
치어렉Zieregg 368~369, 371
친코나Cinchona 111
친퀘 테레Cinque Terre 95, 142~144, 146~147, 149~150
친퀘 테레 코스타 데 캄푸Cinque Terre Costa De Campu 147, 149
친타 세네제Cinta Senese 210

ㅋ

카나올로Canaiolo 178, 237, 239
카델 보스코Ca'del Bosco 94, 150~153, 156~157
카디즈Cadiz 294
카르눈툼Carnuntum 320, 408~413

카르투사Cartuxa 518, 552~553
카리칸테Carricante 266, 270
카바Cava 450, 454, 456~457, 462
카베르네 소비뇽Cabernet Sauvignon 105, 135~136, 168, 204, 208, 210, 215, 217~218, 220, 223, 237, 288, 378, 462, 467~468, 484, 488
카베르네 프랑Cabernet Franc 201, 203~204, 208, 215, 218, 220, 223, 378
카사 드 산타르Casa de Santar 518, 540~542
카스타니에토 카르두치Castagneto Carducci 223
카스텔 지오콘도Castelgiocondo 168~173
카스텔누보 베라르덴가Castelnuovo Berardenga 182, 186
카스텔로 디 니포짜노Castello di Nipozzano 171
카스텔로 디 포미노Castello di Pomino 171
카스텔로 반피Castello Banfi 158, 174~176
카스텔로 반피 브루넬로 디 몬탈치노 2004 174
카스텔베키오Castelvecchio 25
카스티야Castilla 464, 510
카스틸리오네 팔레토Castiglione Falletto 107
카타니아Catania 240, 264
카타라토Catarratto 248, 288, 292
카탈루냐Catalunya 446~450, 454, 457, 462, 464, 499
카헤티Kakheti 21
칸타브리아Cantabrica 470, 474
칼라브리아Calabria 278
캄포Campo 광장 181, 184~185
캄프탈Kamptal 320, 330
캬브 드 비녜롱Caveau des Vignerons 428~429
커트파일러Kurt Feiler 404
컬트Cult 460
케라스코Cherasco 107
코넬리아노Conegliano 83~84, 89
코도르뉴Codorniu 446, 454~457
코르닐리아Corniglia 142, 146~147
코르동Cordon 78
코르보Corvo 248
코르비나Corvina 40, 43, 50~51, 59
코르비노네Corvinone 40, 43, 45
코르테제Cortese 107
코르티나 담페초Cortina d'Ampezzo 23, 78, 83
코세차Cosecha 494
코스타 루시Costa Russi 135
코지모 1세 데 메디치Cosimo I de' Medici 193
코치니요 아사도Cochinillo Asado 510~512
콘코르디아Concordia 251, 253, 255
콘테사 엔텔리나Contessa Etellina 240, 284~286, 288
콜레산트 안토니오 소아베 클라시코Collesant Antonio Soave Classico 52, 57
콜레산트 안토니오 소아베 클라시코 DOC 2016 57
콜벤드라메Colvendrame 84
퀴브 안나마리아 클레멘티Cuvee Annamaria Clementi 153
크랑-몬타나Crans-Montana 420, 432, 439
크렘스탈Kremstal 237, 320, 334
크로아티나Croatina 51
크로프트Croft 532~535
크리안자Crianza 468
클라시코Classico 43, 46, 184
클래식Classic 67
클레멘테 산티Clement Santi 165~166

키아라 룽가로티Chiara Lungarotti 232
키안티Chianti 130, 159, 165~166, 171, 178, 181~182, 184, 197
키안티 델레 꼴리네 피자네Chianti delle colline pisane 199
키안티 클라시코Chianti Classico 102, 159, 181~182, 184, 186~187
키안티 클라시코 리제르바Chianti Classico Riserva 184, 186
키안티 클라시코 리제르바 비냐 미시아노 Chianti Classico Riserva Vigna Misciano 186
킨타Quinta 528, 532
킨타 다 바카우오아Quinta da Bakauoa 544
킨타 도 카르모Quinta do Carmo 544

ㅌ

타오르미나Taormina 262, 272, 274, 276, 278
타우니 포트Tawny Port 538~539
타우니 포트 1920 538
타우벤코벨Taubenkobel 397, 399, 401~403
타파스 바Tapas Bar 449
탈보Talbot 330, 333
테누타 델 오르넬라이아Tenuta dell' Ornellaia 171
테누타 마르곤Tenuta Margon 67
테누타 산귀도Tenuta San Guido 210, 213, 216, 220, 227
테누타 카노바Tenuta Canova 43
테누타 카스텔부오노Tenuta Castelbuono 67
테누타 테레 네레Tenuta Terre Nere 262
테누타 포데르노보Tenuta Podernovo 67
테누테 루넬리Tenute Lunelli 67
테레 네레Terre Nere 247, 268~270
테롤데고Teroldego 78
테루아Terroir 46, 52, 57, 59, 105, 107~108, 114, 125, 138, 157, 165~166, 184, 204, 206, 210, 215, 219, 266, 269, 303, 325, 334, 366, 378, 384, 408, 411, 429, 443, 460, 474, 484, 493, 499, 543
테르멘레기온Thermenregion 300, 320
테멘트Tement 300, 368~371
테이스트 컬처Taste Culture 305, 313
템프라니요Tempranillo 467~468, 484, 489, 520
토레스Torres 446, 457~458, 460, 462~464, 467
토로Toro 450
토르지아노Torgiano 228~230, 233, 237, 239
토리노Torino 96~97, 99, 102, 150
토리노의 수의Shroud of Turin 99
토스카나Tuscany 23, 67, 102, 158~159, 161~163, 165, 168, 171~172, 178, 184, 186, 188~189, 193, 197, 199, 203~204, 206, 210, 223~224, 228
토우리가 나시오날Touriga Nacional 520, 543
토우리가 프랑카Touriga Franca 520
토카이Tokaji 390, 404
돌체토Dolceto 105
투르비용Tourbillon 434, 436
투어 헤밍와인Tour Hemingwine 84
트라미너Traminer 368
트라민Tramin 73~75, 77
트라민 와인가도 74~75
트라이젠탈Traisental 300, 320, 333
트레비소Treviso 84, 89
트레비아노Trebbiano 57, 178, 237, 257
트레비지아나Trevigiana 89
트레이조Treiso 125

트렌토Trento 59~61, 64, 69, 71, 73, 75
트렌티노 스푸만테Trentino Spumante 60, 64
트렌티노-알토 아디제Trentino-Alto Adige 23, 60, 64
트리딩treading 532
트리엔트 공의회Council of Trent 60, 72
티냐넬로Tignanello 204
티롤Tyrol 23
티볼리Tivoli 83, 158
티치노Ticino 420~422
틴타 로리츠Tinta Roriz 520
틴타 아마렐라Tinta Amarela 520
틴타 카웅Tinta Cao 520, 543,
틴토 피노Tinto Fino 484~485, 490, 492~494, 499

ㅍ

파두Fado 556, 557
파밀리아 마로네Familglia Marrone 94, 132~134
파세레타Passeretta 130
파스칼 델벡Pascal Delbeck 488
파시토Passito 43, 52, 89
파올로 스카비노Paolo Scavino 94, 116~117
파이프 배럴Pipe barrel 531, 534
파일러-아르팅거Feiler-Artinger 300, 404~407
파코 가르시아Paco Garcia 446, 474~475, 477
판노니아Pannonian 325, 384, 411
판텔레리아Pantelleria 247, 288~289, 292
팔라조 아드리아노Palazzo Adriano 278
팔라초 마뇨Palazzo Magno 60, 69
팔레르모Palermo 241, 245~246, 248~249, 278, 280, 284, 288
팔레오 로소Paleo Rosso 220~223
팔레오 비앙코Paleo Bianco 220
팔슈타프 빈터Falstaff Vinter 411
페나피엘Penafiel 481~482
페네데스Penedes 454, 462
페라리Ferrari 22, 60, 64~69
페란 아드리아Ferran Adria 454
페레라Perera 89
페렐Parral 78
페루지아Perugia 228, 230, 238
페를레Perle 67
페어링Pairing 69, 147, 171, 188, 210, 327, 357, 400
페코르니Pecorini 244
페헤이라Ferreira 532, 533
포Po강 97
포데리 알도 콘테르노Poderi Aldo Conterno 118~119, 121, 125
포르투-가이아Porto-Gaia 530
포르투스-칼레Portus-Cale 530
포마체pomace 59
포살타 디 피아베Fossalta di Piave 83
포스티구 두 카르바웅Postigo do Carvao 538
포지오 알로로Poggio all'Oro 174
포트Port 294, 481, 516, 518~520, 524, 526~528, 530~540
폰타나프레다Fontanafred 94, 116
푸엔텔세스페드Fuentelcesped 494, 496
푸치니 레스토랑 199
프라Prà 51~52
프라 롱고Prà Longo 84
프라파토Frappato 257
프란시스코 호세 디아스 바요Francisco Jose Diaz Bayo 493

프란츠 레트Franz Leth 324~326
프란츠 베닝거Franz Weninger 380
프란치아코르타Franciacorta 64, 95, 150, 152, 157
프랭크 게리Frank Gehry 477, 479
프레스코발디Frescobaldi 168, 170~171, 174
프레시넷Freixenet 454
프레이사Freisa 105
프로세코Prosecco 23, 64, 78, 83, 85, 87, 89, 93, 99
프로세코 발도비아데네 수페리오레 DOCG 브뤼 밀레시마토Prosecco Valdobbiadene Superiore DOCG Brut Millesimato 89
프로세코 브뤼Prosecco Brut 89
프로세코 스틸Prosecco Still 89
프로세코 스푸만테Prosecco Spumante 87, 89
프리오라트Priorat 446, 462
프리울리 베네치아 줄리아Friuli Venezia Giulia 23, 87
프리잔테Frizzante 89
프리츠 츠바이겔트Fritz Zweigelt 411
프티트 베르도petit Verdot 489
프티트 아르빈Petite arvine 421, 436
플라네타Planeta 240, 247, 257, 280~281, 283~284
피나웅Pinhao 520
피노 그리Pinot Gris 436
피노 그리지오Pinot Grigio 78, 89, 237
피노 네로Pinot Nero 157
피노 누아Pinot Noir 136, 157, 215, 270, 303, 325, 327, 421~422, 436
피노 블랑Pinot Blanc 304, 327
피노 비앙코Pinot Bianco 78~79, 89, 157
피노키오Finocchio 210
피아노Fiano 284
피아노 프리벤차Piano Privenza 270
피아자 두오모Piazza Duomo 139~141
피에몬테Piemonte 23, 64, 95, 97, 102~103, 105, 107, 119, 125, 140, 142, 150, 159, 178, 215, 270, 303
피에트라Pietra 다리 24, 25
피에트라마리아Pietramaria 266, 276
피에트로 알리기에리Pietro Alighieri 37
피오 체자레Pio Cesare 94, 116
핀다르Pindar 253
필록세라Phylloxera 264~266
필리포 브루넬레스키Filippo Brunelleschi 197
핑구스Pingus 460, 481

ㅎ
하일리겐슈타트Heiligenstadt 413~414, 417
한Hahn 330
한스 치다Hans Tschida 392, 394, 404
할슈타트Hallstatt 301, 363~364
합스부르크Habsburg 301, 304~305, 309, 342, 364
행가-7Hangar-7 354~356, 359~361
헤레스Jerez 235, 294, 534
헤레스 데 라 프론테라Jerez de la Frontera 447
헤밍웨이 루트The Hemingway Route 502, 510
헤파이토스Hephaestus 270, 274
호리존Horitschon 377
호엔잘츠부르크Hohensalzburg 347~349
호이리게Heurige 304, 334, 413~415, 417
호프부르크Hofburg 298, 301, 304~305, 307, 310

와인 오디세이아

유럽편

초판 1쇄 인쇄 2021년 6월 2일
초판 1쇄 발행 2021년 6월 10일

지은이 송점종
펴낸이 정해종

펴낸곳 ㈜파람북
출판등록 2018년 4월 30일 제2018-000126호
주소 서울특별시 마포구 토정로 222 한국출판컨텐츠센터 303호
전자우편 info@parambook.co.kr **인스타그램** @param.book
페이스북 www.facebook.com/parambook/ **네이버 포스트** m.post.naver.com/parambook
대표전화 (편집) 02-2038-2633 (마케팅) 070-4353-0561

ISBN 979-11-90052-59-7 14590
979-11-90052-57-3 (세트)
책값은 뒤표지에 있습니다.

글 · 사진 송점종
Wine MBA / 경영학 박사

경북대학교에서 법학(법학사)을 전공한 데 이어, 프랑스 보르도 경영대학원(Bordeaux École de management)에서 와인산업 경영학석사(Wine MBA)를, 서울벤처대학원에서 경영학박사학위를 취득하였다.
대우그룹에 입사한 후 재직기간 중 16년간 해외지사에 근무하면서 대우의 세계경영의 최일선에서 활동하였다. 그 공로를 인정받아 1994년 대우인상, 1995년 정부로부터 철탑산업훈장을 받았다. 현재는 대우건설계열사에서 독립한 우리자산관리(주)의 대표이사로 일하고 있다.
대학시절부터 와인에 심취하여 오랜 해외생활과 와인의 메카 보르도 경영대학원에서 본격적으로 와인 공부를 시작하였으며, 지금도 세계의 와인과 와이너리를 찾아 탐구활동을 계속하고 있다. 서울벤처대학원과 경희대학교 관광대학원에서 겸임교수를 역임하였으며, 고려대학교 국제대학원 등에 출강하면서 후학들에게 끊임없이 와인문화를 전파하여왔다. 2008년 와인 에세이 『Wine & Winery』를 출간한 바 있으며, 《주간조선》과 《주간경향》에 와인컬럼 '송점종의 와인기행'을 장기간 연재하기도 하였다.
와인뿐만 아니라 문화와 예술을 유난히 사랑하여 서울 경리단길 문화 복합공간 '가야랑' 빌딩에 오픈 갤러리 'G Contemporary'와 음악과 함께 와인을 시음할 수 있는 '프라이빗 아트 룸'을 운영하고 있다. 또한 International Wine & Food Society(IWFS), Seoul Decanter의 회장과 제주의 문화와 자연을 지키고 사랑하는 '제주 헤리티지 포럼(JHF)'의 이사장을 맡고 있다.